D1213505

SEIGNEURS ET PAYSANS

Œuvres de Georges Duby
dans la collection « Champs »

L'économie rurale et la vie des campagnes dans l'Occident médiéval (2 vol.)

Saint-Bernard. L'art cistercien

L'Europe au Moyen Age

La Société chevaleresque (Hommes et structures du Moyen Age, I)

La Méditerranée. Les hommes et l'héritage (en collaboration avec F. Braudel et alii)

Dans la Nouvelle Bibliothèque Scientifique

Mâle Moyen Age. De l'amour et autres essais.

GEORGES DUBY

SEIGNEURS ET PAYSANS

Hommes et structures du Moyen Age (II)

FLAMMARION

Le présent volume, *Seigneurs et paysans* regroupe un certain nombre d'articles publiés précédemment dans *Hommes et structures du Moyen Age* par l'Ecole des Hautes Etudes en Sciences sociales.

ISBN : 2-08-081182-7

1

LE GRAND DOMAINE DE LA FIN DU MOYEN AGE EN FRANCE *

Présenter en France et dans les derniers siècles du Moyen Age l'évolution du grand domaine — prenons ce mot dans son sens ancien et son sens strict, en entendant par là ce que les médiévistes français appellent plus volontiers la réserve seigneuriale — n'est pas une tâche aisée. Non point que les sources fassent défaut ; certes, le principal document d'administration seigneuriale de ce temps, le *terrier,* décrit-il seulement les tenures ; mais les archives des grandes seigneuries ecclésiastiques et même laïques renferment nombre d'inventaires, de comptes, et les fonds notariaux sont d'une inépuisable richesse. Cependant cet abondant matériel est resté jusqu'à présent — quant à l'objet de cette étude — assez imparfaitement exploité. En effet, les historiens économistes du bas Moyen Age français se sont intéressés surtout au commerce et aux villes : pour cela les aspects les moins obscurs de l'économie des campagnes sont-ils entrevus pour le moment en fonction de l'activité et des soucis des marchands de Toulouse, de Metz ou de Rouen — point de vue très particulier. Quant aux études portant spécialement sur les phénomènes ruraux, elles restent fort clairsemées ; les plus nom-

* Texte publié dans *Première conférence internationale d'histoire économique, Stockholm, 1960,* La Haye/Paris, Mouton, 1960, pp. 333-342.

breuses sont l'œuvre d'historiens du droit, attentifs surtout aux mécanismes juridiques ; la meilleure, celle que Robert Boutruche a consacrée aux campagnes du Bordelais, est moins une œuvre d'histoire économique que d'histoire sociale.

La prospection donc est insuffisante. Ajoutons que la France de ce temps est immense et diverse. D'un pays à l'autre, parfois d'un canton à l'autre — Guy Fourquin a fort bien mis en évidence de tels contrastes à l'intérieur de la seule Ile-de-France —, ni la densité de la population, ni l'état des techniques de production ne sont semblables. Prenons le cas des rendements agricoles : sur certains domaines d'Artois, on récoltait bon an mal an dans la deuxième moitié du XIVe siècle huit à dix grains de froment pour un semé, alors que dans les Alpes du Sud le rendement moyen des champs seigneuriaux était de quatre pour un, et souvent ne s'élevait guère au-dessus de deux[1]. Or, en bon terroir et sur sol médiocre, les conditions de la grande exploitation étaient bien sûr radicalement différentes. Elles n'étaient pas non plus identiques en pays de vignoble, sur les terres à grains et dans les régions de vocation pastorale, dans les secteurs écartés ou dans les régions au contraire sollicitées par la proximité d'un actif centre de consommation, dans les campagnes ravagées et dans celles qui furent moins touchées par les dévastations[2]. En outre le marché des denrées agricoles, et spécialement des céréales, se révèle à cette époque extrêmement cloisonné : une description des domaines des hospitaliers en 1338 montre que, dans le voisinage des diverses seigneuries dispersées dans les Alpes méridionales, les relations entre le prix des grains et les salaires ruraux variaient considérablement d'une vallée, parfois d'un village à l'autre : pour gagner la valeur d'une même mesure de froment, un homme devait travailler cinq jours à La Faye, quatre à Draguignan, trois seulement à Bras[3]... Extrême diversité donc des possibilités d'écoulement, des conditions de l'embauche, des rapports entre

1. Voir note 1 et suivantes pp. 241-242.

profits et frais de gestion. Extrême diversité par conséquent des facteurs déterminants de l'économie domaniale. Cette diversité même rend dans l'état actuel des recherches, avant que ne soient multipliées les monographies locales soucieuses d'exploiter à fond les ressources des archives, toute considération d'ensemble fort hasardeuse. Voici pourtant quelques-uns des traits généraux qui, dès lors, semblent se dégager.

*

Frappante d'abord est, dans le premier tiers du XIVe siècle, l'universelle présence du grand domaine dans toutes les régions françaises qui ont été étudiées de près. Partout des « granges », des « courts » — c'est-à-dire de grosses maisons flanquées de greniers, d'étables, de dépendances, entourées du clos et du courtil, et qui gouvernaient dans le terroir un bel ensemble de parcelles dont certaines, les « coutures », les « condemines », les « corvées », étaient de larges pièces de labour. A Tremblay, en Ile-de-France, l'abbaye de Saint-Denis, dont les censives s'étendaient sur 1 400 hectares, possédait ainsi en « domaine » 200 hectares de terre et 375 hectares de prés[4]. Vigueur donc de la grande exploitation : les traces de « lotissements » qui auraient pu la réduire sont, contrairement à ce que pensait jadis Marc Bloch, imperceptibles. Il semble bien au contraire que beaucoup de ces domaines se soient alors récemment étendus par acquisitions et remembrements ; la grange des prémontrés à Gergovie en Auvergne, celle des cisterciens à Ouges, en Bourgogne, s'étaient ainsi constituées par un groupement systématique de parcelles dans le cours du XIIIe siècle[5]. Ajoutons que ces domaines formaient la partie de la seigneurie de très loin la plus productive : en 1300, 2 pour 100 seulement des profits de l'abbaye de Saint-Denis venaient des censives ; à Pugnafort, en Haute Provence, le domaine des hospitaliers rapportait, en 1338, 144 livres et le reste de la seigneurie 3 livres[6].

A vrai dire, nombre d'entre eux n'étaient plus

directement mis en valeur par leurs maîtres, mais baillés à ferme. C'est vers 1300 que les ecclésiastiques de la région parisienne ont commencé à affermer leurs réserves ; en 1350, les « courts » de l'abbaye Saint-Martin de Tournai étaient pratiquement toutes louées[7]. Il convient de remarquer toutefois que le fermage restait partiel, le maître conservant généralement en sa main la maison, et souvent les clos de vignes et les prés — que, portant sur l'ensemble des terres labourables qui se trouvaient confiées à un chef d'entreprise pour un temps limité, neuf, douze, quinze années, la concession ne déterminait nullement le démembrement de l'exploitation, pas plus qu'elle ne la détachait durablement du maître —, enfin que ce procédé de gestion ne fut adopté, selon toute apparence, que par les très grands seigneurs nomades et par les importantes communautés religieuses qui vivaient, les uns et les autres, éloignés de leurs domaines et ne pouvaient les surveiller de près.

En effet, le faire-valoir direct paraît avoir été alors pratiqué par tous les seigneurs qui résidaient sur leur terre ou assez près pour avoir constamment l'œil sur elle et sur la domesticité. Fort caractéristique est le cas de Thierry d'Hireçon, l'homme de confiance de la comtesse d'Artois : administrateur avisé, il prit en 1320 « en sa main » sa terre de Bonnières, grosse exploitation de 450 journaux de labour ; dès qu'il le put, en 1325, à l'expiration du bail, il mit fin à la ferme de sa terre de Sailly, y établit une « maisnie » de douze valets et de deux servantes, et s'occupa de la faire valoir lui-même ; il résidait en effet de moins en moins dans son hôtel parisien, de plus en plus dans ses maisons rurales artésiennes[8]. Il est permis de penser que cette attitude était commune aux familles de la noblesse rurale, ancienne et nouvelle : la maison de Pierre d'Orgemont à Gonesse, que pillèrent les bourgeois parisiens en 1358, abritait deux charrues, plusieurs chevaux de labour et six cents moutons[9]. En tout cas, c'est bien celle des petites communautés religieuses qui vivaient à la campagne. Les cisterciens exploitaient eux-mêmes à Ouges trois cent cinquante journaux de terre, dont près de la moitié rassemblés dans quelques grandes « corvées » ; les labours en faire-valoir direct des quelque cent commanderies provençales de l'ordre de l'Hôpital couvraient en 1338 plus de sept mille hectares. Sur certains domaines d'Eglise, la main-d'œuvre était fournie par les membres de la communauté : ainsi les vignes de Gergovie étaient-elles piochées par les donats de Prémontré [10]. Mais dans la plupart des granges vivait une équipe de domestiques embauchés à l'année — une dizaine, une vingtaine de travailleurs qui recevaient, outre le logement, la nourriture et le vêtement, un « loyer » en argent strictement hiérarchisé selon les emplois. Cette main-d'œuvre peu stable — dans l'un des domaines de Thierry d'Hireçon, neuf des valets de charrue sur quinze quittèrent leur place entre 1325 et 1328 [11] — avait le soin des labours et du bétail ; elle recevait l'appoint de quelques corvéables [12] et de fortes bandes de journaliers recrutés pour les foins, les moissons, la vendange ou le travail des vignes. Dans la commanderie des hospitaliers de Comps en Provence, plus de cent livres chaque année étaient distribuées, denier par denier, à ces travailleurs saisonniers. Une bonne part des récoltes était vendue : 65 pour 100 dans le domaine de Bras en 1338 — et Thierry d'Hireçon vendait régulièrement ses grains à des marchands de Bruges ou de Gand, ou bien organisait lui-même les expéditions par convois de bateaux vers la Flandre : c'était sa principale recette. Toutefois, les profits de l'exploitation céréalière paraissent avoir été souvent très faibles, spécialement dans les terroirs à rendement médiocre, car les frais de gestion, et spécialement les dépenses de main-d'œuvre, étaient fort lourds : ils représentaient à Bras 85 pour 100 de la valeur des récoltes. Beaucoup plus profitables étaient en revanche l'élevage et la culture de la vigne. En 1321, Thierry d'Hireçon tirait 135 livres de cent soixante moutons qu'il avait achetés l'année précédente 68 livres ; les salaires des ouvriers de la vigne de Bras n'absorbaient que la moitié de la valeur de la vendange [13].

*

Après 1340, l'histoire du grand domaine français devient beaucoup plus obscure. On trouve ici et là des indices attestant que parfois le domaine a été en partie loti et que certaines parcelles de la terre seigneuriale furent ainsi converties en censives. Ainsi les chanoines de Notre-Dame de Paris ont-ils concédé en tenure par petits lots cinquante et un arpents de leur réserve de Mitry-Mory entre 1346 et 1348, cent cinquante-sept arpents entre 1352 et 1356. Dans la grange cistercienne d'Ouges, toutes les petites parcelles isolées et certains champs en bordure des grandes corvées furent accensés entre 1380 et 1445 ; le domaine s'est ainsi trouvé concentré sur les meilleures terres, mais diminué du tiers. Celui des hospitaliers à Rue en Provence était moitié moins étendu en 1411 qu'en 1338. Mais d'autres témoignages montrent que d'une manière générale les réserves se sont maintenues et que même certaines se sont étendues, spécialement au XVe siècle. Voici deux des domaines de Saint-Germain-des-Prés, Thiais et Villeneuve-Saint-Georges ; dans le premier, en 1384, cent quatre-vingts arpents de labours, quarante-quatre de prés, quinze de vigne — en 1510, deux cent cinquante arpents de labours, trente et un de prés, trente de vigne ; à Villeneuve, entre les deux dates, les champs se sont accrus de quarante arpents, les prés de seize, les vignes de trois[14]. On voit aussi, à la fin du XVe siècle, les seigneurs de la Gâtine poitevine avancer de l'argent à leurs tenanciers gênés, les tenir ainsi par le crédit et finalement, rachetant les droits des paysans, intégrer d'anciennes censives à leur domaine[15]. On peut donc se demander si, du début du XIVe à la fin du XVe siècle, les rapports entre l'étendue du domaine et celle des exploitations paysannes se sont sensiblement modifiés dans la plupart des terroirs.

Mais si le grand domaine ne paraît pas s'être beaucoup transformé dans ses dimensions, les méthodes de gestion ont profondément changé.

L'abandon du faire-valoir direct et la pratique du fermage, attestés pour les plus grandes seigneuries au seuil du XIVe siècle, se sont largement répandus par la suite. Dans la plaine de France, progrès réguliers : le mouvement s'est poursuivi au même rythme avant comme après la peste de 1348[16]. Dans bien des régions cependant, il semble s'être accéléré pendant les décennies qui encadrent 1400. La première amodiation de la grange des prémontrés de Gergovie eut lieu en 1381 ; elle fut suivie d'une autre en 1409. A Ouges, la grange est concédée une première fois en 1382 pour neuf ans ; nouveau contrat en 1399. En 1411 tout le domaine de Rue était exploité par des fermiers, et l'on conserve l'une des concessions qui date de 1405[17]. Remarquons cependant que, comme au début du XIVe siècle, les vignes et les prés sont restés souvent exclus du bail : à Thiais, en 1384, champs et prés étaient affermés, mais non point les clos ; en 1458, prés et vignes constituaient l'essentiel du « territoire propre » mis en valeur par Jacques Ysalguier, seigneur toulousain[18]. Les stipulations des contrats, de plus en plus détaillées, sont fort variables (ce qu'on appelle bail à ferme en Ile-de-France est la combinaison d'un fermage en grain et en argent et d'un métayage pour le cheptel vif[19] ; en Provence, on distingue parfois la « facherie », qui est un métayage des grains, et la « mégerie », association pour l'élevage du paysan et du maître qui apportent chacun leur part du troupeau) — mais généralement le bailleur ne fournit pas seulement la terre, il avance de l'argent, des grains, le train de culture, la valeur des bestiaux surtout ; il semble que dans le cours du XVe siècle, l'intervention du capital, et spécialement du capital urbain, soit devenue plus déterminante. Mais voilà un point fort important pour lequel manquent encore des études précises. Les concessions en tout cas étaient pour la plupart à très court terme, trois ans en Bordelais[20], trois, six, neuf ans en Ile-de-France, trois, quatre ou cinq ans en Provence, quatre en Toulousain[21]. G. Fourquin remarque que, dans la région parisienne, les fermiers n'ont montré nulle tendance à s'incruster ; tandis que G. Sicard observe en Toulousain un allongement progressif des baux du XIVe au XVe siècle.

Toutefois, après 1450, le bail ne porte généralement plus sur des exploitations aussi vastes. Au début du XVIe siècle, la grange de Gergovie était ainsi confiée à plusieurs fermiers, en lots d'étendue moyenne [22] ; les « bordes » toulousaines du XVe siècle étaient équipées d'une ou deux paires de bœufs seulement, et leur historien suppose qu'elles sont nées souvent d'un démembrement du domaine seigneurial [23] ; ce fut aussi un train de quatre bœufs et la superficie de terre correspondante qu'un marchand de Fréjus confia pour cinq ans, en 1477, à deux chefs de famille venus de Ligurie [24]. Il semble bien par conséquent — et c'est là sans doute le changement majeur — que le grand domaine au cours de la seconde moitié du XIVe et pendant le XVe siècle, sans s'amoindrir notablement et parfois même en s'étendant, ait du moins perdu sa cohésion. Il s'est d'ordinaire morcelé en plusieurs unités d'exploitation. Ainsi s'est formé sans doute ce type d'entreprise agricole bien observé par L. Merle dans la Gâtine poitevine, mais aussi par G. Sicard en Toulousain et par G. Fourquin dans la plaine de France, et qui, au début du XVIe siècle, s'oppose fortement aux petits ménages paysans, tènements, mas ou masures, que décrivent terriers et livres de cens : la « ferme » ou la « métairie » des campagnes modernes. De grands bâtiments isolés du village, vingt à cinquante hectares de terres bien groupées, souvent encloses, exemptes des contraintes agraires, souvent aussi vouées en grande partie à l'élevage. L'ensemble est tenu par un exploitant point trop aisé, aidé par les avances nécessaires du maître de la terre qui vit à la ville ou dans le château voisin ; plusieurs paysans de son envergure sont fermiers comme lui dans la paroisse, ses alliés par les mariages ; il entretient peu de valets, embauche peu de journaliers, beaucoup moins en tout cas que les seigneurs d'avant la guerre de Cent Ans. Et la position de cette exploitation de taille moyenne est de la sorte bien différente de celle des grands domaines du début du XIVe siècle, beaucoup moins étroitement liée à l'économie paysanne par le jeu des gages et des prestations de services. En vérité beaucoup d'études détaillées sont encore nécessaires pour que l'on puisse observer d'assez près le passage entre ces deux types d'entreprises, entre la grosse grange cohérente de 1300 et le domaine de 1500 divisé en plusieurs « gagneries », pour que soient datées plus précisément les étapes de l'évolution, pour qu'apparaissent les diversités régionales, pour que la formation de la ferme et de la métairie puisse être valablement mise en rapport avec l'état des fortunes seigneuriales et paysannes, et avec la plus ou moins grande cohésion de la solidarité villageoise. Tout un chapitre de l'histoire des campagnes françaises reste à construire.

*

Ces faits très imprécis, il est évidemment beaucoup plus difficile encore de les situer dans l'évolution générale de l'économie rurale, que l'on connaît elle-même fort mal. Sans doute quelques éléments numériques sont-ils susceptibles d'être exploités et peuvent donner lieu à des interprétations mathématiques et statistiques : Guy Fourquin a pu disposer en graphiques l'évolution des prix du vin, du blé-méteil, de l'avoine, ainsi que des dépenses d'exploitation du vignoble seigneurial à Saint-Denis entre 1284 et 1342. Mais on ne peut dresser des mercuriales, suivre les variations du cours des métaux précieux et des monnaies que dans les grosses villes. Or on sait combien les valeurs marchandes sont différentes d'un canton à l'autre. Que valent ces données lorsqu'on passe du monde des négociants urbains au monde des ruraux ? En outre, trop d'éléments font défaut pour qu'une étude valable de la conjoncture soit possible. On est très mal renseigné sur le marché du travail en milieu agricole, et notre connaissance des conditions de l'emploi demeurera peu sûre tant qu'il n'existera pas d'études sérieuses de l'industrie villageoise : de nombreux « texiers » travaillaient dans les campagnes d'Ile-de-France à la fin du XVe siècle [25]. En était-il de même cent ans plus tôt ? Et dans d'autres provinces ? Enfin que sait-on vraiment de la démographie rurale ?

En 1949, un bel article de E. Perroy invitait à étudier attentivement les « crises » du XIVe siècle et à vérifier si les phénomènes que les médiévistes anglais ont mis en évidence s'étaient également produits en France [26]. En fait, cet appel n'a pas encore reçu de vraie réponse, et l'on n'en sait guère plus aujourd'hui qu'alors. Il semble bien toutefois que la « crise frumentaire » des années 1315-1318 n'ait pas eu de répercussions profondes dans la plupart des pays français : les recherches de G. Fourquin montrent qu'en Ile-de-France l'évolution de l'exploitation domaniale ne fut point infléchie après ces années mauvaises. On découvre en revanche, dans les registres de la graineterie de l'abbaye cistercienne Notre-Dame-des-Prés à Douai, le témoignage d'une chute de la production céréalière en Artois et en Flandre gallicante de 1332 à 1370, le niveau le plus bas se situant entre 1340 et 1360 [27] : de cette régression, les calamités météorologiques ne sont sans doute pas responsables : elle tient au défaut de main-d'œuvre que provoquèrent à la fois les troubles politiques et les épidémies. De toute évidence, l'économie de la plupart des régions françaises fut au milieu du XIVe siècle perturbée par des catastrophes et spécialement par la guerre.

La détérioration des conditions de l'emploi, la hausse des salaires et la difficulté de recruter des travailleurs ont affecté immédiatement le faire-valoir direct : à Ouges, en 1381, à la veille de la première amodiation, les frais d'exploitation du domaine étaient devenus supérieurs aux recettes de celui-ci et absorbaient même presque tous les revenus des droits seigneuriaux [28]. L'intérêt évident des maîtres était de concéder leurs labours à court terme contre un fermage mixte en céréales et en numéraire qui, comme l'a montré A. d'Haenens, constituait aussi une assurance contre les mutations monétaires [29]. L'expansion du fermage et du métayage fut donc hâtée par la misère des temps. Encore fallait-il trouver preneur, c'est-à-dire que le marché des produits agricoles et du travail ne fût pas trop défavorable à l'exploitant. Déjà en 1338, les hospitaliers provençaux devaient malgré eux maintenir dans leur réserve certaines terres, parce que nul paysan ne voulait les prendre en fâcherie — et c'était bien sûr les plus mauvaises. Entre 1409 et 1444, c'est-à-dire au paroxysme des ravages militaires, les cisterciens furent contraints de mettre de nouveau eux-mêmes en valeur leur grange d'Ouges dont plus personne ne voulait se charger[30]. Le trouble démographique provoqué par les mortalités et les transferts de population explique donc que bien des maîtres aient cherché, entre le milieu du XIVe et le milieu du XVe siècle, à lotir au moins les franges périphériques les moins fertiles de leur domaine, à attirer des tenanciers par des conditions d'accensement fort avantageuses ; il explique également le maintien plus prolongé du faire-valoir direct dans les régions plus pauvres, qui — on le voit bien en Ile-de-France — souffrirent davantage du pillage des gens de guerre et, par l'exode des paysans, du dépeuplement ; il explique enfin que la concession du domaine en fermage et en métayage de la fin du XVe siècle se soit opérée par lots de dimensions moyennes, à la mesure d'exploitations familiales déchargées d'une domesticité trop lourde, devenue difficile à recruter comme à rétribuer.

Ne faut-il pas cependant considérer pestes et hostilités comme des accidents qui vinrent seulement accentuer certains traits, interrompre momentanément ou bien au contraire accélérer des mouvements de profondeur qui se prolongèrent ensuite ? Toutes les études menées sur la remise en état des campagnes françaises après la guerre de Cent Ans mettent en évidence le conservatisme des reconstructeurs. Il importe donc d'observer aussi certains facteurs moins fugaces de l'évolution domaniale, d'examiner les méthodes de gestion en fonction des structures sociales et des mentalités. Robert Boutruche a fort justement noté que le bail à ferme « répond à une mentalité qui recule devant les soucis et les risques de la gestion directe comme du métayage temporaire, et qui préfère un revenu fixe à un revenu changeant, même si celui-ci est plus élevé[31] ». Ajoutons qu'il convient spécialement aux maîtres qui ne sont pas toujours là pour surveiller. En revanche, les contrats d'association de capital par « mégerie » ou « gasaille »[32] constituent des procédés d'investissement qu'adoptent volontiers des hommes soucieux de profits et accoutumés aux pratiques du négoce. Par conséquent, pour mieux comprendre les progrès du bail à ferme depuis la fin du XIIIe siècle, les remembrements de domaines dans la seconde moitié du XVe siècle, la diffusion du métayage autour des villes pour la production du bétail ou du vin, il serait bon d'examiner de près certaines modifications de la société.

Beaucoup de maîtres n'ont-ils pas alors changé de genre de vie ? Et en particulier abandonné leur maison des champs parce qu'ils étaient emportés par les mouvements de la guerre, ou parce qu'ils furent sensibles aux attraits de la vie urbaine ? Vingt-quatre seigneurs servis par huit domestiques vivaient en 1338 dans la commanderie provençale de Rue ; en 1411, la maisonnée était réduite à six personnes. N'observerait-on pas d'une manière générale la réduction des maisons seigneuriales, l'éclatement de ces fortes compagnies qu'étaient à l'époque féodale les « familles » des hobereaux de village ? Et ce changement ne peut-il être tenu pour l'une des incitations les plus puissantes à l'affermage des réserves ? Il faudrait aussi disposer de données beaucoup plus précises sur le renouvellement du milieu seigneurial, et en particulier sur le passage de certains domaines des mains de la vieille noblesse à celles de la bourgeoisie. Ces nouveaux maîtres enrichis par le commerce et résidant en ville, étaient-ils partout aussi nombreux que dans la banlieue dijonnaise ou toulousaine ? Dans quelle mesure furent-ils responsables des remembrements domaniaux, d'une orientation plus poussée vers l'élevage et les cultures spéculatives, d'une multiplication des contrats de gasaille ? Les bailleurs en métayage des environs de Toulouse étaient pour les trois quarts des bourgeois. Pourtant jusqu'à l'orée du XVIe siècle, très rares furent les grands domaines acquis par les marchands parisiens — et les seigneurs qui construisirent au XVIe et au XVIIe siècle les métairies de la Gâtine poitevine étaient pour plus des deux tiers des nobles résidents, parmi les plus riches et les plus grands [33]. Que l'on regarde aussi du côté des agents d'administration, de ce groupe social si dru dans les premières années du XIVe siècle [34]. La multiplication des baux réduisit notablement leur rôle : à Rue, au début du XVe siècle, le faire-valoir direct complètement abandonné, il n'est plus trace, dans les comptes, de ces avoués, procureurs, sergents, receveurs qui, cent ans plus tôt, vivaient si nombreux en parasites de la seigneurie. Mais combien parmi ces auxiliaires devinrent fermiers ? En effet, l'évolution de l'économie domaniale serait certainement pour nous beaucoup plus claire si l'on étudiait systématiquement l'origine de ceux qui au XIVe et au XVe siècle prirent à ferme ou en métayage les condemines, les breuils et les clos. Parmi eux étaient-ils nombreux les immigrants sans avoir qui n'apportaient que leurs bras et à qui le maître devait avancer non seulement la semence, mais la nourriture de la première année, tels ces Ligures qui repeuplèrent les villages abandonnés de la Provence maritime à l'extrême fin du XVe siècle [35] ? Les fermiers furent-ils au contraire d'anciens régisseurs, d'anciens valets, d'anciens maîtres bouviers moins instables que la plupart ? Des tenanciers gênés, ou bien au contraire des laboureurs déjà sortis de la médiocrité et tentés par l'entreprise ? Beaucoup d'enquêtes, on le voit, restent à faire. Celles qui, dans tel domaine, se proposeraient de suivre du côté des maîtres et du côté des exploitants les destins familiaux ne seraient pas, à mon sens, les moins fécondes.

2

LA SEIGNEURIE ET L'ÉCONOMIE PAYSANNE ALPES DU SUD, 1338 *

L'extrême rareté des évaluations précises rend très incertaine l'étude de l'économie rurale en France pendant la plus grande partie du Moyen Age. Les administrateurs des seigneuries les plus importantes, les plus méthodiquement gérées, recouraient très exceptionnellement à l'écriture, et, dans les très rares textes qui ont été conservés, les notations numériques sont fort peu nombreuses. On se souciait quelquefois de dénombrer les sujets de la seigneurie, d'enregistrer leurs redevances : « tel homme, telle tenure doit à telle date livrer tant de deniers, tant de mesures de grains... » ; ces répertoires, censiers ou coutumiers étaient rédigés, parce qu'il existait des précédents carolingiens et parce que ces documents pouvaient être utilisés en justice lorsque des contestations s'élevaient à propos de services. Il arrivait aussi que, dans telle communauté monastique, on jugeât bon d'inscrire le montant des rations allouées à chaque membre de la maisonnée, embryon d'un état des besoins annuels en nourriture destiné à faciliter les tâches de répartition. Mais ces écrits sont à peu près les seuls que l'on puisse découvrir dans les fonds d'archives. Pas de mention de prix, ou presque (ici et là dans une chronique, le souvenir d'un niveau insolite, en temps

* Texte publié dans *Etudes rurales* n° 2, juillet-septembre 1961, pp. 5-36.

d'extraordinaire abondance ou d'extraordinaire pénurie ; ici et là, dans une reconnaissance de dette, l'équivalence entre la monnaie et telle autre valeur : « Je dois payer telle somme en deniers ou tant de vaches... »). Pas d'inventaire de gestion, pas de bilan, aucun essai de mettre en balance les besoins et les ressources d'une maison seigneuriale. Privé d'une armature de chiffres, l'historien se sent mal à l'aise, ce qui explique sans doute que l'histoire de l'économie rurale soit en France si peu poussée, par rapport à celle des villes et du commerce, ou par rapport à l'histoire du droit seigneurial.

Il convient de remarquer cependant que cette indifférence des milieux ruraux à la précision numérique a commencé à s'émousser dans les pays français dans la seconde moitié du XIIIe siècle (c'est-à-dire bien après que l'usage du chiffre, du compte écrit, de l'inventaire se fût introduit dans l'administration des grands domaines ecclésiastiques d'Angleterre). Ce changement de mentalité apparaît de première importance : le besoin nouveau d'évaluation, le souci de mesurer profits et pertes, le désir de prévoir, impliquent en effet une attitude différente à l'égard des réalités économiques, et l'on peut penser que cette attitude modifia quelque peu les rapports entre seigneurs et paysans et la situation même de la seigneurie dans le mouvement des échanges. Aussi faut-il souhaiter que des études attentives, une exploration méthodique des archives seigneuriales, précisent les étapes de ce progrès technique et établissent ses liaisons avec le perfectionnement des finances princières, avec le renforcement d'un corps d'administrateurs professionnels, spécialistes de l'écriture et des comptes. Mon expérience se limite à la France du Sud-Est et se fonde sur des sondages encore très incomplets. Voici ce que j'entrevois. Avant le XIVe siècle, je ne connais qu'un seul document qui livre sur l'administration d'une grosse entreprise agricole quelques indications chiffrées convergentes. Il est contenu dans l'un des cartulaires de l'abbaye de Cluny et il fut rédigé vers 1155. Son titre est fort expressif : *Constitutio expense*, c'est une mise en ordre de la dépense, un plan de gestion de la fortune commune en fonction du ravitaillement des très nombreux consommateurs que réunissait alors le monastère. Il présente donc — très grossièrement encore, très brièvement — d'une part l'évaluation des besoins en nourriture, de l'autre l'inventaire, seigneurie par seigneurie, des ressources utilisables. Ce document jette, en plein XIIe siècle, un coup de lumière déjà fort vive, mais il est tout à fait isolé. Il vient en effet de Cluny, d'un milieu très en avant-garde ; en outre, cette enquête fut entreprise sur l'initiative de l'évêque de Winchester, Henri de Blois, frère du roi d'Angleterre et grand seigneur d'outre-Manche, qui était alors réfugié en Bourgogne : selon toute apparence, l'influence des méthodes anglaises d'administration fut déterminante [1]. En vérité, les pratiques nouvelles qui ont préparé le changement d'attitude ne se manifestent qu'un siècle plus tard.

C'est alors seulement que l'on découvre les premiers livres de comptes, dressés pour leur maître par les responsables financiers, tel ce précieux petit registre, connu sous le nom de « Rationnaire du comte de Provence », qui contient des états de recettes et de dépenses seigneuriales pour les années 1249-1254 [2]. Mais ces écrits renferment seulement le relevé désordonné des perceptions et des débours, et ce qui concerne les domaines ruraux du maître s'y présente inextricablement mêlé à tous ses autres revenus, aux dépenses de toutes sortes. D'autres textes sont liés à un usage propre aux congrégations religieuses, que les papes encouragèrent au XIIIe siècle : tous les ans, à l'automne, on inspectait les maisons filiales. L'intention première était de contrôler leur état moral, mais les visiteurs sentaient bien que la régularité des mœurs était étroitement dépendante de la situation matérielle ; ils attachèrent peu à peu plus d'intérêt à l'état des bâtiments, aux réserves de nourriture, bientôt au montant des dettes, car c'était précisément l'époque où les emprunts se multipliaient et s'alourdissaient.

1. Voir note 1 et suivantes pp. 242-246.

Dresser l'état des profits et des pertes[3] devint finalement la tâche première des enquêteurs.

L'évolution fut lente, à vrai dire. A ma connaissance, en effet, le premier document véritablement explicite qui permette d'étudier en détail, dans le sud-est de la France, la gestion d'une seigneurie rurale (encore est-il tout à fait isolé dans son temps) date de 1338. C'est un registre de visite des maisons de l'ordre de Saint-Jean de Jérusalem dépendant du grand prieuré de Saint-Gilles, le procès-verbal de la longue tournée que deux dignitaires accomplirent à la fin de l'été, la moisson faite, les greniers pleins, à travers les trente-deux commanderies, les quelque cent vingt seigneuries rurales disséminées à l'est du Rhône, des environs de la Grande-Chartreuse à la Camargue, de l'Embrunais au pays niçois. Cette enquête, d'une exceptionnelle précision, répondait directement aux injonctions pontificales. Le pape Benoît XII voulait réformer les ordres religieux. Cistercien, il s'était intéressé d'abord, et dès 1335, à l'ordre de Cîteaux, invitant en particulier à évaluer avec exactitude la fortune et les ressources de chacune des abbayes, pour mieux fixer le nombre des moines qu'elles pourraient décemment entretenir ; l'année suivante, il étendit sa sollicitude aux bénédictins et aux autres congrégations. On entreprit donc partout des inventaires à la fin de 1337 et en 1338 ; beaucoup sont encore conservés dans les chartriers des établissements qu'ils concernent[4]. Ces documents, qui présentent au même moment une description des revenus ou des dépenses d'un grand nombre de communautés religieuses, permettraient une étude comparée de l'économie régionale d'un bout à l'autre de la chrétienté. Il serait bon qu'une équipe de chercheurs s'emploie à les découvrir et à les explorer.

*

Revenons au registre que conservent les Archives départementales des Bouches-du-Rhône, dans le fonds de l'ordre de Malte. Trois cent six folios de belle écriture [5]. Dressé maison par maison, cet inventaire ne décrit que leur état matériel : c'est un tableau de l'économie domestique, organisé selon le point de vue des enquêteurs, qui est déjà fort révélateur. Dans chaque commanderie, ils ont commencé par dénombrer les seigneurs, ceux dont les besoins commandent tout. Il ne s'agit pas de toute la maisonnée, mais de la « famille » des maîtres, strictement hiérarchisée : vient d'abord le précepteur, puis les chapelains, les frères chevaliers, les simples sergents, les « donats » enfin, ces gens du siècle qui s'étaient assuré une retraite paisible au sein de la fraternité religieuse. L'enquête décrit ensuite l'actif, l'avoir, les ressources, et cette fois encore, dans un ordre hiérarchique. Elle présente en premier lieu le « domaine », la terre en faire-valoir direct ; et les labours, richesse majeure, précèdent les vignes, les prés, les bois et pâtures. Les rentes ne viennent qu'après, perceptions de toutes sortes qui sont classées selon leur nature, d'abord ce qui peut se manger et se boire, ensuite seulement les pièces de monnaie. Le dernier tableau est celui des dépenses : on y voit encore les produits de la terre, les rations de grain, de vin distribuées dans la maison aux maîtres et aux serviteurs, passer avant les sorties d'argent, les achats de « denrées », les dettes, la contribution de chaque maison aux frais de l'ordre.

Les enquêteurs ont tout préparé pour que, à l'intérieur d'une même maison comme d'une maison à l'autre, les divers éléments de l'inventaire fussent comparables. Ils ont tout compté très soigneusement. Ils ont noté le prix de chaque chose pour permettre l'entière appréciation en numéraire des récoltes et de la consommation. Ils ont enfin converti toutes les valeurs monétaires, les ramenant à une unité semblable, « une monnaie dont un tournois vaut seize deniers [6] », et tous leurs calculs sont presque sans erreur. Un tel soin, cette aisance de gens accoutumés à manier les chiffres facilitent singulièrement l'utilisation de ce gros texte. Certes il laisse sur deux points subsister de l'imprécision. Sur les quantités de grains et de vin d'abord. Les visiteurs qui, familiers des opérations de change, se sont appliqués à convertir les monnaies[7], n'ont point réduit à l'unité les mesures dont ils se servirent pour évaluer les récoltes, le produit des redevances, la consommation domestique, et pour fixer le niveau des prix. Jugeaient-ils d'un lieu à l'autre leurs variations négligeables ? C'est peu probable : les valeurs du setier, de la charge, de la millerolle étaient, lors de l'introduction du système métrique, très différentes à Aix ou à Orange, à Tarascon ou à Draguignan[8], et ces disparités existaient déjà de toute évidence au XIVᵉ siècle. En fait, les enquêteurs pouvaient s'épargner ces ennuyeuses opérations de conversion : il leur suffisait de combiner prix locaux et mesures locales pour établir l'état en livres, sous et deniers qui seuls avaient de l'intérêt pour eux. Mais cette négligence empêche de comparer avec précision d'une seigneurie à l'autre les quantités de grains ou de vin. En outre, les données numériques n'ont pas la rigueur que l'on attendrait d'une enquête semblable : qu'il s'agisse du rendement de la semence, des rations allouées tous les ans aux domestiques, des profits de la justice, du nombre des salariés engagés à la journée, du montant des salaires distribués, qu'il s'agisse enfin du prix des denrées, les valeurs enregistrées sont toujours des valeurs « communes ». « *Communiter* », le mot revient à chaque page : « cette terre rend communément », « la charge de blé vaut communément dans cette ville »... Cette attitude à l'égard du nombre vaut d'être remarquée. Les enquêteurs savent que les récoltes, que les prix varient d'un an à l'autre, mais ils tiennent ces variations pour accidentelles et il ne leur paraît pas utile d'enregistrer exactement les données du moment, de cette année 1338 ; ce qui compte pour eux, ce qui est vraiment valable, c'est l'habituel, le « coutumier ». Ces hommes prudents, ces administrateurs avisés et soigneux ont donc alors, ce qui est fort important, le sentiment que les valeurs sont stables et doivent l'être, le sentiment d'une stabilité profonde, foncière, sous-jacente à des modifications qu'ils tiennent pour superficielles et négligeables. Pour l'historien en tout cas, ce parti pris n'est pas sans avantage : il permet de repérer les niveaux que les contemporains considéraient comme normaux. De telles estimations toutefois sont moyennes, subjectives, donc affectées à nos yeux d'un certain coefficient d'incertitude. Ces réserves faites, l'enquête de 1338, par son honnêteté, son ampleur, la large étendue de campagne qu'elle permet d'embrasser d'un seul coup d'œil, porte un témoignage d'exceptionnelle valeur sur l'économie seigneuriale. Qu'en tirer ?

*

Economie essentiellement domestique : tel est bien le cadre de l'inventaire. En ce temps, c'est la « maison », le groupe « familial » dont il s'agit de connaître les besoins et les ressources. La « famille » seigneuriale est ici quelque peu particulière, puisqu'il s'agit d'une communauté religieuse, puisque son train de vie, son comportement vis-à-vis des richesses se trouvent déterminés par des dispositions particulières, par une règle. Cette discipline[9] fait sa part à l'austérité, invite à limiter consommations et dépenses. En vérité, les restrictions étaient légères, et chaque commanderie n'était sans doute pas très différente par sa structure sociale, par ses besoins économiques d'une maison de moyenne noblesse rurale. Elle groupait un petit nombre de maîtres aux goûts militaires, largement nourris et soucieux de leur équipage ; ils étaient cinq ici, trente là, cinquante à Manosque, la plus forte communauté, en moyenne une vingtaine. Auprès d'eux vivaient quelques serviteurs pour « faire la cuisine, pétrir la pâte, laver le linge[10] », deux ou trois « garçons » d'armes pour l'honneur de l'escorte ; ajoutons trois ou quatre chevaux à l'écurie, la table ouverte aux hôtes de passage, l'obligation pour le chef de la compagnie de voyager de temps à autre en bel appareil. Chaque maison de l'Hôpital avait certes ses fonctions — et ses dépenses — proprement religieuses. Elle secourait voyageurs et malades ; c'était là sa mission spécifique. Trois fois par semaine pendant les mauvais mois, de la Saint-Michel à la Saint-Jean de juin, elle distribuait du grain aux pauvres, mais parcimonieusement : quelque deux cents kilos par an de gros blé à Saint-Jean de Trièves, dix-huit quintaux dans la très grosse commanderie de Puimoisson près de Riez, qui en engrangeait dix-huit cents à chaque moisson ; à Bras cette distribution hebdomadaire absorbait moins de 0,4 pour 100 de l'ensemble des ressources [11]. Réunis, frais d'hospitalité et aumônes atteignaient rarement le cinquième des sommes dépensées pour l'entretien de la maisonnée seigneuriale. S'ajoutaient les contributions en argent pour les besoins généraux de l'ordre. Mais elles aussi étaient légères. Tout ceci ne dépassait sans doute guère la valeur de ce que chaque année, en offrandes, en rentes d'anniversaires, toute famille noble consacrait à ses pénitences ou à ses dons funéraires [12]. Petite ou grosse, la commanderie était donc équivalente à la maison forte, et les dépenses des frères différaient peu de celles d'un lignage de chevaliers.

L'enquête montre avec netteté la nature de ces dépenses. Le besoin premier était de grosse nourriture. Pour chaque seigneur, une ration égale : un kilo de pain environ par jour, pain de froment précisons-le [13]. Puis du vin, en quantités variables ici et là et difficiles à évaluer ; mais on en servait partout, même si le domaine n'en produisait pas assez et s'il fallait l'acheter très cher. Pain blanc, vin pur, voilà déjà ce qui distinguait le train de maison des maîtres. En outre, ils ne mangeaient pas leur pain sec ; une autre dépense était prévue pour le *companagium*. On entendait par là, outre les nécessités de feux et d'éclairage, toutes les dépenses accessoires de nourriture. Selon l'inventaire de la commanderie d'Echirolles en Dauphiné, ces frais annexes étaient ainsi répartis : un cinquième pour le bois et la chandelle, deux cinquièmes pour la viande, fraîche ou salée, un cinquième pour les œufs, le fromage, le poisson, le reste pour le sel, l'huile et les amandes, l'oignon, l'ail, les épices [14]. Cependant l'allocation de companage n'était pas égale pour tous les seigneurs : de 60 sous par an pour le maître de la commanderie, elle était fixée à 35 sous pour un frère, à 25 seulement pour un donat. Dans ce monde par conséquent, la hiérarchie des dignités se marquait en premier lieu au raffinement de la table. Elle était toutefois surtout manifestée par le vêtement. C'est pourquoi les échelons étaient plus nombreux, plus espacés aussi, au dernier poste des dépenses d'entretien : les frais de vestiaire. Pour leur habillement, il était alloué 120 sous au chef de maison, 60 au frère chevalier, 50 au chapelain et au donat noble, 40 seulement au sergent et au donat de petite naissance.

Les dépenses de companage et de vêture sont en effet, dans l'inventaire, évaluées en numéraire. On achetait les étoffes, les cuirs et aussi la plupart des denrées que l'on servait à table pour accompagner les miches. Deux catégories, par conséquent, de besoins domestiques (et le plan même de l'inventaire s'organise, on l'a vu, en fonction de cette distinction) : besoins de grain et de vin d'une part, besoins d'argent de l'autre. Comparons-les. A Puimoisson, chaque frère consommait douze coupes de vin, qui valaient 2 sous l'une, et dix-huit setiers de froment à 2 sous ; soit 60 sous pour l'année ; les dépenses en numéraire étaient, comme dans les autres commanderies, de 95 sous pour un chevalier, de 65 sous pour un sergent[15]. Ainsi, dans le groupe seigneurial, les consommations de denrées « extérieures » comme on disait au XIIIe siècle, de celles qui faisaient sortir l'argent des coffres, représentaient — même pour ceux qui étaient placés au bas bout des tables — une valeur au moins égale à celle des nourritures que l'on tirait du cellier ou de la grenette ; et la dépense en deniers était beaucoup plus élevée pour les meilleurs de la « famille », particulièrement pour le chef de la communauté, parce qu'à travers lui se manifestait au-dehors la puissance de la « maison ». Tels étaient les besoins. Voyons comment la seigneurie parvenait à les satisfaire.

*

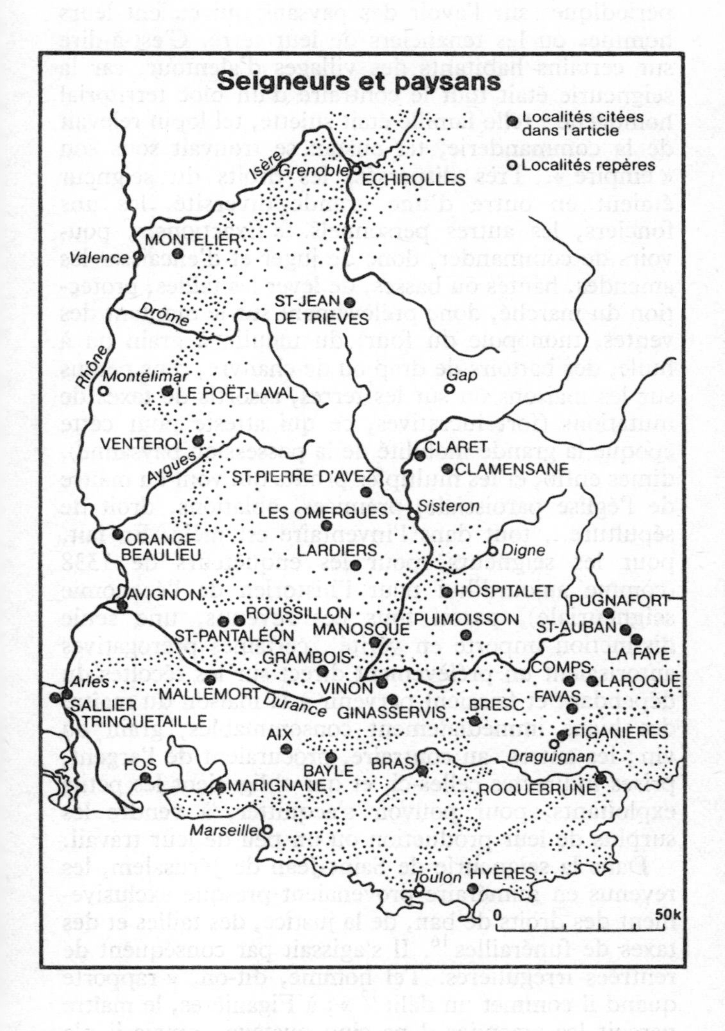
Seigneurs et paysans
Localités citées dans l'article
Localités repères
Isère
Grenoble
ECHIROLLES
MONTELIER
Valence
ST-JEAN DE TRIÈVES
Drôme
Rhône
Montélimar
LE POËT-LAVAL
Gap
VENTEROL
Aygues
CLARET
CLAMENSANE
ST-PIERRE D'AVEZ
LES OMERGUES
Sisteron
ORANGE
BEAULIEU
LARDIERS
Digne
AVIGNON
HOSPITALET
PUGNAFORT
ROUSSILLON
ST-PANTALÉON
PUIMOISSON
MANOSQUE
ST-AUBAN
LA FAYE
GRAMBOIS
COMPS
LAROQUE
Arles
MALLEMORT
VINON
FAVAS
SALLIER
TRINQUETAILLE
Durance
GINASSERVIS
BRESC
FIGANIÈRES
AIX
Draguignan
FOS
BAYLE
BRAS
MARIGNANE
ROQUEBRUNE
Marseille
Toulon
HYÈRES
0
50k

Seigneurs, les hospitaliers de Saint-Jean détenaient en premier lieu le pouvoir d'opérer des ponctions périodiques sur l'avoir des paysans qui étaient leurs hommes ou les tenanciers de leur terre. C'est-à-dire sur certains habitants des villages d'alentour, car la seigneurie était tout le contraire d'un bloc territorial homogène : telle famille était sujette, tel lopin relevait de la commanderie, tel oustau se trouvait sous son « empire ». Très dispersés, les droits du seigneur étaient en outre d'une grande diversité, les uns fonciers, les autres personnels. « Exactions », pouvoirs de commander, donc de juger et d'encaisser les amendes, hautes ou basses, de lever les tailles, protection du marché, donc prélèvement sur le montant des ventes, monopole du four, du moulin à grain ou à huile, des battoirs de drap ou de chanvre, cens perçus sur les maisons ou sur les terres, assortis de taxes de mutations (fort lucratives, ce qui atteste pour cette époque la grande mobilité de la possession paysanne), dîmes enfin, et les multiples profits qui vont au maître de l'église paroissiale, prémices, oblations, droit de sépulture... tout dans l'inventaire est mêlé. En fait, pour les seigneurs, pour les enquêteurs de 1338 (comme aujourd'hui pour l'historien de l'économie seigneuriale), parmi tous ces revenus, une seule distinction importe en vérité : certaines prérogatives autorisaient un prélèvement direct sur les récoltes du dépendant et faisaient parvenir à la maison du maître des biens immédiatement consommables, grain ou vin ; les autres, au contraire, procuraient de l'argent, prises indirectes celles-ci, et qui obligeaient les petits exploitants, pour pouvoir s'acquitter, à vendre les surplus de leur production ou un peu de leur travail.

Dans la seigneurie de Saint-Jean de Jérusalem, les revenus en numéraire provenaient presque exclusivement des droits de ban, de la justice, des tailles et des taxes de funérailles [16]. Il s'agissait par conséquent de rentrées irrégulières. Tel homme, dit-on, « rapporte quand il commet un délit [17] » ; à Figanières, le maître perçoit les amendes dans cinq oustaus, « mais il n'a rien eu depuis dix ans [18] ». De ces profits incertains, l'inventaire ne fournit par conséquent qu'une évaluation moyenne. Variables, ces profits étaient généralement faibles. A Bras par exemple, où l'on dénombrait cent quarante feux et dont la *senhoria* appartenait pour moitié aux hospitaliers, ceux-ci percevaient bon an mal an 6 livres 9 sous, c'est-à-dire à peine ce que dépensait pour son seul vêtement le précepteur de la commanderie. On estimait à 10 sous par an le profit des amendes sur les dix-huit oustaus de Favas, comme sur les dix-huit oustaus de Bresc ou sur les « hommes liges » de Clamensane[19] ; et des trente et une familles de Claret soumises à leur basse justice, les frères tiraient chaque année moins de 11 livres en deniers : 4 livres pour l'église et les dîmes, 1 livre pour les amendes, 30 sous pour les bans, 50 sous pour les cens et les lods[20]. L'apport de numéraire était donc insuffisant, et en temps normal, trop faible pour couvrir les dépenses d'habillement et de companage des seigneurs. Ainsi au Poët-Laval, les quarante-huit personnes de la « famille » seigneuriale dépensaient 224 livres par an en deniers, alors que les droits seigneuriaux n'en procuraient que 105 ; on percevait 30 livres en numéraire à Saint-Jean de Trièves, où l'on en déboursait 64. Il fallait des circonstances exceptionnelles pour que le montant des deniers ainsi prélevés dans la paysannerie excédât celui des frais d'entretien des seigneurs : ou bien que la seigneurie fût très vaste comme à Puimoisson (recettes : 195 livres, dépenses d'entretien du groupe seigneurial : 135) — ou bien qu'elle avoisinât une ville : tout près d'Arles, et affermant très cher les droits de chasse dans la Camargue, la commanderie de Sallier recueillait presque trois fois plus d'argent que n'en dépensait la petite communauté de six personnes. Première conclusion, très nette : dans cette province et à cette époque, la seigneurie rurale rapportait peu de monnaie. En revanche, dès que la main du seigneur s'introduisait dans une bourgade, elle s'emplissait de deniers : parmi les dépendances de la commanderie de Comps, celle de Pugnafort, sur les hauts plans de Provence, rendait aux frères 1 livre par an, mais celle de Draguignan, 94.

La prédominance des profits en nature, et spécialement des entrées de grains, apparaît donc écrasante dans les revenus seigneuriaux : 65 pour 100 à Puimoisson, 80 pour 100 au Poët-Laval, 85 pour 100 à Saint-Jean de Trièves. Mais ce n'était point le ban ni la justice qui procuraient ces revenus en nature ; ils venaient avant tout par le four du village, le moulin, l'église ou les dîmes, sources principales de ces perceptions. Rapport irrégulier encore, suspendu aux aléas de la récolte villageoise, mais beaucoup plus substantiel. Le seul four de Venterol fournissait toute l'année du pain pour huit personnes [21] ; à Lardiers, 60 pour 100 des rentes venaient des églises ; à Puimoisson, fours, moulins et dîmes rapportaient deux fois plus que les cens, huit fois plus que le pouvoir de ban [22]. Ces observations confirment ce qu'indiquent tant de documents seigneuriaux français des XIIIe et XIVe siècles : le seigneur riche n'était pas celui qui étendait sa justice et son pouvoir de contrainte sur la plus large étendue de campagne, ni le possesseur des plus nombreuses tenures ; c'était le maître des meuniers, le percepteur des dîmes. Et alors que les cens rentraient mal en année mauvaise, quand il fallait renoncer à percevoir intégralement les amendes sur des sujets trop pauvres, dîmes, droits de mouture et de fourrage emplissaient les greniers seigneuriaux [23].

Toutefois, ces rentes quelles qu'elles fussent, qu'elles permissent de recueillir du blé ou des sous, étaient, tout compte fait, de profit restreint. Car on ne les levait pas sans de gros frais. Frais de chicanes d'abord, parce que ces revenus constituaient la part du patrimoine la moins sûre, la plus disputée par les concurrents (les droits des hospitaliers se trouvaient en effet entremêlés à ceux d'autres seigneurs), la plus contestée enfin par les assujettis, qui renâclaient et tâchaient de s'esquiver. On devait plaider constamment, donc entretenir avocats et procureurs, gagner des appuis, acheter des complaisances. A Venterol, l'enquête fait état d'une dépense annuelle de 16 livres pour les procès, à Montelier de 10 livres[24]... En outre, la perception coûtait fort cher. Sans doute, les censitaires étaient-ils tenus d'apporter eux-mêmes leurs redevances; mais prélever le sou de la livre sur les ventes du marché nécessitait la présence en permanence d'un surveillant intègre. De même, avant d'encaisser les amendes, force était bien de prononcer la sentence, donc de gager des officiers de justice. Il fallait des gens dévoués sur l'aire, à l'entrée du pressoir, si l'on voulait éviter de trop grosses fraudes sur la dîme ou la tasque. Il était sage enfin de laisser à tous ces auxiliaires une part des profits qu'ils étaient chargés de recueillir. Ainsi, à Beaulieu d'Orange, le décimateur gardait pour lui 10 pour 100 de sa recette avouée[25] et le mandataire que, pour faire valoir leurs droits, les frères avaient installé à Clamensane, petit village de vingt maisons, recevait à lui seul pour son salaire 9 livres, le tiers de sa maigre perception[26]. On voit ici se dresser, entre le seigneur et ceux qu'il exploite, un petit groupe d'intermédiaires, gens de loi ou collecteurs qui, en tout ou en partie, vivent aux dépens de la seigneurie.

Le maître devait enfin tenir en état les édifices et les instruments qu'il mettait contre redevances à la disposition des paysans. Au moulin de Saint-Michel-de-Manosque, par exemple, il fallait tous les quatre ans changer les meules : il en coûtait 100 sous[27], et c'était 30 livres qu'exigeait chaque année l'entretien du gros moulin de Vinon et de son bief[28]. Aux églises de son domaine, le seigneur fournissait l'huile du luminaire, les cierges, l'encens. Surtout, il nourrissait, habillait, rétribuait le desservant. Certes, ces dépenses étaient relativement modestes, car les tâcherons du service religieux recevaient d'ordinaire un tout petit salaire en nature, le companage et l'allocation de vêtement de la domesticité la plus humble. Mais on leur attribuait la ration de vin et de grain d'un frère chevalier : les serviteurs de Dieu mangeaient le pain blanc des maîtres. Frais et soucis de gestion étaient donc pesants; aussi pour s'en libérer et s'assurer un revenu plus régulier, les hospitaliers concédaient fréquemment fours, moulins, dîmes, églises à des fermiers. Autres intermédiaires qui prélevaient leur part. En fin de compte, le rapport des prérogatives seigneuriales se trouvait fort amputé. Voici Poët-Laval, très grosse seigneurie : trois moulins, deux fours, trois églises, des cens, la justice et le ban dans sept villages. La recette était considérable : 540 livres, en nature et en deniers. Mais sur ce revenu, il fallait d'abord entretenir un clerc, trois fourniers, deux bailes, une dizaine de sergents, gardes champêtres et percepteurs, qui dévoraient près de 100 livres. Si bien que les innombrables petites exactions levées sur tout un canton paysan ne suffisaient plus à procurer les 520 livres nécessaires tous les ans à la dépense des quarante-trois frères, de leurs serviteurs et de leurs hôtes.

En premier lieu, l'inventaire met donc en évidence la faiblesse de la rente seigneuriale. Le bas niveau s'explique sans doute par la pauvreté des sujets. On ne possède aucune information directe sur la fortune paysanne (ce qui réduit beaucoup la portée des enseignements de l'enquête, puisque le poids réel des exigences seigneuriales, le pourcentage de ces prélèvements ne peuvent être appréciés, même de loin). On devine cependant que les rustres soumis aux hospitaliers étaient, dans la plupart des cantons, de pauvres gens. Population nombreuse (140 feux à Bras, qui compte aujourd'hui moins de 700 habitants ; 18 familles à Favas, 40 à Esparel, ces lieux maintenant quasi déserts au milieu des pierrailles), population trop nombreuse sans doute et réduite au dénuement. Des vingt-huit ménages sujets de La Roque-Esclapon, douze seulement disposaient de bêtes de travail ; à Clamensane, sur vingt foyers, un seul possédait un bœuf, un autre un âne. A Bresc, les dix-huit familles dépendantes ne tuaient à elles toutes jamais plus de trois porcs tous les ans [29]. Par conséquent, le seigneur pouvait bien tenir en sa main tous les pouvoirs de contraindre et de percevoir. Que pouvait-il extorquer à ces misérables ? D'autant qu'ils étaient très souvent soumis à d'autres exigences, celles du Dauphin, celles du comte de Provence, de ces chefs de principautés dont la fiscalité était en plein essor et qui venaient se servir les premiers... Peut-être les maîtres parvenaient-ils à retirer du paysan tout l'argent ou presque qui lui passait entre les doigts. Mais il en venait peu. Combien de rustres, passibles de fortes amendes, ne furent-ils pas tenus quittes pour quelques mauvaises pièces, parce que les juges du maître n'avaient aucun espoir d'en jamais tirer davantage ? Dès que le canton est moins pauvre, le montant des revenus seigneuriaux d'un coup s'élève fortement ; ainsi dans la campagne d'Arles ou dans la vallée de l'Argens. Mais ces zones de prospérité sont exceptionnelles et limitées généralement au voisinage des bourgades. D'ordinaire, la nature est ingrate, les paysans faméliques, et fort maigres les revenus qui parviennent à la maisonnée seigneuriale.

*

Celle-ci ne pouvait donc s'en contenter, même lorsqu'elle détenait la haute justice, même quand elle possédait la dîme et tous les moulins. Aussi restait-elle très attachée à l'exploitation directe de la terre. En 1338, les hospitaliers de Saint-Jean tenaient dans ce pays un immense « domaine ». Il contenait peu de bois, et de fort pauvres, quelques amandiers, quelques noyers, quelques oliviers, des prés, des clos de vignes. Les labours en formaient l'essentiel. Les terres à blé de l'ordre couvraient quelque 7 000 hectares, en pièces d'étendue variable, inégalement réparties entre les différentes maisons. Certaines étaient fort bien pourvues ; à Manosque, à Vinon, la réserve s'étendait sur 300 hectares de champs[30]. Je m'étonne de trouver dans l'inventaire si peu d'indications sur l'économie pastorale. Presque partout, les animaux de trait apparaissent seuls ; on dénombre bien ici et là une trentaine de moutons, mais où sont les grands troupeaux de bêtes ovines, dont il est question à cette époque dans les comptes de certaines commanderies, celle de Manosque, par exemple[31] ? Dans la saison où fut menée l'enquête, ils étaient bien sûr en transhumance.

Mais comment un état aussi minutieux des ressources domestiques peut-il rester muet sur les rapports de l'élevage, dans une région dont celui-ci faisait alors la richesse ? Si l'on s'en tient au document, on voit que les enquêteurs ont présenté l'exploitation domaniale comme orientée tout entière vers la production des céréales. Pour eux, les terres arables formaient la portion solide du bien, la partie vraiment nourricière de la seigneurie. Dans la plupart des maisons de Saint-Jean, le rapport brut de la réserve, converti en valeur monétaire, l'emportait en effet de beaucoup sur celui de toutes les redevances réunies. Je prends l'exemple de la commanderie de Comps, dont dépendaient neuf unités seigneuriales dispersées entre le haut Verdon et la côte des Maures. Deux d'entre elles, Esparel et Favas, étaient de simples centres de perception, sans domaine ; les droits seigneuriaux y formaient la seule recette : 55 et 50 livres. A Draguignan, seigneurie plus urbaine que rurale, les taxes, très profitables, rendaient 104 livres, le double exactement de ce qui venait ordinairement du vignoble, des prés et d'une pièce de 6 hectares de très bonne terre. Mais partout ailleurs, les gros profits étaient tirés de la terre du maître, 38 livres contre 23 à La Roque-Esclapon, 334 contre 56 à Roquebrune, 6 livres contre 1 à Riufre, 58 contre 3 à La Faye, 144 contre 74 à Comps, 144 contre 3 à Pugnafort.

Et pourtant sur ces terres bien soignées et qui bénéficiaient souvent de longs repos [32], les rendements étaient très faibles. L'inventaire fournit sur ce point cent vingt-trois indications. Dans soixante-cinq des domaines, pour une mesure de grain semée, on en récoltait « communément » quatre. Dans vingt-quatre autres, cinq — mais ces bonnes terres étaient toutes situées dans ses secteurs privilégiés : plaine du bas Rhône autour d'Arles et de Châteaurenard, banlieue de Manosque. Sept fois seulement on a fait état d'un rendement moyen supérieur (il s'agissait alors de ces « ferrages », terres de petites surfaces, voisines des villes et exploitées en culture continue). En revanche, dans vingt et une exploitations le rendement était seulement de trois pour un, et dans cinq terroirs de montagne, d'un grain de blé on ne pouvait attendre plus de deux. Pauvres moissons, sur lesquelles devaient être prélevées la prochaine semence, et même la part laissée aux dépiqueurs (un vingtième, un treizième parfois). On saisit là l'extrême précarité de la vie paysanne. Comment les petits exploitants, qui sans doute ne travaillaient pas d'aussi bons sols, et dont les moyens techniques étaient plus restreints, pouvaient-ils soustraire à ces surplus dérisoires la dîme, la tasque, les droits de mouture et de fournage, et parvenir encore à nourrir leurs enfants ? En tout cas, pour que les greniers seigneuriaux s'emplissent des grosses quantités de céréales enregistrées dans l'inventaire, il importait que le domaine fût fort étendu, et par conséquent nombreux les travailleurs chargés de son exploitation. Problème de main-d'œuvre donc. Pour retourner, sarcler, moissonner ces champs immenses, le seigneur ne pouvait pas compter sur les corvées. Il conservait bien le droit de requérir quelques journées d'hommes et de bêtes, mais seulement dans une vingtaine de villages, parmi les plus reculés de la montagne. Encore n'utilisait-on pas tous ces services, car le corvéable travaillait mal, mangeait trop. Mieux valait le libérer en échange d'une toute petite prestation en deniers : dans l'inventaire, ces corvées sont toujours enregistrées au chapitre des revenus en numéraire. Seuls étaient effectivement accomplis les services de charroi [33]. La main-d'œuvre, la grosse main-d'œuvre que réclamaient des sols souvent très peu fertiles, devait donc être rétribuée. Ce qui conduit à se demander si, en dépit des apparences, l'exploitation de ces grosses réserves était vraiment profitable.

Pour les vignes et les prés — parce que le vin et le foin étaient des denrées chères — le rapport net était élevé. A La Faye, où l'on récoltait deux cents charges de foin, qui valaient à elles toutes une vingtaine de livres, les journaliers embauchés pour faucher, faner et rentrer les chars coûtaient seulement 3 livres 16 sous. A Sallier, on dépensait 21 livres pour faire travailler le clos, mais les 15 muids de vin que celui-ci donnait en année moyenne se vendaient 45 livres. Dans la commanderie de Bras, les frais d'exploitation du vignoble représentaient moins de 50 pour 100 de la récolte, ceux des prés 35 pour 100 [34]. Mais pour les labours, l'intérêt du seigneur était beaucoup moins sûr. Observons encore l'inventaire de la commanderie de Bras. Les frères y mettaient en culture plus de 300 hectares. Comme la terre était laissée en jachère deux ans sur trois, une centaine d'hectares portaient chaque année du blé d'hiver ; en outre, on ensemençait quelque 50 hectares en avoine, en orge et en fèves, — culture dérobée sur les chaumes, ce qu'on appelait le « restouble ». C'était un terroir de rendement moyen : quatre pour un. Bon an mal an donc, on récoltait environ 650 quintaux, dont près de la moitié en froment. Cette moisson procurait au maître deux fois plus de grains que, tous réunis, les cinq moulins, la dîme de quatre paroisses et les cens, et elle valait fort cher : 266 livres. Mais pour la préparer il fallait employer douze araires. Ce qui d'abord réclamait le service d'un forgeron, à qui l'on donnait, outre le fer dont il avait besoin, une pension d'un setier de froment par soc, soit 3 quintaux : coût, 5 livres et demie. Ensuite il était nécessaire de nourrir toute l'année à l'étable un important bétail d'attelage, 48 bœufs et 8 bêtes de somme, qui consommaient 120 charges de foin et 24 setiers d'avoine ; comme on devait ferrer les mules, remplacer de temps à autre les animaux fatigués, la dépense annuelle atteignait presque 55 livres [35]. Le maniement des instruments de labour, le soin des bêtes occupaient de nombreux domestiques, douze conducteurs d'araires, quatre palefreniers, quatre valets de culture. Leur pitance, leur vêtement, leurs gages absorbaient 36 livres en numéraire et près de 700 setiers de seigle (à peu près tout ce que rapportaient les redevances) — c'est-à-dire, le tout réduit en monnaie de compte, 115 livres. Enfin, ces serviteurs permanents ne suffisaient pas à toutes les tâches ; pour les aider, on embauchait, au moment des gros travaux, des journaliers. Le prix de

550 journées de femmes qui sarclaient les blés, de 537 journées d'hommes qui moissonnaient, de 190 journées de femmes qui liaient les gerbes, le vannage du grain, le transport : encore près de 50 livres à débourser. Au total, la seule culture des céréales entraînait une dépense de 225 livres, ce qui réduisait le profit net de l'exploitation à une quarantaine de livres, pas plus de 15 pour 100 de la valeur de la récolte. Ceci en année « commune ». Qu'advenait-il quand la saison était mauvaise ?

Certes le bénéfice était moins faible dans les terroirs de sol plus fertile et de rendement moins bas, mais il ne montait jamais bien haut. Dans la commanderie de Puimoisson, sur 225 des 400 hectares de la réserve, le rendement s'élevait à six pour un, ce qui était tout à fait exceptionnel : pourtant — parce que le froment se vendait ici à bas prix — les quatre cinquièmes de la valeur des grains (235 livres sur 300) étaient mangés par les frais d'exploitation. L'entreprise était évidemment nettement déficitaire dans les cantons ingrats, où les rendements de la semence se trouvaient inférieurs à la moyenne. C'était le cas à Saint-Jean de Trièves : en dépit de la cherté des grains, la moisson n'y valait pas plus de 61 livres ; le seul entretien du matériel et des animaux de labour (on louait quatre bœufs faute de pouvoir les nourrir toute l'année) coûtait presque autant : 56 livres. Venaient alors en déficit tous les frais de main-d'œuvre, et notamment l'entretien de neuf domestiques de culture, c'est-à-dire 79 livres.

Dans ces conditions, l'intérêt bien compris des seigneurs n'eût-il pas été de confier la mise en valeur de la terre à d'autres, de bailler ces champs ingrats à des métayers ? Un document comme celui-ci montre avec évidence que les administrateurs de seigneuries françaises qui, de plus en plus nombreux au XIIIe et au XIVe siècle, abandonnèrent le faire-valoir direct et mirent le domaine en fermage furent engagés dans cette voie par le seul examen lucide de leur bilan. Les hospitaliers avaient eux-mêmes recours à ces concessions temporaires à part de fruit, qu'on appelait dans la région contrat de « facherie ». Chaque fois, c'était à leur plus grand avantage [36]. L'une des seigneuries qui rapportait le plus, celle de Sallier près d'Arles, était si profitable parce que 90 pour 100 des 200 hectares de « domaine » étaient placés en métayage ; ces terres procuraient, sans aucun frais, pour 434 livres de grains. Pourtant l'affermage en facherie des labours était relativement peu développé ; 1 200 hectares de domaine seulement sur plus de 7 000 étaient soumis à ce régime, et le procédé était employé surtout dans les vallées du Rhône, de la Durance, de l'Argens, c'est-à-dire dans les pays les plus ouverts, où précisément le sol était moins ingrat, l'exploitation plus rentable et la vie économique plus active. Ailleurs, c'est-à-dire dans les seigneuries où le faire-valoir direct rapportait le moins, les frères de Saint-Jean avaient peu de métayers. Pourquoi ? Routine ? Méconnaissance de leur intérêt véritable ? Il apparaît que souvent ils étaient obligés de conserver leurs labours parce que personne n'avait voulu les prendre à part de fruit, même lorsque les cinq sixièmes, les sept huitièmes, les huit neuvièmes de la récolte étaient laissés aux exploitants, même lorsqu'on mettait à la disposition des fermiers, comme à La Faye ou à Monfort [37], ce que les paysans devaient encore en corvée de bras et de bêtes. A Saint-Auban, les 60 séterées de la réserve « restent longtemps sans que l'on puisse trouver quelqu'un qui veuille les prendre à facherie au tiers [38] ». Cette situation est encore déterminée par la grande pauvreté paysanne. Pour s'atteler à la mise en valeur de ces « terres fragiles », pour engager au départ les gros frais de cheptel, d'outillage, de main-d'œuvre en vue d'un profit incertain, il fallait des capitaux, un train de culture bien supérieurs à ceux dont pouvaient apparemment disposer les moins faméliques des habitants de ces campagnes. Comme bien d'autres seigneurs sans doute, les hospitaliers de Provence en 1338 restaient malgré eux exploitants d'une bonne part de leur terre.

Cependant, il n'est pas certain que les dispositions de l'économie domestique aient été dès cette époque déterminées par la seule considération du meilleur profit. Pour expliquer cet attachement tenace au faire-valoir direct, il convient d'invoquer d'autres motifs. Motifs de sentiments, ceux-ci. Confier la terre à des métayers, c'était un peu la perdre. A quoi bon recueillir davantage de grains ? Pour les vendre, accumuler des capitaux ? Ne valait-il pas mieux continuer d'entretenir dans la maison une plus large « famille », ce groupe de domestiques de culture attachés au travail de la réserve, qui formaient autour des seigneurs le précieux entourage de dévouement familier ? On peut penser que, dans la mentalité chevaleresque que partageaient sans aucun doute les frères de l'Hôpital, l'aristocratie rurale préférait encore, au seuil du XIVe siècle, la fidélité d'une valetaille nombreuse et proche, à l'accroissement des revenus en argent par des ventes mieux conduites. C'est pourquoi, semble-t-il, les hospitaliers, contre leurs intérêts bien compris, vivaient entourés de bouviers et de travailleurs des champs. C'est pourquoi le « domaine » constituait toujours la pièce maîtresse de l'économie seigneuriale.

*

Comment, dans ces conditions, situer celle-ci dans l'ensemble de l'économie des campagnes ? Il apparaît en premier lieu que les exigences de la maison des maîtres stimulaient l'activité des petites exploitations paysannes placées dans sa dépendance. Parce qu'il fallait acquitter la dîme et les cens, chaque ménage — même parmi les plus pauvrement équipés — devait tirer de son bien plus que sa propre subsistance. Dans les terroirs où venait surtout du seigle, il fallait produire tout de même un peu de ce froment que le maître attendait[39]. Et parce que de temps en temps force leur était de trouver les quelques deniers d'une amende, de la taille, de la taxe de funérailles ou de baptême, les plus humbles paysans devaient s'efforcer de vendre — ce qu'ils pouvaient. La seigneurie se dressait ainsi comme un obstacle de plus à la complète autarcie de l'exploitation paysanne. Elle entretenait autour d'elle par sa simple présence un courant d'échanges. Elle vivifiait la circulation monétaire jusqu'au fond des combes alpestres les plus isolées. 10 livres pour la taille, 8 sous pour les cens, 1 livre 10 sous pour la justice, 8 sous pour le « mortelage » de l'église, 3 livres pour les bans et les taxes de marché, c'est-à-dire plusieurs milliers de pièces de mauvaise monnaie devaient ainsi chaque année, avant d'être récoltées par les gens du seigneur, passer entre les mains des quelques habitants de Saint-Pierre d'Avez, ce pauvre village aux terres pierreuses, à l'écart des grands chemins[40].

Mais le mouvement des richesses se trouvait stimulé de façon plus directe par la gestion seigneuriale. Les revenus du maître, en effet, ne correspondaient pas exactement à ses besoins. Très généralement, moulins, dîme, fours, domaine surtout, mettaient dans ses greniers beaucoup plus de blé qu'il n'en pouvait consommer, lui, ses hôtes, ses valets, les pauvres qu'il entretenait, les bêtes de son écurie ; en revanche ses tonneaux n'étaient pas toujours assez pleins ; jamais il ne recevait assez d'argent de ses sujets. A Bras, par exemple, la maison seigneuriale ne consommait guère que le tiers de ses profits en nature. Il restait en fin d'année un excédent considérable : 350 quintaux de froment, 100 de seigle, autant d'orge et autant d'avoine, du foin, 80 hectolitres de vin. Mais elle ne recueillait pas plus de 21 livres en numéraire, douze fois moins qu'elle n'en devait dépenser pour l'achat de vêtements, des viandes, du sel, des épices, pour les procès, l'entretien des bâtiments, le renouvellement du troupeau, les salaires des journaliers. Ce déséquilibre obligeait donc à convertir en deniers les surplus des récoltes, et spécialement le blé. Par l'étendue de leur domaine céréalier, par l'importance de leurs moissons malgré la faiblesse des rendements, toutes les seigneuries qui paraissent dans l'inventaire étaient donc des centres vendeurs, et très gros vendeurs, de céréales. On peut penser qu'une telle disposition se trouvait encouragée, sur ces lisières méditerranéennes, par une forte et constante demande : le ravitaillement des grosses villes, et tout ce qui s'en allait sur la mer. Une bonne part des grains moissonnés dans la montagne descendait sans doute, par longues files muletières, vers Avignon, vers Arles, Fos ou Marseille, vers Fréjus ou vers Nice ; strictement exigées, les corvées servaient à ces transports. Mais l'inventaire des modalités ne révèle rien de ce commerce. Les religieux traitaient-ils directement avec les gros négociants des ports ? Ou bien utilisaient-ils l'entremise de ces modestes hommes d'affaires de bourgade, leurs fournisseurs de sel, de draps, de poissons salés ? Il est sûr, du moins, que la seigneurie favorisait par ses ventes l'aisance des trafiquants, des revendeurs, des courtiers. Nouveau groupe d'intermédiaires, et les mêmes gens peut-être qui, au service de l'ordre, faisaient aussi fonction de notaires, qui prenaient à ferme dîmes et moulins [41]. Il est sûr également que les responsables de l'administration seigneuriale, qui répondirent vers l'été 1338 aux interrogations des visiteurs, étaient très au courant du prix des denrées courantes.

L'enquête fournit précisément sur ces prix des indications très nombreuses. Toutefois, celles-ci sont d'interprétation délicate. D'une part, en effet, je l'ai déjà dit, les valeurs indiquées sont des valeurs moyennes, représentent l'estimation subjective d'un taux considéré comme normal parce que coutumier ; d'autre part, les mesures de quantité sont des mesures locales qui ne sont pas identiques d'un lieu à l'autre. En définitive, ce document de première valeur livre sur ce point moins qu'on ne pourrait l'espérer.

Son principal intérêt est d'offrir au même moment et dans la même unité monétaire un très grand nombre d'indices disséminés sur un très large espace. Il montre ainsi que le prix de certains produits du sol était relativement uniforme. C'était le cas du foin dont la charge est évaluée très généralement à 2 sous. Jamais plus de 2 sous et demi, jamais moins de 15 deniers, les écarts sont faibles. Ceux qui affectent le prix du vin sont au contraire très forts : le prix de la coupe oscille entre 1 et 4 sous ; mais ici la disparité des mesures rend l'observation très incertaine. Bornons-

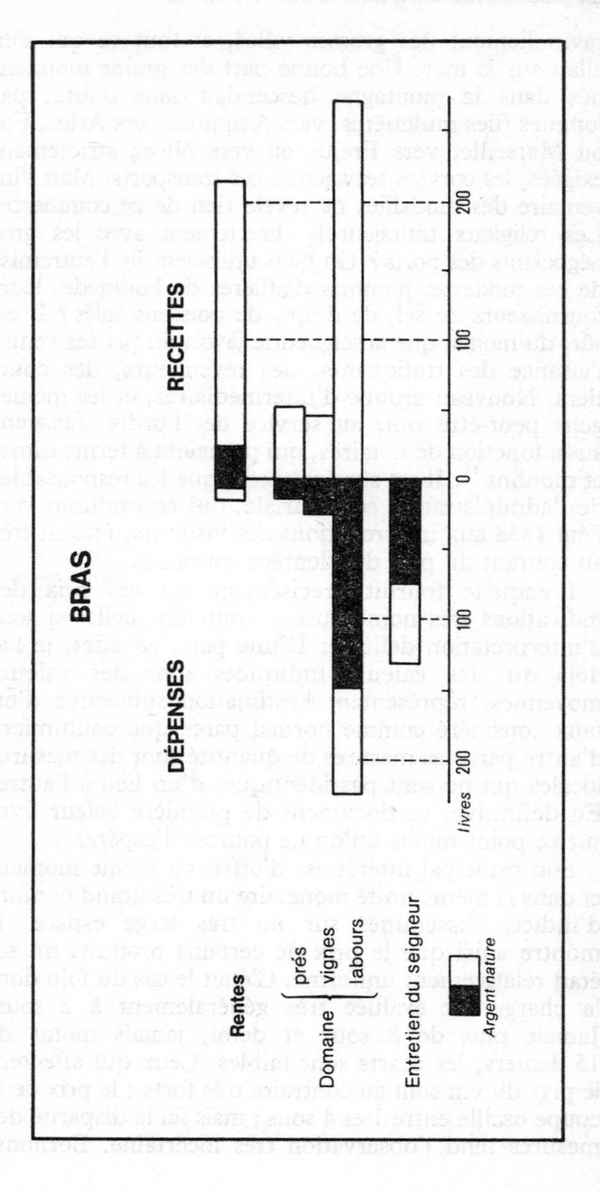
BRAS
RECETTES
DÉPENSES
200
100
0
100
200
livres
Rentes
Domaine
prés
vignes
labours
Entretien du seigneur
Argent
nature

nous donc à considérer la valeur marchande de la nourriture majeure, le blé. Elle est extrêmement changeante d'un village à l'autre [42]. En premier lieu, les prix des différents grains s'établissent dans des rapports très divers. A Mallemort, la mesure de seigle vaut la moitié de celle de froment, à Puimoisson, les quatre cinquièmes. Le prix de l'avoine est inférieur à celui du froment de 80 pour 100 à La Bordette, de 25 pour 100 à Fos [43]. Pour expliquer ces discordances, on serait tenté de les mettre en relation avec une inégale répartition des différents grains dans les terroirs. En fait, la juxtaposition d'une carte des prix et d'une carte des cultures ne témoigne d'aucune liaison évidente. Un exemple : à Puimoisson, le terroir paroissial produit par moitié du seigle et du froment ; aux Omergues, le froment est seul cultivé. Or les prix des deux céréales sont ici et là dans le même rapport. Seconde observation : des variations très fortes affectent également d'un lieu à l'autre le prix d'un même grain. Je considère le froment seul, et pour éliminer ce qui dans les différences d'estimation peut tenir à la disparité des mesures de capacité, je choisis comme unité de comparaison, non point le prix du setier, mais celui de la ration annuelle allouée à chaque frère, qui sans doute variait peu d'une commanderie à l'autre. Ces quelque 350 kilos de grain valaient 25 sous à Mallemort, 36 à Puimoisson, à Fos, à Hyères, à Bras, 48 à Saint-Pierre d'Avez, à Claret, à Manosque, 56 à Aix, 60 à Avignon, 80 à Saint-Jean de Trièves [44].

De tels écarts s'expliquent difficilement. Les prix variaient-ils en fonction du rendement de la semaille ? Apparemment non. Certes, la plus grande cherté s'observe bien à Saint-Jean de Trièves, dans le terroir où le sol était le moins productif. Mais à Orange et à Sallier, où les rendements étaient les mêmes, le setier de bon grain valait ici 38 sous et là 54. Il en valait 48 à Manosque, où le rendement normal des terres de la réserve était de cinq pour un, et autant à Saint-Pierre d'Avez, où il ne dépassait pas trois. Mais alors ces différences de prix ne tenaient-elles pas, plutôt qu'aux conditions de production, aux conditions de vente, c'est-à-dire à la situation plus ou moins favorable dans le réseau des chemins marchands ? En fait, des liaisons plus nettes apparaissent entre la géographie des prix et celle des courants commerciaux. Les points de cherté sont presque tous — Avignon, Arles, Aix, Nice — de grosses villes consommatrices ou des lieux d'exportation, et le froment est généralement meilleur marché en montagne, à Bras ou à Puimoisson. Toutefois des discordances surprenantes subsistent en grand nombre. Pourquoi dans le quartier très reculé de Saint-Pierre d'Avez, le grain vaut-il deux fois plus qu'à Mallemort dans la basse vallée de la Durance ? Pourquoi le paie-t-on moins cher à Fos ou à Hyères, ports d'embarquement, que sur les hauts plateaux du Verdon ?

Des écarts de cette sorte témoignent surtout d'un très grand cloisonnement du marché des céréales. Ils portent à croire que la valeur marchande de la nourriture de fond manquait de fluidité, que les prix étaient dans une certaine mesure figés dans cette région et à cette époque. Par le morcellement naturel d'un pays de montagne certes, mais plus encore peut-être par les usages. Ces prix « communs » en effet étaient des prix coutumiers. Ne dépendaient-ils pas des habitudes et de la tradition beaucoup plus que de facteurs proprement économiques ? Dans ces conditions, les rapports entre l'agencement interne de l'économie seigneuriale et le niveau des prix locaux paraissent complexes. A Puimoisson, le froment ne vaut presque rien, tandis qu'à Arles il vaut très cher. Or, ici et là, le domaine de Saint-Jean en produit énormément. On peut supposer pour Puimoisson que cette forte production excédentaire précisément maintient les cours en baisse, ce qui attire les acheteurs du littoral, entretient par là un courant habituel d'exportation, lequel à son tour stimule la production dans les champs seigneuriaux. On peut avancer avec autant de vraisemblance que les administrateurs arlésiens furent incités par les hauts cours à pousser la culture céréalière. Toutefois dans l'ensemble des domaines de Saint-Jean, on a peine à distinguer des relations claires

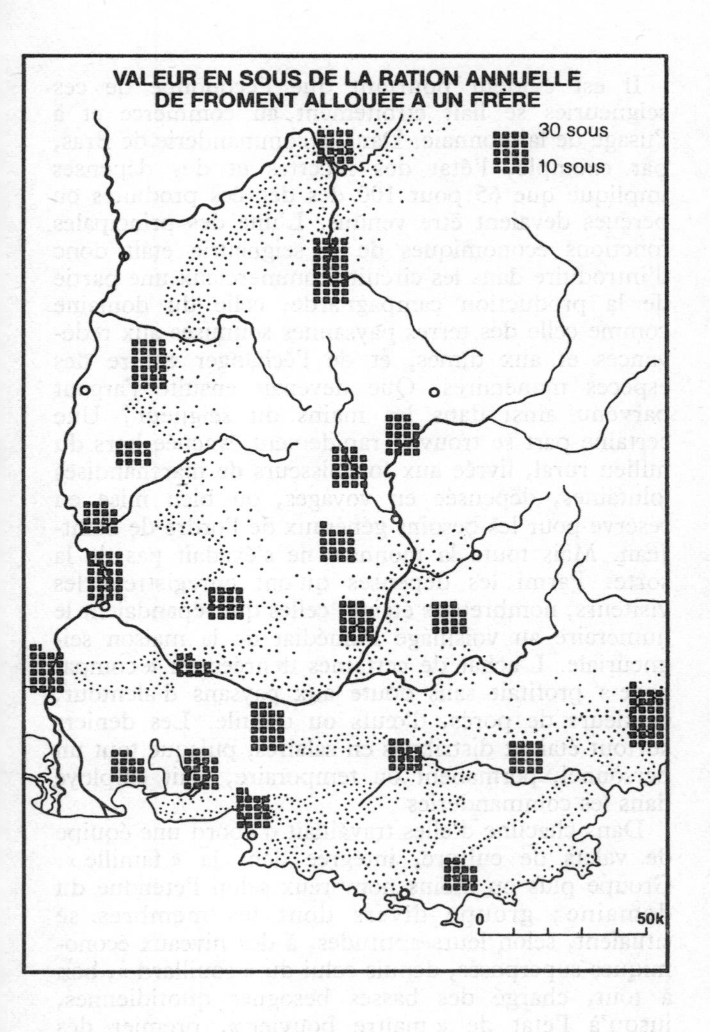
VALEUR EN SOUS DE LA RATION ANNUELLE
DE FROMENT ALLOUÉE À UN FRÈRE
30 sous
10 sous
0
50k

entre l'organisation de la production domaniale et l'état des prix agricoles.

*

Il est évident pourtant que l'économie de ces seigneuries se liait étroitement au commerce et à l'usage de la monnaie. Dans la commanderie de Bras, par exemple, l'état des recettes et des dépenses implique que 65 pour 100 des denrées produites ou perçues devaient être vendus. L'une des principales fonctions économiques de la seigneurie était donc d'introduire dans les circuits commerciaux une partie de la production campagnarde, celle du domaine comme celle des terres paysannes soumises aux redevances et aux dîmes, et de l'échanger contre des espèces monétaires. Que devenait ensuite l'argent parvenu ainsi dans les mains du seigneur ? Une certaine part se trouvait rapidement évacuée hors du milieu rural, livrée aux fournisseurs de marchandises lointaines, dépensée en voyages, ou bien mise en réserve pour les besoins généraux de l'ordre de Saint-Jean. Mais toute la monnaie ne s'évadait pas de la sorte. Parmi les dépenses qu'ont enregistrées les visiteurs, nombreuses étaient celles qui répandaient le numéraire au voisinage immédiat de la maison seigneuriale. L'achat de certaines denrées du « companage » profitait sans doute aux paysans d'alentour, vendeurs de porcs, d'œufs ou d'huile. Les deniers surtout étaient distribués en salaires, puisque tout un personnel, permanent ou temporaire, était employé dans les commanderies.

Dans chacune d'elles travaillait d'abord une équipe de valets de culture, intégrée dans la « famille ». Groupe plus ou moins nombreux selon l'étendue du domaine ; groupe divers dont les membres se situaient, selon leurs aptitudes, à des niveaux économiques superposés, depuis celui du « souillard », bon à tout, chargé des basses besognes quotidiennes, jusqu'à l'état de « maître bouvier », premier des conducteurs d'araire et véritable chef de l'exploitation. Mais tous ces domestiques vivaient en étroite communauté avec les seigneurs. Egale pour chaque « familier », la ration de grain n'était pas à vrai dire exactement semblable à celle des maîtres ; souvent plus lourde, elle était constituée par des céréales plus grossières, seigle, méteil, orge, ce qui plaçait les valets agricoles au-dessous des serviteurs de maison et des clercs. Ils ne buvaient pas non plus de vin pur, mais de la piquette. Enfin le « companage » qui leur était servi coûtait moins cher : 10 ou 15 sous par an seulement, contre 15 ou 20 sous pour un clerc de service, et 35 pour un frère. A l'intérieur de la cellule économique fondamentale qu'était la « maison », il existait donc une nette hiérarchie des conditions matérielles, et cette pitance plus rustique, dont le pain constituait la pièce maîtresse, dressait une barrière entre les seigneurs et les travailleurs du domaine, rapprochait ces derniers des paysans.

A propos des domestiques de culture, l'inventaire enregistre une autre dépense évaluée en numéraire : le vêtement, « vestiaire » et « chausse ». La somme variait quelquefois un peu selon l'emploi : ici et là, on attribuait au conducteur d'attelage quelques sous de plus qu'au simple valet[45]. Elle variait beaucoup plus d'un centre d'exploitation à l'autre — un bouvier avait droit à 10 sous à Marignane, à 100 sous à Trinquetaille[46] —, alors que pour les membres de la communauté seigneuriale elle était partout uniforme. Pourquoi ? S'agissait-il de fournitures directes, le maître achetant les effets d'habillement et les répartissant entre les serviteurs ? On s'expliquerait mal, dans ce cas, de tels écarts dans les dépenses. Le vestiaire n'était-il pas plutôt une allocation en numéraire remise à l'employé, censé se vêtir lui-même, c'est-à-dire un véritable salaire ? Certains passages de l'inventaire incitent à préférer cette seconde hypothèse. Dans le petit domaine de Saint-Pantaléon en pays d'Apt, qui employait quatre domestiques, la dépense de « vestiaire » était établie en sous, 8 pour chacun, mais celle de « chausse » l'était en froment : 8 mesures pour les valets de culture, 4 pour le serviteur de cuisine[47]. Curieuse manière d'évaluer ce qui devrait être un achat de tissus ou de cuir. Il ne peut s'agir dans ce cas que d'une rémunération individuelle, d'un supplément de gage. Même indication à Tarascon, où le domestique avait droit à une attribution globale de 16 mesures de froment pour son vestiaire, ses chausses et son salaire[48]. En effet, outre la nourriture et l'allocation de vêtement, les travailleurs agricoles permanents, comme les serviteurs domestiques, les clercs et les suivants d'armes de la maison seigneuriale, recevaient un « loyer », un salaire, lui-même nettement hiérarchisé. Au maître bouvier de Roquebrune étaient attribués par an 25 setiers de froment, aux deux autres bouviers 16, au palefrenier, au valet et au boulanger 18[49]. La valeur de cette rétribution était généralement supérieure à celle de la ration de blé consommée au réfectoire. Elle était quelquefois payée en argent, comme au col de Menée où l'on donnait 40 sous par an au bouvier ; le gage des domestiques était évalué aussi en numéraire dans toutes les maisons des commanderies de Nice, de Beaulieu, de Sellier[50]. Dans celle de Comps, le salaire était payé en grain, de la Saint-Jean à la Saint-Michel ; mais l'hiver, en sous, 35 pour le maître bouvier, 30 pour le second, 25 pour chacun des autres[51]. Presque toujours cependant l'inventaire fait état d'une allocation en blé. Qu'en faisaient les bénéficiaires ? Faut-il supposer qu'ils nourrissaient une famille hors de la maison seigneuriale ? Ou bien qu'ils échangeaient ce froment ou cet orge contre d'autres valeurs ? En tout cas, ce « loyer », ce pécule dont ils avaient la libre disposition leur ménageait au sein de la communauté « familiale » un secteur assez large d'indépendance économique.

Cependant puisque beaucoup d'entre eux étaient peut-être, en partie du moins, rémunérés en nature, il n'est pas sûr que l'emploi de ces salariés à plein temps ait transféré de grandes quantités d'argent dans l'environnement paysan des seigneuries de l'ordre. Ce transfert s'opérait davantage par la distribution des gages aux travailleurs embauchés pour les gros travaux. Ceux-ci étaient parfois rétribués à la saison. A L'Hospitalet, à Granbois, pendant deux mois d'au-

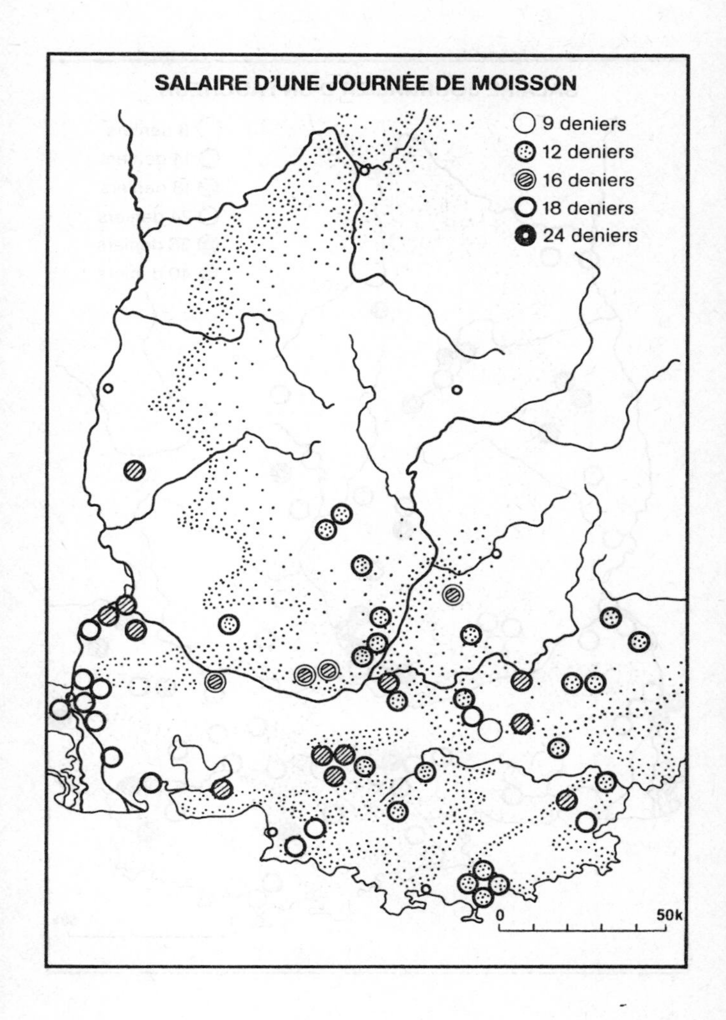
SALAIRE D'UNE JOURNÉE DE MOISSON
9 deniers
12 deniers
16 deniers
18 deniers
24 deniers
0
50k

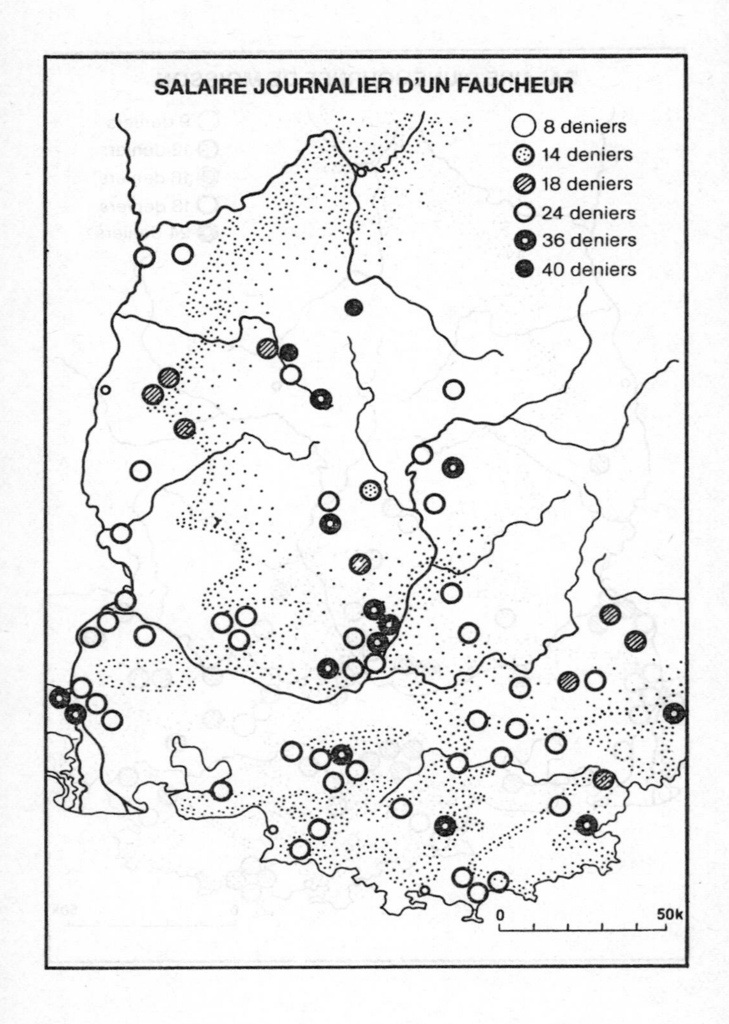
SALAIRE JOURNALIER D'UN FAUCHEUR
8 deniers
14 deniers
18 deniers
24 deniers
36 deniers
40 deniers
0
50k

tomne, « l'homme qui suit les araires pour herser le guéret » est entretenu avec les autres domestiques, reçoit la même pitance et touche le même salaire [52]. A Saint-Michel-de-Manosque, cette situation est celle de l'aiguadier qui règle l'irrigation de la Pentecôte à la Saint-Michel [53]. Mais d'autres fois, pour les vendanges, les foins, le vannage, il s'agissait d'un labeur à la tâche, d'un contrat à « prix fait » ; le seigneur traitait avec une équipe de travailleurs saisonniers, offrant une rémunération forfaitaire, tout entière en argent cette fois [54]. Enfin presque toujours, la main-d'œuvre auxiliaire était embauchée à la journée pour un salaire individuel. On réunissait ainsi de très fortes équipes. Dans le domaine de Bayle dépendant de la commanderie d'Aix, qui était d'étendue moyenne, on payait chaque année 200 journées de femmes pour sarcler les céréales, 200 journées de moissonneurs, 66 journées de femmes qui liaient les gerbes, 12 journées d'hommes pour faire le gerbier, 230 pour les diverses façons du vignoble, 30 vendangeuses, 18 faucheurs, 15 faneurs, 5 hommes qui rentraient les foins [55]. Ces emplois déterminaient ainsi de grosses sorties de numéraire : 37 livres par an dans la commanderie de Sallier, où pourtant presque tout le domaine était en métayage, 85 à Bras, plus de 100 à Comps... Tout porte à penser que ces « loyers » quotidiens étaient intégralement soldés en numéraire, indépendamment des avantages supplémentaires en nature, et notamment de la nourriture, dont pouvaient profiter parfois les journaliers [56].

Les prix de la journée de travail que mentionne l'inventaire variaient eux aussi, notablement. Non point en fonction du sexe — les femmes qui liaient les gerbes avaient droit souvent au même gage que les moissonneurs qui travaillaient à côté d'elles —, mais en fonction de la tâche accomplie, et plus encore, semble-t-il, de la saison, donc de la durée du jour. Les fortes payes allaient aux faucheurs qui travaillaient au solstice et gagnaient généralement huit fois plus que les femmes qui sarclaient les blés à la première pointe du printemps. Les salaires étaient aussi très différents de canton à canton, de village à village. Si l'on considère les grands ensembles, on peut dire que les gages étaient plus élevés dans les régions les plus ouvertes, celles des forts rendements agricoles. Sur une carte des prix de la journée de moisson, les hauts salaires sont ainsi nettement localisés autour d'Arles, dans la vallée du Rhône, dans le bassin d'Aix. Mais une observation plus minutieuse, plus attentive aux variations locales, révèle que celles-ci, inégales d'ailleurs selon les emplois, étaient fort indépendantes des conditions générales de la vie économique et, notamment, des prix alimentaires. On ne voit pas qu'elles fussent en relation, même lointaine, avec les variations qui affectaient le prix des blés. Pour gagner la valeur d'un setier de froment, un homme de moisson devait travailler 5 jours à La Faye, 4 à Draguignan, 3 seulement à Bras. Le marché du travail paraît aussi cloisonné que celui des céréales. On peut voir là une autre manifestation de la rigidité des prix, qu'il s'agisse de ceux des denrées ou de ceux du labeur humain, et sans doute une autre preuve de la puissance des usages, des traditions coutumières propres à chaque localité.

Toutes ces rétributions sont fortes, et cette constatation s'accorde mal à ce que l'on devine des précaires conditions d'existence dans ces villages qui paraissent surpeuplés. L'embauche sur la terre seigneuriale était fort avantageuse, plus avantageuse incontestablement que le travail individuel d'un lopin de terre. Le fait vaut d'être mis en lumière. Je prendrai pour cela un exemple précis, en isolant d'abord la condition du valet de culture. A Bras, l'entretien complet de l'un d'entre eux pendant une année coûtait à peu près 75 sous. C'était dans ce terroir le prix d'environ 40 setiers de seigle. S'il eût été laboureur indépendant, donc obligé de payer les dîmes et les taxes, de réserver le quart au moins de la moisson pour la semence prochaine, le même homme, pour disposer des mêmes ressources, aurait dû récolter 80 setiers, c'est-à-dire, dans l'état des techniques, gouverner une exploitation de 10 ou 12 hectares arables. On voit donc que le *bovarius*, le conducteur d'araire, vêtu de la même bure, nourri du même pain noir que les paysans, ses voisins, se trouvait pourtant en bien meilleure posture économique que ceux-ci. Car, avantage premier, fondamental dans un milieu misérable, il vivait d'abord dans la sécurité ; pour lui dans la maison seigneuriale, il y avait toujours à manger et à boire ; il était assuré d'un surplus régulier, son gage ; tout ce qu'il gagnait, enfin, échappait aux exactions et aux tailles ; et n'oublions pas qu'il participait encore à toutes les grâces recueillies par les prières de la communauté, qu'il avait la bonne conscience de travailler pour saint Jean et pour Dieu. Or les valets de la commanderie de Bras ne comptaient pas parmi les plus favorisés. Aux Omergues, la prébende du domestique de ferme valait 90 sous, à Draguignan 170 [57]. La situation matérielle de ces serviteurs se trouvait ainsi très supérieure à celle des desservants de paroisse rurale. D'une manière générale, la part des richesses de la maisonnée qui leur était attribuée était égale ou presque à celle d'un frère sergent, leur maître [58]. Entrer dans l'une de ces maisons seigneuriales comme travailleur permanent, c'était en ce temps changer véritablement d'état économique, échapper aux soucis et aux privations des rustres pour partager l'aisance des seigneurs.

Aux salariés temporaires, l'économie seigneuriale assurait des gains moins réguliers mais plus importants encore. Dans maints domaines des hospitaliers, il ne fallait pas plus d'une journée à un faucheur, de deux à un moissonneur, de trois à un ouvrier de vigne pour gagner la ration de seigle que consommait en un mois un domestique. Et pour revenir à la commanderie de Bras qui me sert d'exemple, un journalier pouvait en moins d'un quart d'année, en se louant aux moments de presse, quinze jours pendant la fenaison, quinze jours à la moisson, quinze jours pour tailler les vignes, dix jours pour les piocher, quinze autres pour les biner, recueillir en salaire 75 sous, soit l'équivalent de l'entretien annuel d'un domestique ou des profits d'une exploitation paysanne de 12 hectares.

Certes, on peut douter qu'il existât alors beaucoup de salariés purs, vivant seulement de l'embauche. Certains, peut-être des moissonneurs ou des faucheurs engagés sur les domaines, venaient, par bandes transhumantes, de villages éloignés[59]. Mais la plupart d'entre eux sortaient, sans doute, pour un labeur temporaire, des ménages paysans du voisinage, de ceux-là mêmes qui devaient payer aux hospitaliers les bans et les droits de justice. Pour ces pauvres gens, des salaires aussi élevés constituaient un appoint de première importance, le recours véritable contre la misère. Ainsi, par la culture directe de vastes domaines céréaliers, par tous les emplois qu'elle offrait, la seigneurie se montrait, dans l'économie rurale, véritablement nourricière, beaucoup plus, en tout cas, que par ses maigres distributions d'aumônes aux indigents[60]. Et même, distribuant en multiples salaires les deniers, elle restituait très largement à la campagne environnante l'argent qu'elle en avait tiré par les tailles, les cens, les amendes. A Puimoisson, les gages des travailleurs équivalaient à la moitié de l'argent que le seigneur percevait autour de lui ; à Comps, aux deux tiers. A Saint-Jean de Trièves, tous les dépendants réunis livraient chaque année 30 livres en numéraire, mais la commanderie en payait 35 aux journaliers. A Bras, enfin, les deux mille journées de travail valaient quatre fois les recettes en deniers de tous les droits seigneuriaux. Ici, en répandant autour d'elle une part du produit de ses ventes, la maison seigneuriale fournissait en argent le monde rural environnant. Par leurs gros besoins en main-d'œuvre autant au moins que par leurs perceptions, les domaines des hospitaliers se trouvaient intimement associés à l'économie paysanne.

*

Gardons-nous d'étendre trop vite la portée de ces observations. La diversité même des descriptions que contient l'inventaire invite à la prudence. Il montre en effet, côte à côte, des seigneuries de structure économique fort différente. Quel contraste entre celle du Poët-Laval, sans domaine ou presque, donc sans salariés, où la communauté des maîtres parvenait difficilement à se suffire du produit des rentes, celle de Puimoisson, très grosse entreprise agricole au contraire, qui embauchait à la journée des milliers de travailleurs, celle enfin de Sallier, au bilan très largement excédentaire et où l'emploi généralisé du métayage abaissait les frais d'exploitation à moins de 15 pour 100 du revenu brut. Méfions-nous aussi du caractère même du document : il place la seigneurie seule en lumière, isolée de l'économie paysanne dont se devinent à peine quelques traits incertains. Risquons cependant, pour finir, quelques conclusions brèves.

Le document révèle d'abord que, dans les Alpes du Sud, l'institution seigneuriale devait, pour nourrir dans l'oisiveté un petit groupe de maîtres, pousser en un sol maigre des racines très lointaines, puiser la subsistance sur un large terrain. Ainsi pour entretenir, et modestement, les sept frères et les quatre donats de la commanderie de Roussillon, il fallait 350 hectares de labours, les cens de neuf villages, un four, un moulin, vingt bœufs de travail, et onze garçons de ferme, plus de quatre cents journées de tâcherons... L'économie de la seigneurie était donc, elle aussi, de bien faible rendement. On s'explique ainsi que tant de hobereaux de haute Provence paraissent si faméliques dans les documents du début du XIVe siècle. Leurs prérogatives pouvaient à peine leur assurer de quoi vivre.

A vrai dire, et c'est le second enseignement de cette enquête, les maîtres étaient loin d'être les seuls à profiter des revenus seigneuriaux. Beaucoup d'autres personnes y prenaient part, et d'abord tous ces intermédiaires que nous avons rencontrés en chemin, ceux qui affermaient revenus, dîmes, églises, terres, les acheteurs et les fournisseurs, tous les notaires, les juges, les procureurs, gens de plume et de chicane, et, rétribués comme eux par des pensions annuelles, les artisans, fabres ou fustiers, qui fabriquaient et rénovaient les araires, les maréchaux-ferrants, les barbiers, les médecins. Une part plus grande encore des récoltes, des perceptions, du fruit des ventes allait, parce que les seigneurs n'étaient pas de purs rentiers du sol, à des travailleurs paysans, domestiques ou mercenaires.

Economie de suffisance ou économie de profit ? La question, dans ces conditions, doit être posée en d'autres termes. Il est évident que les administrateurs de chaque commanderie de Saint-Jean ne songeaient guère à investir les bénéfices dans l'entreprise pour la développer. Dans l'inventaire qu'ont dressé les visiteurs, la part réservée aux investissements est en effet extrêmement faible et n'excède pas quelques livres pour la « réparation » de la maison ou du cheptel. La seigneurie du petit hameau de Clamensane procurait 28 livres par an, qui laissaient un rapport net de 19 livres ; on n'y dépensait pas plus de 10 sous pour améliorer l'équipement[61]. 4 livres pour l'entretien général, 8 livres pour le renouvellement du bétail dans toute la commanderie de Claret, alors que 5 livres étaient mangées par les seuls frais de procédure[62]. Au Poët, les dépenses d'investissement représentaient à peine plus de 1 pour 100 du rapport brut, 7 livres sur 613. Cela ne signifie point, en vérité, que les seigneurs n'aient eu aucun souci d'accroître leurs profits. Toutefois, dans leur esprit, ce surcroît de ressources devait avant tout permettre d'étendre encore la « famille ». Leur réticence à affermer le domaine en est une preuve. Etre riche, pour eux, c'était recruter de nouveaux frères, d'autres domestiques, intégrer dans la communauté de la maison une portion plus importante de la société rurale, se gagner au-dehors davantage d'obligés, marchands, acheteurs, salariés. Pour cela encore, comme par l'usage qui était fait de leurs revenus, chacune de ces seigneuries rurales stimulait de façon fort active les échanges de biens et de services. Toute l'économie villageoise s'ordonnait autour d'elles. Mais elles étaient, de ce fait même, par les multiples liaisons qui les mêlaient aux milieux du négoce et à la paysannerie environnante, des organismes fort complexes. On comprend qu'elles aient

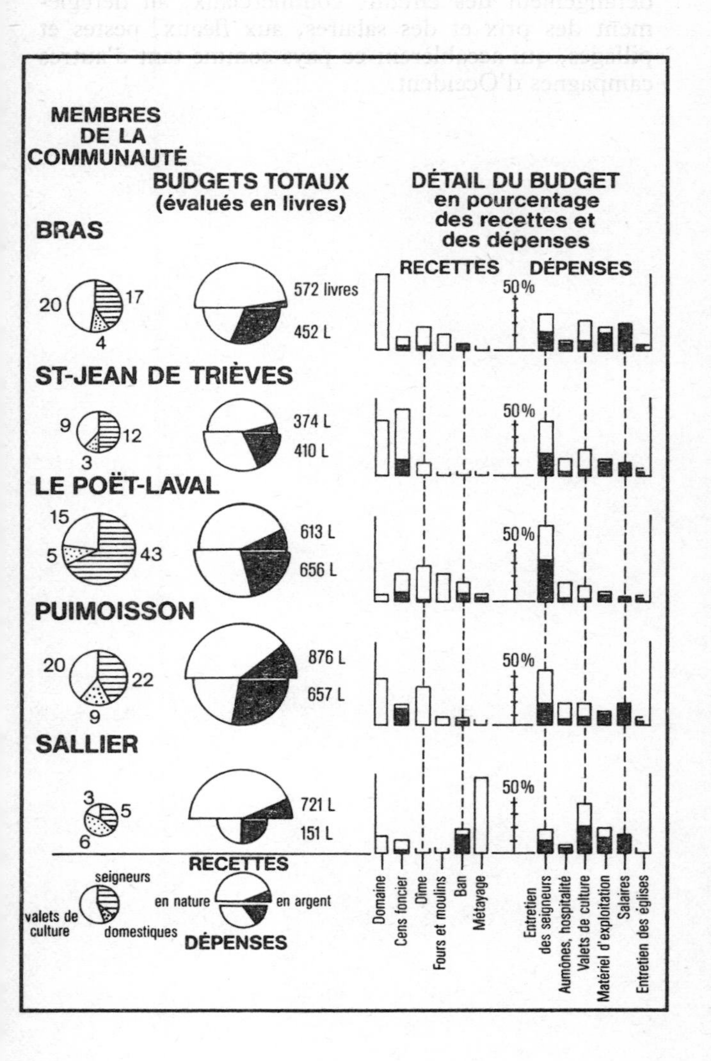
MEMBRES
DE LA
COMMUNAUTÉ
BUDGETS TOTAUX
(évalués en livres)
DÉTAIL DU BUDGET
en pourcentage
des recettes et
des dépenses
BRAS
RECETTES
DÉPENSES
20
17
4
572 livres
452 L
50%
ST-JEAN DE TRIÈVES
9
12
3
374 L
410 L
50%
LE POËT-LAVAL
15
5
43
613 L
656 L
50%
PUIMOISSON
20
22
9
876 L
657 L
50%
SALLIER
3
5
6
721 L
151 L
50%
RECETTES
seigneurs
valets de culture
domestiques
en nature
en argent
DÉPENSES
Domaine
Cens foncier
Dîme
Fours et moulins
Ban
Métayage
Entretien des seigneurs
Aumônes, hospitalité
Valets de culture
Matériel d'exploitation
Salaires
Entretien des églises

mal résisté, quelques annés seulement après 1338, au dérangement des circuits commerciaux, au dérèglement des prix et des salaires, aux fléaux, pestes et pillages, qui accablèrent ce pays comme tant d'autres campagnes d'Occident.

3

LES VILLES DU SUD-EST DE LA GAULE DU VIIIe AU XIe SIÈCLE *

Dans l'histoire urbaine du sud-est de la Gaule, la période comprise entre le début du VIIIe siècle et le milieu du XIe est un moment de particulière obscurité. Non point qu'elle n'ait pas été étudiée, mais les travaux assez nombreux dont elle a fait l'objet [1] sont de valeur inégale. En outre et surtout, la documentation qu'ils utilisent est d'une extrême indigence : l'insécurité, et peut-être une certaine disposition d'esprit des gens d'Eglise à l'égard de la culture, font qu'il n'existe à peu près pas de sources narratives et que les pièces d'archives elles-mêmes sont rares. Aussi l'historien est-il contraint d'aller à tâtons et, dans l'état actuel de la recherche, d'échafauder surtout des hypothèses. Cet exposé est donc avant tout destiné à situer les principaux problèmes et à orienter ainsi les futures enquêtes. Je l'ai organisé autour de deux grandes questions. La première pourrait se formuler de la sorte : quelle était alors dans cette région la vitalité des villes ? Repli, stagnation ou essor ? La seconde concerne les structures politiques : comment le pouvoir était-il distribué à l'intérieur de l'espace urbain ?

* Texte publié dans *La Città nell'alto medioevo*, Spolète, Presso La Sede del Centro, 1959, pp. 231-258.

1. Voir note 1 et suivantes pp. 246-251.

I

Les conditions de la vie urbaine sont, dans cette partie de la Gaule, originales. Parce que cette région a été la première et la plus profondément marquée par l'influence de Rome, qui, dans ce domaine, a stimulé des habitudes sociales certainement très antérieures, c'était au début du Moyen Age la contrée par excellence des cités : elles y étaient beaucoup plus nombreuses qu'ailleurs, plus anciennes, plus solidement plantées, et y conservèrent plus longtemps leur pleine vitalité (il suffit d'évoquer ce qu'était encore Arles au temps de saint Césaire, le port très animé, avec ses fortes colonies de trafiquants orientaux). Pour cette raison, la ville occupait encore ici au VIIIe siècle une place importante, dans le paysage — avec ses indestructibles édifices de pierre — comme dans les relations sociales. Mais à partir de ce moment même, cette province a souffert plus que toute autre du déplacement des foyers de la civilisation chrétienne. Elle est devenue un pays marginal, une zone frontière, face, du côté de l'ouest, aux terres dominées par l'islam, et exposée à l'est sur les rivages aux pillages venus de la mer. Frontière mal défendue — région menacée donc, constamment sur le qui-vive, offerte aux incursions des bandes armées et aux dévastations.

Première incertitude : quelle fut l'intensité exacte du danger ? Certes, il est possible d'établir assez nettement la chronologie des événements militaires. On la voit se décomposer en trois phases principales.

a) Tout le VIIIe siècle est dominé par la menace des bandes musulmanes venues d'Espagne. Leurs premiers passages se situent peut-être en 713 ; elles occupèrent rapidement la Septimanie, poussèrent très vite des pointes au-delà, le long du Rhône et en Provence ; à cette progression répondit la descente des armées austrasiennes : expéditions punitives de Charles Martel en 736-739, puis reconquête du pays narbonnais par Pépin (752-759)[2]. Mais les Sarrasins pillaient encore en 793 les abords de Narbonne[3].

b) Au début du IXe siècle, alors que, du côté occidental, la constitution progressive de la marche d'Espagne assurait la sécurité, commençaient à l'est du Rhône les descentes des gens de mer — de toute origine, musulmans, mais aussi normands. Ces incursions touchèrent Nice en 813, Marseille en 838 puis en 848, Arles en 842 ; en 869 l'archevêque de cette ville, Roland, mourut en combattant les bandes sarrasines qui tenaient la Camargue. Avec l'établissement à poste fixe de ces équipes de brigandage dans les Maures, on peut placer semble-t-il, au tournant des IX-Xe siècles, le moment de plus grand péril. Mais, dès 940, la basse vallée du Rhône échappait au danger, et ce furent les nobles de cette contrée qui, après 972, chassèrent les derniers pirates sarrasins de la Provence orientale[4].

c) Si les pays provençaux furent désormais délivrés (sauf coups de main toujours possibles et difficiles à parer : ainsi Antibes fut saccagée en 1003, et Toulon, par deux fois, en 1178 et 1197 encore...), l'offensive musulmane en Catalogne dans le dernier tiers du Xe siècle plaça de nouveau le flanc occidendal en état d'alerte : les Sarrasins pillèrent Narbonne en 1020[5].

Le danger fut donc constant, d'un bout à l'autre de cette période. Remarquons cependant qu'il fut toujours localisé, le fait essentiel étant, à mes yeux, ce grand balancement de part et d'autre du Rhône entre l'est et l'ouest. Mais cela établi, il reste très difficile de mesurer, même approximativement, l'étendue des dommages que de ce fait subirent directement les villes. Furent-elles durablement atteintes ? Les destructions demeurèrent-elles superficielles ? On trouve dans les travaux des érudits des opinions très divergentes[6]. Toutefois certains faits paraissent assurés.

a) On ne peut nier que la vie urbaine ait été fortement perturbée en Provence et spécialement sur ses franges maritimes de l'est entre le milieu du IXe et celui du Xe siècle. La cité de Fréjus fut alors détruite [7]; celle de Toulon subit sans doute le même sort [8]; la liste épiscopale est interrompue à Nice entre 788 et la fin du Xe siècle; le siège d'Antibes est resté vacant jusqu'en 987 [9]. L'archevêque d'Aix Odalric (928-947) *qui ob persecutionem sarracenorum a sede sua recesserat* vint se réfugier à Reims [10]; en 923, l'évêque de Marseille demandait à l'archevêque d'Arles un établissement pour ses chanoines qui *propter continuos sarracenorum impetus* ne pouvaient demeurer dans leur résidence [11].

b) Les chanoines de Marseille, remarquons-le, vivaient alors sans doute à Saint-Victor, monastère suburbain. D'une manière générale en effet, on peut assurer que les incursions militaires déterminèrent la disparition, au moins temporaire, des quartiers extérieurs aux enceintes urbaines : ainsi les faubourgs narbonnais furent brûlés en 793; en 883 les habitants d'Arles restauraient la tombe de saint Césaire, située hors les murs, et qui avait été dévastée par les « païens », sarrasins ou normands [12].

c) Mais la conséquence principale, et celle-ci incontestable, de l'insécurité permanente fut, à mon avis, d'accentuer très fortement le caractère militaire de la vie urbaine dans la Gaule du Sud-Est. Certes les cités constituèrent pour les pillards les proies les plus tentantes. Mais leurs remparts, et ces grandes bâtisses de pierre qui pouvaient être aisément barricadées, en firent surtout les plus sûrs des réduits défensifs, les meilleurs des refuges pendant les alertes. Or, et ceci me semble fort important, les villes étaient ici en nombre suffisant pour former à elles seules un réseau serré de forteresses. Pour cette raison, on ne voit pas que les fortifications rurales se soient multipliées comme elles l'ont fait ailleurs au tournant des Xe-XIe siècles. Dans cette région — et c'est l'un des traits qui sans doute l'opposent le plus nettement aux autres provinces de Gaule — le château rural ne prit pas à cette époque cette importance majeure qu'on lui connaît ailleurs : la cité demeura le centre presque exclusif de la vie militaire. Aussi ne faut-il pas se hâter d'attribuer aux passages d'hommes armés et aux expéditions de pillage une influence exclusivement préjudiciable à la vie urbaine. Le danger a en fait exalté ici l'une des fonctions de la ville. La vocation défensive demeura le facteur déterminant de la vitalité urbaine.

*

Qu'en fut-il de cette autre fonction, celle-ci spécifiquement urbaine, la fonction commerciale ? L'obscurité est là peut-être encore plus profonde. Sans doute de nombreux indices attestent-ils d'un bout à l'autre de cette période la permanence d'un commerce à longue distance d'objets précieux. Permanence d'un cabotage le long des côtes, même aux pires moments de la menace sarrasine [13]. Permanence de la circulation marchande le long d'un itinéraire qui, depuis la vallée du Rhône, se dirigeait vers l'Espagne musulmane et que jalonnait, à chaque étape, dans chaque cité, une puissante colonie juive. Juiveries prospères, actives, voire envahissantes et menaçantes pour la foi chrétienne, et qui servirent sans conteste de relais, de Narbonne à Béziers, à Nîmes, à Uzès, d'Arles à Vienne et à Lyon, à un trafic d'orientation méditerranéenne [14]. Des textes enfin parlent des cuirs de Cordoue, des tissus de fabrication orientale, des monnaies musulmanes que l'on voyait alors dans ces villes [15].

A vrai dire, il ne faut pas surestimer l'intérêt de ces indications : on ne saurait s'étonner que cette lisière méridionale du continent chrétien ait été un lieu d'échanges, et les pillards ne se seraient sans doute pas autant acharnés sur un pays sans richesses faciles à prendre. L'important serait en réalité de mesurer l'intensité de ce passage : échanges intermittents, occasionnels, affaires de hasard comme c'est le cas dans les bourgades les plus reculées, les moins dégagées de la vie rustique ? Ou bien, au contraire, courant robuste et régulier, assurant la prospérité bien assise d'un groupe important de spécialistes du négoce ? L'important serait surtout de repérer les variations de rythme de l'activité marchande, de les situer exactement par rapport aux soubresauts de la vie militaire. Ce qui, dans l'état de la documentation, n'est pas possible.

Dans son étude sur les cités de la Narbonnaise première, André Dupont a cru déceler, à propos de l'économie urbaine, une opposition entre l'époque carolingienne et celle qu'il appelle féodale, disons les Xᵉ et XIᵉ siècles. Essor et prospérité pendant la première, parce que, dit-il, la ville, résidence de l'aristocratie, se serait trouvée en étroite liaison avec la campagne environnante et que celle-ci aurait profité alors d'une rénovation profonde [16]. « Crise », en revanche, avec l'établissement de la « féodalité », parce que celle-ci aurait installé le désordre et engendré des dévastations rurales [17], parce qu'elle aurait interrompu les relations entre villes et campagnes, parce que se seraient alors multipliés les péages, qui auraient fait obstacle à la circulation [18]. L'activité économique aurait donc été dans la ville moindre au Xᵉ siècle et dans la première moitié du XIᵉ qu'elle ne l'était au IXᵉ. Cette interprétation des documents me paraît difficile à admettre. Considérant l'évolution d'ensemble de l'économie rurale en Europe occidentale, on a peine à croire d'abord que les campagnes de cette région, compte tenu précisément du mouvement de repeuplement et de colonisation que les Carolingiens avaient encouragé, aient été en 1050 moins productives que deux cents ans plus tôt ; et les récriminations des gens d'Eglise, si fréquentes dans les cartulaires du XIᵉ siècle, contre les violences et la cupidité des seigneurs laïcs, réaction naturelle devant l'institution par ces derniers des *consuetudines*, des taxes seigneuriales sur les domaines ecclésiastiques, ne signifient pas que les récoltes aient été en permanence la proie des pillages et des incendies, ni que le rendement du travail paysan fût en baisse. Pour la

Provence maritime en tout cas, il est certain que les domaines ruraux, déjà dans un piètre état au seuil du IXe siècle (sur la portion du patrimoine de l'Eglise de Marseille que décrit en 814 l'inventaire de l'évêque Vuadalde, tant de tenures paysannes étaient désertes), pâtirent lourdement des brigandages venus de la mer : au contraire, la fin du Xe siècle fut ici incontestablement un moment de grande expansion agricole. Que les liens entre la ville et la campagne aient été moins étroits aux temps féodaux qu'à l'époque carolingienne paraît également fort douteux. En fait, dans la Septimanie du IXe siècle, l'essor rural semble avoir moins profité aux cités qu'aux nombreux monastères nouvellement fondés et qui ne sont point urbains mais ruraux ; certains courants économiques dirigés jadis vers les centres urbains s'en trouvèrent sans doute détournés[19]. Au Xe et au XIe siècle, en revanche, la reconstitution du temporel des églises cathédrales, le grand mouvement de restitution qui fit passer paroisses rurales et dîmes dans le patrimoine des églises urbaines[20], la concentration dans les cités de chevaliers fieffés à la campagne ont déterminé, me semble-t-il, plus que jamais, la convergence vers les villes des surplus de la production agricole. Quant à la multiplication des péages, fut-elle seulement une entrave entraînant la paralysie des échanges ? N'est-ce pas plutôt le signe de l'intérêt nouveau qu'ont porté dans la seconde moitié du XIe siècle les seigneurs en possession du droit de ban à une circulation routière qui devenait précisément plus active ?

En fait à propos de la fonction marchande des villes de la Gaule du Sud-Est, je proposerai seulement trois observations.

a) Sur cette frange de contact entre la chrétienté latine et les mondes islamique et byzantin, le trafic d'objets de haut prix, esclaves ou produits des artisanats de luxe de l'Orient, ne s'est selon toute apparence jamais complètement interrompu. On peut penser seulement que, du fait des événements militaires, les itinéraires commerciaux, orientés surtout du milieu du VIIIe à la fin du Xe siècle vers la Septimanie et la Marche hispanique, se sont ensuite déplacés depuis Arles vers la mer et Marseille, ranimant dès lors la Provence rhodanienne.

b) Toutefois, ce commerce au long cours paraît avoir été longtemps trop réduit et trop discontinu pour constituer un élément important de vitalité urbaine. Deux faits, à mes yeux, doivent être à ce sujet pris en considération : la position économique, d'abord, des communautés juives, qui se montrent alors préoccupées surtout d'investissements fonciers, qui exploitent des terres aux portes des villes et parfois plus loin, et qui paraissent s'être très fortement ruralisées[21] ; l'histoire, d'autre part, du monnayage provençal[22] : l'atelier carolingien d'Arles cesse son activité à la fin du IXe siècle ; brève reprise par l'archevêque entre 962 et 985 (en correspondance avec le grand élan de reconquête sur les Sarrasins des Maures) ; mais la frappe ne repart vraiment que dans la seconde moitié du XIIe siècle. En fait les premiers indices sûrs d'une nette réanimation des routes marchandes sont tardifs : construction de nouveaux ponts, mention de nouvelles taxes sur la circulation, à Narbonne en 1066, sur le Rhône en 1070[23]. Et l'essor véritable, le moment du grand dégel maritime et routier, ne se situe pas dans cette région avant 1150, c'est-à-dire bien au-delà du terme de cette étude.

c) Toutefois un trafic me paraît avoir constamment entretenu une certaine activité commerciale dans quelques cités, et j'attire spécialement l'attention sur lui car il mériterait d'être étudié de près : c'est le commerce du sel. On devine que cette denrée était alors rassemblée dans les villes proches de la mer pour être acheminée ensuite vers l'intérieur. A la fin du Xe siècle, la production des salines de Fos et d'Istres se concentrait à Arles. Autre carrefour du sel, Narbonne : la cathédrale se fit octroyer par Charles le Chauve la moitié des droits royaux perçus sur les salines, puis en 881 la moitié des salines elles-mêmes dans les comtés de Narbonne et de Razès ; en 990, en 1005 elle consolida ses droits sur les installations [24], et l'on notera que les Juifs s'intéressaient spécialement à la fabrication du sel [25].

En conséquence, il est permis de penser que, par le trafic saulnier, par le passage de loin en loin des trafiquants des marches méditerranéennes, par le maintien de fortes communautés israélites, résidus des grosses colonies marchandes du Bas-Empire, mais surtout par le commerce du sel, du cuir, des produits agricoles, la vitalité économique ne fut pas étouffée dans les villes de cette région ; elle s'est même trouvée certainement stimulée à partir de la fin du xᵉ siècle par des liaisons plus étroites avec la campagne voisine. Toutefois, jusqu'en 1050 au moins, la fonction marchande paraît bien être restée secondaire par rapport à la fonction défensive. Le marché et le port n'ont jamais eu alors autant d'importance dans la ville que la muraille et les tours.

*

Si, pour juger de la vitalité urbaine entre le viiiᵉ et le xiᵉ siècle, on considère enfin l'histoire topographique des cités, le terrain devient plus sûr, encore que les bonnes monographies soient bien rares [26]. Dans cette région où le semis des agglomérations avait été dans l'Antiquité si dense, pas de ville nouvelle : la naissance, très obscure, de Montpellier et de Beaucaire — formées l'une et l'autre, remarquons-le, autour d'une forteresse rurale majeure — doit être située, semble-t-il, après le milieu du xiᵉ siècle, au moment même où apparaissent les nouveaux péages, lorsque se développe décidément l'activité des routes de terre et de mer [27]. En revanche, quelques cités disparurent alors, disparition temporaire pour Fréjus, Antibes, Toulon — définitive pour Cimiez absorbée par Nice, pour Vénasque dont l'évêque transporta son siège en 982 à Carpentras [28]. Toutes enfin, au viiiᵉ, au ixᵉ et dans la plus grande partie du xᵉ siècle, paraissent en état de rétraction défensive. Beaucoup — on le sait pour

Marseilles, Arles, Avignon comme pour Narbonne et Toulouse — avaient hérité de la Basse-Antiquité une large ceinture de bonnes murailles, qui avaient été maintenues tant bien que mal en état ; dans les périodes de forte insécurité, toutes les excroissances que ne protégeait pas l'enceinte furent la proie des pillages et des destructions [29]. L'espace entouré par les murs devint même trop ample : on vit la défense se concentrer en quelques points plus faciles à tenir, s'organiser autour d'un réduit fortifié, d'un *castrum* ; à Arles, à Nîmes, l'amphithéâtre romain fut aménagé à cette fin [30] ; à Marseille, le *castrum Babonis*, mentionné à partir du IXe siècle, fut érigé sur un escarpement naturel, la butte Saint-Laurent [31].

A cette phase de repli succéda à partir de la fin du Xe siècle une phase de progressive détente : des quartiers nouveaux se peuplèrent. Il faut noter que les basiliques suburbaines qui, dans la France du Nord, de l'Ouest et du Centre, jouèrent un rôle déterminant dans l'aménagement topographique des villes en croissance [32], n'ont exercé dans cette région qu'une action fort limitée. Il n'y a guère que Narbonne et Toulouse où les sanctuaires érigés sur les tombeaux de saint Paul ici, de saint Sernin là, mentionnés pour la première fois en 722 et 844 mais certainement d'ancienneté plus grande, aient constitué le noyau d'une agglomération particulière, d'un *burgus* extérieur à la *civitas*. Toulouse, Narbonne, c'est-à-dire les cités les plus occidentales, les moins exposées au danger. Il paraît bien, en effet, que ce soit l'insécurité prolongée qui ait dans la plupart des villes (et notamment à Arles, à Marseille où l'abbaye suburbaine de Saint-Victor, longtemps délaissée, resta toujours un lieu aventuré et solitaire) empêché, à l'époque carolingienne et immédiatement après, la germination de nouveaux foyers de peuplement près des nécropoles paléochrétiennes.

L'expansion se manifesta cependant par des signes évidents aux alentours de l'an mil. Le premier desserrement est marqué à Marseille par l'apparition vers 980 auprès du château Babon du quartier neuf de Sauveterre, au nom significatif, aire protégée, dotée par les vicomtes d'une sécurité particulière, placée sans doute dans la paix de Dieu et ouverte aux immigrants ; puis, entre 1039 et 1040, on construisit une enceinte nouvelle, englobant la *villa episcopalis*, naguère domaine rural exploité au profit de l'Eglise ; en même temps se formait sur le port le bourg de Tolonée, autour du poste où les agents vicomtaux levaient le tonlieu, tandis que se fondait le monastère de femmes de Saint-Sauveur [33]. Même rythme à Narbonne : sauf à proximité de la basilique Saint-Paul, les abords des remparts de la cité étaient au début du xe siècle en pleine rusticité [34] ; en 990 trois « bourgs » existaient, bien peuplés, avec des maisons d'aspect déjà urbain, et l'un d'eux portait le nom de Villeneuve [35] ; le faubourg Saint-Paul, mieux placé sur la voie Domitienne, à la tête du pont sur l'Aude, connut autour de son marché un développement continu : on y distinguait en 1035 au moins quatre « bourgs » particuliers [36]. Un semblable bourgeonnement hors les murs s'observe à Nîmes, où s'édifiait en 990 l'abbaye Saint-Sauveur-de-la-Font, tandis qu'était rénové Saint-Baudile et que s'organisait la nouvelle paroisse autour de l'église dédiée à saint Guillaume [37]. C'est aussi après 980 que se multiplient les mentions de sanctuaires suburbains jouxtant la cité de Carcassonne [38]. Un peu plus tard, vers le milieu du XIe siècle, l'ouverture de chantiers de construction, la rénovation des vieux édifices religieux est un autre témoignage (moins précis, à vrai dire, faute de recherches suffisamment poussées) d'un regain général de vitalité.

Ces observations, rapprochées de ce que l'on devine de l'histoire militaire et de celle des échanges, permettent, je crois, d'affirmer un lent renouveau de la vitalité urbaine dans les pays de la Gaule du Sud-Est à partir de 980. Dans l'ensemble, cette décontraction doit, semble-t-il, être considérée comme l'effet premier d'une intensification de la circulation. L'origine marchande de la stimulation est peu douteuse : le plus actif des quartiers neufs est situé, à Narbonne, sur la route maîtresse et autour d'un marché [39], et, à Marseille, à proximité du port et du tonlieu. Cependant il faut bien marquer que la croissance urbaine resta très limitée et que la population de toutes ces villes, très faible[40], ne parvint jamais à cette époque à remplir l'espace trop vaste où s'étalaient les agglomérations antiques. Enfin l'expansion du premier XIe siècle, parce qu'elle demeurait encore restreinte et parce que les périls restaient présents, n'altéra pas le caractère foncièrement militaire des cités. Que tous les quartiers neufs soient appelés « bourgs » n'implique pas qu'ils fussent fortifiés, car le mot désignait en fait à l'époque un groupe de maisons organisé autour d'une rue ou d'une place[41]. On a pourtant la preuve que ces quartiers étaient fermés par des fossés[42] et que la ville, en même temps qu'elle s'étendait, se cloisonnait en petites unités topographiques bien individualisées, repliées sur elles-mêmes. Frappant est également, à Marseille, l'empressement avec lequel on se soucia d'enclore dès 1040 les récentes excroissances urbaines dans une enceinte neuve. Il faut enfin remarquer que l'extension de l'agglomération ne s'est pas faite, comme dans la Gaule septentrionale, par le développement de petits foyers isolés peu à peu réunis par un peuplement intercalaire, mais par une croissance concentrique, le gonflement progressif de bourgs étroitement accrochés au réduit défensif de la cité : le faubourg resta ici collé à la muraille. Celle-ci était bien encore au milieu du Xe siècle l'élément fondamental du paysage urbain. J'évoquerai la physionomie d'Aix, telle qu'on la devine dans un acte d'hommage de 1049-1050[43] : du vaste champ de ruines repris par la nature champêtre surgissent trois îlots fortifiés où se concentrent les résidus de la vie urbaine : ce qu'on appelle alors la cité, c'est-à-dire le massif de maçonnerie constitué par la porte romaine sur la route d'Italie et par un mausolée voisin, ensemble de défense que les comtes de Provence ont choisi au XIIe siècle comme leur résidence la plus sûre — le « cloître », appuyé sur le vieux *castellum*, où s'est établi le chapitre de la cathédrale Saint-Sauveur — enfin les « tours » occupées par l'archevêque. Ces villes, quelques peu ranimées par la circulation routière, demeuraient donc bien avant tout des repaires de gens armés.

II

Comment étaient-ils commandés ? J'en arrive au second problème, celui de la distribution du pouvoir. Celle-ci est également étroitement liée aux circonstances militaires. Les assises de la puissance publique dans les villes de cette région ont été établies au milieu du VIIIe siècle par les conquérants austrasiens. C'est pourquoi la situation politique fut quelque peu différente de part et d'autre de la vallée du Rhône. L'empreinte carolingienne fut en effet beaucoup plus profonde en Narbonnaise qu'en Provence, qui, semble-t-il, avait surtout pâti des expéditions militaires de Charles Martel et qui plus tard, au moment où la réorganisation eût pu être poussée plus avant, se trouva très vite troublée en profondeur par la piraterie maritime. L'histoire des fondations monastiques fait ressortir le contraste entre les deux régions (ainsi que ce déplacement de la vitalité entre l'ouest et l'est, sur lequel j'ai attiré l'attention dès le seuil de cette étude) ; tandis que la Septimanie s'est couverte d'abbayes nouvelles au IXe siècle, le mouvement n'a pas atteint la Provence avant la seconde moitié du Xe[44].

Dans toutes les cités, les Carolingiens s'appliquèrent à restaurer la fonction épiscopale et à renforcer l'autorité politique de l'évêque ; mais ils ne menèrent vraiment à bien leur tâche qu'à l'ouest du Rhône. Seules les églises cathédrales de la province de Narbonne profitèrent pleinement des restitutions de biens[45], des concessions de l'immunité[46], puis, au milieu du IXe siècle, de l'octroi des *regalia*[47]. De telles faveurs royales sont, en Provence, d'une rareté qui sans doute ne tient pas seulement au mauvais état des archives[48] : en fait les rois francs laissèrent l'épiscopat provençal en état de faiblesse face au pouvoir civil.

De chaque côté du Rhône, ils avaient confié celui-ci à des comtes qui, institués dans chaque cité, y firent selon toute vraisemblance résidence fixe[49]. Mais les souvenirs tenaces du passé local, ainsi que la nécessité d'organiser solidement la défense en ces régions frontières soumises à de constantes menaces, déterminèrent un rapide regroupement du pouvoir ; de grands commandements régionaux se constituèrent au profit de certains comtes, de ceux en particulier qui étaient établis dans les anciennes capitales, Arles, Toulouse[50]. A vrai dire, les conditions politiques ne furent guère modifiées dans les villes par cette concentration de l'autorité, car, dans les cités d'importance stratégique où ils ne résidaient pas, les comtes déléguèrent au xe siècle leur puissance à des représentants permanents, les vicomtes[51]. Ainsi la cité ne cessa pas d'être le siège d'une autorité autonome ; au milieu du xe siècle, à Nîmes, à Béziers, à Narbonne, à Avignon, à Marseille, des vicomtes détenaient à titre héréditaire un pouvoir solide qui, de la ville, rayonnait sur la campagne environnante. Pouvoir judiciaire : le vicomte présidait les assemblées de justice[52]. Mais avant tout pouvoir militaire : le vicomte était le chef de la garnison urbaine, le défenseur de la forteresse majeure qu'était le *castrum*[53].

A ce moment et dans chaque cité, le chef militaire, comte ou vicomte, fortement établi sur le point d'appui défensif qu'était alors avant tout la ville, s'employa à exclure de l'espace urbain toute autorité concurrente, et en particulier à se soumettre l'épiscopat. Cette mainmise sur les fonctions ecclésiastiques est très visible en Septimanie, malgré tous les diplômes de sauvegarde délivrés par les souverains carolingiens et conservés dans les archives des établissements religieux[54]. Les vicomtes s'assurèrent le contrôle des élections épiscopales, ce qui leur permit de faire désigner l'un de leurs fils : réglant sa succession entre ses deux fils, tel vicomte de Narbonne disposait à l'avance que l'un d'eux, clerc, deviendrait archevêque, ce qui était effectivement réalisé en 977[55] ; de 987 à 1016, puis de 1027 à 1077, l'évêché de Nîmes fut occupé par le frère ou le fils du vicomte[56]. De la sorte, la fonction épiscopale et tous les droits qui s'y trouvaient attachés ne tardèrent pas à glisser dans le patrimoine familial des seigneurs de la ville, à se confondre avec les autres biens héréditaires : par testament, Guillaume, vicomte de Béziers et d'Agde, léguait en 990 la cité d'Adge *cum suo episcopatu* à sa femme, la cité de Béziers *cum suo episcopatu* à sa fille, et par le mariage de celle-ci les deux évêchés passèrent dans la fortune des comtes de Carcassonne[57]. La domination du pouvoir laïc fut plus complète encore en Provence où l'épiscopat se trouvait en état de moindre résistance. Ainsi peut-on dire que la famille des vicomtes de Marseille posséda véritablement l'évêché de cette ville pendant un siècle, entre 965 et 1073 ; aux confins orientaux, ce furent les chefs militaires que le comte avait installés dans les cités nouvellement libérées des Sarrasins qui s'emparèrent de l'*episcopatus* : dans le premier tiers du XIe siècle, l'évêque de Nice Pons était sans doute le fils du châtelain[58] ; tous les seigneurs d'Antibes au XIe siècle ont fait attribuer la mitre à l'un de leurs fils[59]. Or, il faut remarquer que dans ces pays l'évêque resta longtemps le seul administrateur de tous les biens ecclésiastiques de la ville et de ses faubourgs — et aussi, et surtout, que le pouvoir de commander dans la ville fut toujours la possession collective d'un lignage. Aussi lorsque du groupe des frères et des neveux, détenteurs en commun de la puissance, l'un des membres devenait évêque, l'indivision effaçait toute distinction entre les droits d'origine ecclésiastique et les autres. En 1040 encore, la ville de Marseille, tout entière réunie dans la nouvelle enceinte, appartenait à tout le groupe consanguin dont l'un des mâles était le pasteur du diocèse, dont les autres portaient en commun le titre vicomtal. On peut dire qu'aux alentours de l'an mil, et plus particulièrement à l'est du Rhône, les immunités ecclésiastiques n'avaient plus de sens dans les cités ; celles-ci formaient des unités politiques intégralement gérées par la famille qui détenait la puissance militaire.

Toutefois, dès ce moment, cette unité se trouvait minée par un mouvement de dissolution dont les premiers signes se manifestent à la fin du Xe siècle et coïncident donc exactement avec les manifestations les plus précoces de la croissance urbaine, avec le premier gonflement des bourgs périphériques. Est-ce à dire qu'il faille mettre en rapport ce fractionnement du pouvoir avec un changement de la structure sociale déterminé par le développement des échanges, avec la formation d'une hypothétique bourgeoisie ? Je ne le pense pas : il s'agit, à mon sens, de la forme particulière que revêtit, dans les territoires urbains de cette région, cette désagrégation générale des pouvoirs de commandement entre 970 et 1030, que j'ai étudiée dans les campagnes mâconnaises et dont J.-F. Lemarignier a exposé certains aspects précédemment[60]. Cette dislocation fut certainement favorisée en Provence par les coutumes successorales qui, faisant des pouvoirs comtaux ou vicomtaux la possession collective du groupe familial, fractionnaient la puissance entre les mains de très nombreux participants, coseigneurs qui, au XIe siècle, commencèrent ici et là à rompre l'indivision, à répartir entre eux les droits, à se partager justice et commandement dans la ville[61]. Mais le morcellement de l'autorité fut provoqué surtout par deux transformations concomitantes : d'une part, l'émancipation de l'Eglise qui, dégagée de la tutelle des laïcs, lutta pour obtenir sa part autonome de puissance ; et d'autre part, le renforcement dans la ville d'une petite aristocratie d'hommes de guerre qui s'empara de certains éléments du pouvoir.

*

La libération de l'Eglise fut très progressive. La lente individualisation des communautés canoniales la prépara. L'existence de chapitres urbains est attestée dès le VIIIe siècle à l'ouest du Rhône ; beaucoup plus tard, au Xe siècle seulement, en Provence. Mais là, dès le dernier tiers du siècle, les chanoines apparaissent dans certaines cités en possession d'une mense particulière, distincte du patrimoine épiscopal : on le sait pour Avignon dès 962, pour Carpentras en 982, pour Arles en 990, l'année suivante pour Apt, et le premier conflit opposant, pour la gestion du temporel, un prélat à son chapitre est attesté à Arles en 1003-1009[62]. Au même moment furent restaurées les abbayes urbaines et suburbaines que la longue période de danger avait désorganisées : l'évêque Honorat, d'accord avec ses parents les vicomtes, avait rétabli en 966 une congrégation distincte à Saint-Victor de Marseille ; à Arles, l'abbaye de Saint-Césaire dont les biens avaient été intégrés dans le patrimoine archiépiscopal retrouva son autonomie en 972[63]. Ces changements, soustrayant à la gestion de l'évêque certains biens d'Eglise, dégageant de son autorité des communautés spirituelles, commencèrent donc à desserrer l'étau de la puissance laïque qui tenait l'épiscopat.

Mais cette dernière fut sapée en profondeur par le cheminement des idées de réforme ecclésiastique. Cette fois, ce fut la partie provençale qui fut touchée la première, et de beaucoup. Les chapitres cathédraux furent réformés à Arles en 1032, à Avignon entre 1027 et 1039, à Vaison entre 1009 et 1055, un demi-siècle avant ceux de la province de Narbonne (Nîmes, 1075 ; Toulouse, 1077 ; Narbonne, 1093). Le voyage du pape Benoît IX, qui vint en 1040 consacrer au milieu d'un grand concours de prélats la nouvelle église de Saint-Victor à Marseille, fut un événement de grand retentissement, précurseur de l'épuration du personnel épiscopal[64]. En 1053, à Embrun, un synode présidé par le légat du pape Victor II — c'était Hildebrand, le futur Grégoire VII — déposa l'archevêque, convaincu de simonie. Puis les conciles réformateurs se succédèrent, à Toulouse en 1056, à Avignon en 1060, en 1063, en 1066[65]. Le branle était donné : peu à peu la désignation aux dignités religieuses redevint libre, ce qui aboutit à extraire la dignité épiscopale du patrimoine des seigneurs de la ville : la chose était faite à Marseille dès 1073.

Cette séparation et, d'une manière plus générale, la fermentation des idées grégoriennes eurent pour effet immédiat (et là encore je suis frappé du strict synchronisme avec les phénomènes que j'ai observés en Bourgogne[66]) de raviver la notion d'immunité, de pousser les gens d'Eglise à revendiquer les droits qui leur étaient garantis par les vieux diplômes royaux, à prétendre exercer sur les hommes et les terres de la ville dépendant de leur temporel une entière puissance. Les autorités laïques durent céder. Il s'ensuivit un partage des droits seigneuriaux dans le territoire urbain entre le comte, le vicomte ou le châtelain d'une part, l'évêque et les communautés religieuses autonomes de l'autre. Des accords, souvent confiés à l'écriture, furent ainsi conclus dans les deux derniers tiers du XIe siècle. Ils aboutirent généralement à une répartition territoriale du pouvoir, ils déterminèrent le cloisonnement juridique de l'espace urbain en quartiers bien délimités, soumis chacun au ban d'un seigneur particulier. A Marseille, avant 1069, le château, le bourg ancien et le vieux port furent ainsi réservés aux vicomtes, tandis que l'évêque recevait la juridiction autonome sur l'« alleu Sainte Marie », la *villa episcopalis* avec le petit port de *Porta Gallica*, c'est-à-dire sur les quartiers neufs récemment englobés dans la nouvelle enceinte ; en 1073, cette portion elle-même fut partagée en deux : « ville prévôtale » administrée par le chapitre, « ville des tours » dominée par l'évêque, qui venait en effet d'élever les fortifications de Roquebarbe[67]. On ne sait pas exactement quand fut opérée la division de la ville d'Arles entre l'archevêque et le comte, qui est attestée au XIIe siècle[68]. Mais dans le faubourg narbonnais de Saint-Paul, on distinguait dès 1035 un « bourg » vicomtal, un autre relevant de l'archevêque, un troisième soumis au chapitre de Saint-Paul ; dans la cité même, un arbitrage délimita en 1066 la zone où s'étendirent respectivement les seigneuries du vicomte et de l'archevêque : c'est ainsi qu'il y eut désormais par exemple deux juiveries distinctes dans la ville[69]. De même la réforme grégorienne est à l'origine du cloisonnement politique qui s'observe à la fin du XIe siècle dans Toulouse où, entre les quartiers bien individualisés de la cité, du bourg et de Saint-Pierre-des-Cuisines, se répartissent les pouvoirs distincts de l'évêque et du comte, de l'abbé de Saint-Sernin et des prieurs clunisiens de la Daurade et de Saint-Pierre[70]. Or, d'une part l'idée si puissante que l'assise véritable de l'autorité politique était la forteresse, d'autre part le souci de se prémunir contre les retours offensifs des seigneurs laïcs amenèrent les clercs, à peine dégagés de la tutelle, à élever eux-mêmes des « tours » en toute hâte dans les quartiers qui leur avaient été affectés : dans Nîmes, face au château des Arènes, siège de la puissance vicomtale, se dressèrent les défenses gardées par les hommes de l'évêque, la *turris bispalis* adossée au rempart et les deux tours flanquant la porte d'Arles[71]. Ainsi, la formation dans la ville, au cours du XIe siècle, de seigneuries ecclésiastiques autonomes, en établissant dans le territoire urbain des frontières juridiques, en juxtaposant des « bourgs » enclos dont les habitants relevaient d'une autorité différente, accusa ce fractionnement qui caractérise alors la topographie des villes. L'aspect militaire des villes de cette région en fut encore accentué.

*

Il est vraisemblable que cette vocation militaire permanente, que la présence dans ces villes d'une forte garnison de spécialistes de la défense contribuèrent, elles aussi, après l'an mil, à la dissolution du pouvoir urbain. Mais ici nous nous aventurons dans un secteur encore beaucoup plus obscur, où les informations sont extrêmement rares et où, dans l'état actuel des recherches, sont seules possibles des hypothèses de travail fondées surtout sur la connaissance, celle-ci beaucoup plus assurée, de la structure sociale du XIIe siècle.

On voit entre 960 et 1050 se répandre dans les documents un terme nouvellement choisi pour désigner une situation sociale particulière, celle des laïcs qui disposent des moyens suffisants pour se consacrer entièrement à la vie guerrière : le mot *miles*[72]. Alors que dans les autres régions de la Gaule ces hommes — appelons-les chevaliers — résident soit dans les villages, sur le domaine qu'ils font exploiter, soit dans la forteresse rurale, ici ils vivent dans la ville, parce que celle-ci, je le répète, constitue avec ses forts remparts de pierre le cœur de la défense du pays. Dans la cité — et plus exactement dans sa partie la plus fortement gardée, dans le *castrum* —, ce sont eux qui, vraisemblablement, forment en plus grande partie, sous le nom de *boni homines*, la cour judiciaire que préside le comte ou le vicomte [73]. Mais leur fonction principale est militaire : ils garnissent les fortifications urbaines. Les premiers documents explicites qui montrent comment ils s'acquittent de cette tâche datent du XIIe siècle. A ce moment, chaque famille chevaleresque, largement possessionnée dans les campagnes avoisinantes [74], tient en fief du seigneur de la ville, avec obligation d'en assurer la défense, un secteur de la muraille, une porte, une tour ou une fraction de tour. C'est le cas en particulier des trente et un *milites castri arenarum* de Nîmes [75], des *castellani* de Carcassonne, astreints par leur serment d'hommage à résider avec leur famille pendant un temps déterminé dans la tour dont ils avaient reçu concession [76]. C'est le cas par exemple du lignage des *Barravi*, qui tenait à Toulouse une tour sur le mur de la cité et la rue voisine qui portait son nom [77]. Il n'est pas interdit de situer au début du XIe siècle, sinon plus tôt, l'origine de ces concessions féodales. Dès ce moment en tout cas, les *milites* paraissent à l'égard des chefs de la ville en situation de vassalité [78], dès ce moment, on devine qu'ils commencent à bénéficier de l'octroi par fragments de quelques droits régaliens : ainsi l'archevêque d'Arles Raimbaud (1030-1065) se reprochait-il d'avoir distribué en fief les revenus de son église à ses vassaux militaires, les ancêtres sans doute de ces chevaliers que l'on voit effectivement, un siècle plus tard, se partager morceau par morceau la seigneurie urbaine du siège métropolitain [79].

Il est probable en effet que l'émancipation de l'Eglise, que la constitution au profit des clercs de seigneuries concurrentes de celles des laïcs, renforcèrent dans la ville la position des hommes armés, qui profitèrent sans doute de la fermentation introduite par la réforme grégorienne pour consolider leurs avantages et leurs privilèges. On devine — et les présomptions sont particulièrement fortes pour Arles[80] — que, dans les dernières années du XIe siècle, les chevaliers, alliés peut-être aux premiers trafiquants enrichis par le renouveau des échanges, se groupèrent, dans les villes agitées par les antagonismes des seigneurs, en ces associations de paix, imitées des conjurations pour la paix de Dieu, qui furent la préfiguration des consulats.

La décomposition du pouvoir politique aux Xe et XIe siècles est donc semblable dans les villes du Sud-Est à celle qui a été bien étudiée dans d'autres régions de la France. Mais elle a, semble-t-il, été poussée plus loin : les chevaliers de Provence ont accaparé une portion des droits régaliens beaucoup plus tôt que ceux de la France du Nord. Sans doute parce que, au lieu d'être dispersés dans la campagne, ils formaient un corps dans la ville, c'est-à-dire à l'endroit même où les évêques et leur chapitre, d'une part, les comtes ou leurs délégués, d'autre part, se trouvaient affrontés pour la possession du pouvoir. Cette particularité est donc encore un effet de la vocation défensive de la cité, qui est d'abord une garnison. Comme l'évolution de la topographie urbaine, l'histoire de la puissance politique est ici commandée par les nécessités militaires. Telle me paraît bien avoir été, du VIIIe au XIe siècle, la situation originale de ces villes, nombreuses, petites, encore peu marchandes, et qui furent avant tout, dans un pays constamment en état d'alerte, les points d'appui majeurs de la défense.

4

DÉMOGRAPHIE ET VILLAGES DÉSERTÉS *

Les limites de mon expérience d'historien m'obligent à fonder sur des observations qui touchent à l'époque médiévale ces brèves réflexions relatives aux rapports entre les mouvements de la population et la désertion des villages. On peut critiquer cette manière de poser le problème : entre le XIe et le XVe siècle, les documents qui permettent d'entrevoir l'évolution démographique sont rares, souvent fort imprécis, et toujours d'interprétation délicate. Avant 1300 il n'existe à peu près pas d'indices numériques utilisables ; passé cette date, quelques éléments susceptibles d'un traitement statistique apparaissent, mais très sporadiques et toujours discontinus ; ajoutons que ces données ont été presque toutes établies dans un but fiscal : les estimations qu'elles proposent ne concernent donc pas le nombre réel des habitants d'une agglomération ou d'une contrée ; elles fournissent tout au plus le chiffre approximatif des unités économiques dont les ressources étaient suffisantes et le statut juridique tel qu'on pût les charger d'impôts. L'image demeure donc extrêmement floue, et les vestiges de la topographie ancienne que l'on souhaiterait placer en regard des dénombrements ne sont guère moins rares, disconstinus et incertains.

* Texte publié dans *Villages désertés et histoire économique, XIe-XVIIIe siècles*, Paris, SEVPEN, 1967, pp. 13-24.

Malgré ces graves imperfections, le point de vue du médiéviste n'est cependant pas sans avantages. Le Moyen Age, en effet, est bien la seule période de l'histoire européenne où l'on puisse observer une large régression du peuplement succédant à une phase prolongée d'expansion. C'est pourquoi cette époque constitue pour l'instant le champ de prédilection des savants qui étudient les *Wüstungen*, le vaste mouvement de repli des cultures et des lieux habités. A peu près tous les sites d'occupation humaine qui, en Europe occidentale, ont jusqu'à présent fait l'objet de fouilles systématiques sont ceux d'habitats qui furent abandonnés dans les derniers siècles du Moyen Age. Je m'appuierai précisément, au départ, sur le résultat de ces recherches et considérerai d'abord la phase de fléchissement démographique, le XIVe et le XVe siècle.

*

Les documents fiscaux attestent pour cette époque dans la plupart des pays d'Europe une diminution considérable du nombre des ménages imposables. Cette diminution résultait sans doute, en partie, de l'appauvrissement des foyers : l'extrême dénuement où étaient tombés certains d'entre eux les excluait des évaluations ; on ne pouvait rien y prendre. Il ne fait pas de doute cependant que la population réelle s'était, elle aussi, très fortement réduite. Elle avait lentement cessé de croître dans la seconde moitié du XIIIe siècle ; stagnation d'abord, puis déclin ; précipité par les épidémies, celui-ci s'accéléra après 1300. Une histoire très sûre de la démographie de la Provence à cette époque établit que cette province, où l'on dénombrait environ 70 000 feux en 1315, n'en comptait guère plus de 30 000 en 1471 [1]. De tels chiffres cependant concernent l'ensemble d'une région et l'impression globale qu'ils communiquent doit être rectifiée au niveau des structures villageoises.

Dans toutes les régions où les érudits ont observé

1. Voir note 1 et suivantes pp. 251-252.

minutieusement ce retrait, ils l'ont vu en réalité fort inégal d'un canton à l'autre. Ce furent les zones marginales de l'espace agraire que les hommes abandonnèrent. Dans les terroirs fertiles, de sol fécond, aux gros rendements, il ne paraît pas, en revanche, que le nombre des habitants ait notablement fléchi. Ici, les vides que creusèrent les mortalités furent bientôt comblés par la croissance naturelle des familles survivantes ou par l'arrivée rapide d'immigrants. Sans doute quelques calamités fortuites, notamment l'installation prolongée des gens de guerre, purent-elles bien provoquer, çà et là, la désertion complète de tel ou tel village. Mais, dès que le danger s'écartait, des paysans, anciens occupants ou nouveaux arrivants, venaient s'établir, se mettaient à reconstruire le terroir. Bien vite on voyait revivre le village. Dans ces aires de prospérité agricole ou viticole, que favorisaient la fécondité de la terre ou une heureuse position sur les voies de la circulation, point d'abandon durable, point de villages désertés. La chute profonde et tenace du nombre des feux que l'on peut relever dans les séries d'estimes ou de dénombrements, les vestiges d'anciens habitats enfouis aujourd'hui sous le manteau de la végétation sylvestre ou de la pâture, la plupart des *Wüstungen* dont la trace se conserve dans la toponymie rurale, se situent en fait dans les « mauvais pays », sur les sols ingrats que seule la pression démographique locale avait porté jadis les hommes à solliciter, à dompter par un effort pénible et de peu de profit. En 1450, dans la région parisienne, à la plaine de France toujours aussi densément occupée qu'autrefois, s'oppose le Hurepoix durablement dépeuplé[2]. Encore faut-il se demander si, dans ces franges mêmes d'incontestable rétraction, le recul du peuplement a fait réellement disparaître les villages.

Il convient alors de regarder de fort près, et je considérerai pour cela deux secteurs de la montagne provençale que des équipes de géographes et d'historiens ont récemment soumis à une étude approfondie. Ici, le terroir de Saint-Christol ; tout à côté un groupe de cinq communes actuelles établies au nord de

Banon, sur les pentes de la montagne de Lure[3]. Un pays dur. L'occupation paysanne s'y était, semble-t-il, assez récemment aventurée, poussée en avant par le fort élan démographique des XIe-XIIe siècles. Sur ces maigres clairières ouvertes au milieu des forêts, l'établissement demeurait fragile. Les dénombrements manquent presque totalement dans ce coin écarté ; de multiples indices attestent pourtant que la chute de la population fut profonde, surtout dans les toutes dernières années du XIVe siècle.

Le dénombrement fiscal de 1471 énumère dans la zone étudiée huit villages. Trois d'entre eux ne comptaient plus alors que quelques feux ; trois autres, Saint-Christol, Lardiers et Giron sont déclarés, par les enquêteurs, inhabités. Le coefficient de désertion est donc ici très fort. Il convient de le réduire, car un examen plus attentif montre que l'un de ces trois villages avait perdu ses habitants bien avant la crise démographique du XIVe siècle. Il s'agit de Giron. Ce fut dans le cours du XIIIe siècle que les hommes quittèrent ce site, perché dans la montagne, et vinrent s'établir dans un nouveau village de plaine, L'Hospitalet, l'une des cinq agglomérations rurales encore occupées en 1471. S'achevait alors ici le long transfert qui, au cours des siècles antérieurs — c'est-à-dire remarquons-le, hors de la phase de dépopulation —, avait vidé quelques-uns des *oppida* préromains de cette région. En 1471 Giron est bien désert, mais depuis deux siècles au moins. Restent Saint-Christol et Lardiers : deux villages sur sept. Dans cette région très défavorisée, le coefficient de désertion demeure donc considérable. Toutefois, il importe de remarquer que l'abandon fut très temporaire. Les textes manquent fâcheusement ; ils apprennent pourtant que Saint-Christol, encore peuplé en 1442, comptait de nouveau en 1540 quatorze maisons habitées ; en 1494 Lardiers n'en avait encore que six, mais dès 1531 son four était mis en fermage : le village, par conséquent, n'était déjà plus désert. Tout porte à croire que la période d'abandon total se réduisit à quelques années, à quelques décennies tout au plus. Remarquons encore un sensible retard du mouvement de désertion sur le rythme d'ensemble du peuplement dans cette région d'Europe : dans le troisième quart du XVe siècle, lorsque Saint-Christol perdait ses derniers habitants, l'élan de la reprise démographique était, depuis quelque temps, lancé. Enfin, lorsqu'on examine de très près, les rares textes en main, la topographie, il apparaît nettement, à Saint-Christol en particulier, que la désertion toucha d'abord un habitat dispersé de bastides nées au XIIIe siècle, que le village retint les derniers occupants et qu'il attira les premiers pionniers, lorsque ceux-ci revinrent mettre le terroir en culture.

Il ressort donc que les agglomérations villageoises ont, à cette époque, perdu presque tous leurs habitants. Elles ont pourtant tenu, pour la plupart, et n'ont pas connu un complet abandon. On me dira qu'un village qui ne contient plus que deux habitants n'est plus un village. Certes, mais s'il conserve encore deux habitants, on ne peut le dire déserté. Nous ne possédons pas pour les cantons voisins de la haute Provence une analyse aussi fine de la répartition des foyers ruraux. Mais les données plus grossières, globales, des dénombrements, incitent à croire que la rétraction du peuplement y revêtit des formes semblables. Deux des circonscriptions administratives de la haute Provence, les vigueries de Castellane et de Digne, perdirent entre 1315 et 1471, si l'on excepte cette dernière ville, les deux tiers de leurs feux fiscaux. Mais elles n'avaient pas vu disparaître les deux tiers de leurs villages. On y dénombrait en 1315, le terroir de Digne encore une fois mis à part, 98 localités : 16 seulement d'entre elles furent entièrement désertées au XIVe siècle et ne se repeuplèrent pas par la suite[4]. Dans ces campagnes, que la pauvreté de leurs ressources rendait très vulnérables, 65 pour 100 des foyers imposables disparurent ; ne furent pourtant durablement dépeuplés que 16 pour 100 des villages, pas davantage.

Sur ces montagnes arides, et pour cela plus durement frappées par l'effondrement démographique, de très nombreux champs, des quartiers entiers de terroirs retournèrent à la friche, à la « terre gaste », furent abandonnés à l'arbre, aux moutons. Des fermes isolées, de petits hameaux, délaissés, tombèrent en ruine, et l'on a peine aujourd'hui à en discerner les traces au milieu des broussailles. Mais le cœur de la communauté, le village, le centre de la paroisse, le *castrum*, le tas de maisons agglomérées en un groupe compact solidement défensif, conserva presque toujours quelques âmes. A l'intérieur de l'espace paroissial s'est en fait produit, à une échelle réduite, un reclassement de l'habitat comparable à celui que l'on discerne dans l'ensemble de la province et dont les raisons sont semblables. La population, se réduisant, s'est retirée des zones marginales les moins productives, les plus récemment mises en culture ; l'effort agricole s'est concentré sur les terres les moins mauvaises. C'étaient, bien sûr, les plus proches de l'agglomération centrale. Là s'étaient toujours trouvées les meilleures parcelles, les mieux exposées, celles qui avaient fixé le site du premier habitat. Le labeur intensif des générations successives, la fumure des étables voisines avaient encore fertilisé cette auréole de jardinage. On pouvait en attendre un profit plus sûr que d'un exode incertain vers les bons pays. En conséquence, il est bien rare qu'une ou deux familles ne demeurassent pas ou ne vinssent pas très vite s'établir au village pour s'acharner à tirer parti de son environnement de fertilité, sur le lieu où les premiers occupants s'étaient d'abord fixés et que leur établissement même avait par la suite enrichi. La dépopulation, on le voit, a donc profondément modifié la carte des établissements paysans, mais ce furent les facteurs économiques qui gouvernèrent ses dispositions nouvelles. Or, ceux-ci donnaient presque toujours l'avantage aux sites de villages. L'exemple provençal convie à proposer cette hypothèse de travail : aux XIVe et XVe siècles, dans la période de forte régression de la population rurale européenne, le processus de désertion a faiblement touché le village. Que sont presque toutes les *Wüstungen* et presque tous les sites abandonnés ? Ceux d'habitat intercalaire et, beaucoup plus nombreux, des lieux-dits, des champs périphériques.

*

Il est certain, cependant, que quelques villages disparurent définitivement. Le repli démographique fut-il la cause déterminante de leur désertion ? Faut-il, au contraire, considérer que ce dépeuplement les mit simplement en état de moindre résistance et que l'impulsion décisive qui provoqua leur complet abandon vint d'ailleurs ? Pour trancher, il conviendrait de connaître avec précision leur histoire et ses accidents de courte durée dans la période où les hommes les délaissèrent. La fouille, ici, ne suffit pas ; il est bien rare qu'elle établisse des points de repère solides et suffisamment rapprochés. On ne saurait non plus se fonder sur les indices d'ordinaire très discontinus, que fournissent les dénombrements. Pour hasarder ses conjectures, l'historien, à ce propos, ne doit pas observer le seul village, mais tout ce qui l'environne, le terroir, les terroirs voisins, la seigneurie et les seigneuries qui le jouxtent, le dominent.

Considérons en premier lieu l'un des *lost villages* de la campagne anglaise dont la photographie aérienne révèle l'implantation et ses traces aujourd'hui momifiées sous le revêtement des herbages, Tusmore, dans l'Oxfordshire. Vingt-trois familles paysannes y vivaient en 1279. Elles vivaient sans doute assez mal de ce terroir trop humide : la taxe qui fut imposée à la communauté en 1334 était de moitié inférieure à la moyenne locale des impositions villageoises. En 1355, Tusmore ne paye plus rien : la peste noire l'a vidé de ses habitants. Deux ans plus tard, le seigneur, Roger de Cotesford, reçoit l'autorisation d' « enclore » le village et le chemin qui le traverse, et de transformer tout ce terroir en pâture. Si cette permission lui fut accordée, c'est que, dit le texte, tous les habitants, qui étaient sujets du manoir, avaient alors disparu. La prairie s'installa sur les ruines ; elle les recouvre encore[5].

Voici maintenant en Provence, sur le flanc de la montagne de la Sainte-Baume, le village perché du Vieux-Rougiers, dont on fouille le site depuis trois ans. Presque toutes les données sont ici fournies par l'archéologie. Elles incitent à penser que le village était en voie de lent dépeuplement dans la seconde moitié du XIIIe siècle, au moment même où grossissait dans la plaine, au pied de la colline, une agglomération nouvelle — au moment même où, dans la montagne de Lure, la population rurale désertait complètement Giron, dont le site est très comparable. Mais entre 1340 et 1420 il apparaît que les départs cessèrent et que le Vieux-Rougiers accueillit de nouveaux occupants : il fut en cette période plus intensément peuplé que jamais. Le mouvement de désertion reprit après 1420 et aboutit rapidement à l'évacuation totale du village[6].

Dans le cas anglais, l'influence du facteur démographique paraît puissante. Parce que le dépeuplement l'avait profondément affaiblie, la communauté villageoise n'a pu résister à la pression du seigneur, qu'appuyait l'autorité royale. Elle a dû se plier à son désir, le laisser bouleverser à son profit l'économie du terroir ; elle a dû disparaître parce que cette transformation du système agraire était si profonde qu'elle impliquait la destruction du village et la désertion définitive de son site. Dans le cas provençal en revanche, la tendance générale à la dépopulation agit, semble-t-il, de manière beaucoup moins directe. Certes, il est permis d'imaginer qu'en état de pression démographique très forte, quelques hommes se seraient acharnés à demeurer sur l'abrupt du Vieux-Rougiers. Beaucoup plus frappantes cependant sont les discordances entre le rythme de la désertion et la courbe d'évolution de la population régionale. Selon toute apparence, en effet, les premiers départs se produisirent avant que ne fût achevée la phase de surpeuplement du XIIIe siècle. Curieusement, ils s'arrêtèrent au moment où, en 1340, commençait à s'accélérer le lent fléchissement de la courbe démographique. Dans l'époque où la Provence, ravagée par l'épidémie et par les compagnies des gens de guerre, perd les deux tiers de ses feux, Rougiers revit, et le village dépérit de nouveau, il finit par mourir définitivement dans le XVe siècle, alors que la population régionale retrouve sa puissance expansive, qui la fait de nouveau croître, et rapidement. Il est possible d'expliquer par l'insécurité qui régnait en Provence dans la seconde moitié du XIVe siècle la reprise du peuplement et la concentration temporaire de l'habitat autour du château escarpé du Vieux-Rougiers. Mais les deux périodes d'abandon, celle de la fin du XIIIe siècle et celle du milieu du XVe, coïncident avec un ample mouvement de réaménagement de l'espace agricole étroitement lié lui-même à la croissance démographique. Ce mouvement conduisait à ouvrir de nouvelles cultures et à déplacer conjointement les points de concentration de l'activité villageoise. En fait, dans l'un et l'autre cas, à Tusmore comme à Rougiers, la désertion des villages apparaît bien provoquée, avant tout, par une mutation du régime agraire, là, conduite par le pouvoir seigneurial, ici, spontanément et lentement opérée par la communauté paysanne. Il peut donc, en fin de compte, sembler fortuit que cette désertion, et la mutation qui l'entraîne, soient ou non contemporaines d'un déclin général de la population. En effet, l'une et l'autre accompagnent la marche d'un développement dont l'économie paysanne fut ici la bénéficiaire et là la victime. Ce développement se révèle être le moteur premier, et le mouvement de la population, un phénomène accessoire. On peut observer sans peine, dans une histoire moins lointaine, d'autres formes de développement rural qui se déployèrent en plein essor démographique et qui, pourtant, déterminèrent, elles aussi, la disparition des villages. Peut-on jamais, dans toute l'histoire de la France rurale, compter autant de villages abandonnés que dans la grande poussée de croissance du XXe siècle ?

*

Ceci conduit à se demander si, en Europe, l'abandon des villages fut plus fréquent aux XIVe-XVe siècles — période de déclin démographique — que dans les trois siècles précédents, alors que de toute évidence la population ne cessait de croître et l'économie rurale de se développer. Ouvrons n'importe lequel des dictionnaires topographiques rédigés jadis en France par les érudits. Dénombrons les toponymes disparus : les plus nombreux sont ceux que les textes des Xe, XIe et XIIe siècles ont enregistrés et dont la trace, ensuite, s'est perdue. A vrai dire cette constatation signifie peu de chose. Qu'est-ce qu'un lieu-dit mentionné dans un document de cette époque, même lorsque le terme *villa* l'accompagne ? Le nom d'un quartier ? Celui d'un écart ou d'une exploitation isolée ? Ou bien celui d'un village ? Seule une étude très attentive menée sur le terrain avec toutes les ressources de l'archéologie, de l'analyse pédologique et botanique, permettrait parfois de décider. Il est pourtant quelques provinces d'Europe où l'histoire de l'habitat ancien atteint à une précision suffisante pour fournir à ces considérations quelques données utiles.

Dans le Norfolk, par exemple, la liste des localités, *Nomina Villarum*, dressée en 1316, contient sensiblement autant de noms que le *Domesday Book* établi deux cent trente années auparavant. Mais ce ne sont pas toujours les mêmes : 70 de ces noms ne se trouvaient pas dans le *Domesday Book* ; en revanche, 69 des 726 noms de villages enregistrés à la fin du XIe siècle ont disparu de la liste nouvelle. Simple changement de toponyme ? Parfois. Mais on peut établir que dans cette région 34 villages, c'est-à-dire 4,6 pour 100 des agglomérations rurales, furent désertés entre la fin du XIe siècle et le début du XIVe, c'est-à-dire dans la période de pleine croissance démographique[7].

Les recherches conduites en Bourgogne pour une époque plus ancienne par André Déléage procurent des indications plus saisissantes encore. Dans l'actuel canton de Cluny (on y compte aujourd'hui 25 villages, 71 hameaux et 283 écarts), une documentation extrêmement abondante mentionne, vers l'an mil, 161 stations humaines. Or, 77 de ces toponymes ont ensuite disparu, soit une perte de 47 pour 100[8]. Déchet énorme. On serait tenté de placer ce chiffre en regard d'un autre, 16 pour 100, ce coefficient de désertion villageoise calculé très approximativement et de manière très provisoire sur un examen trop superficiel des données provençales, pour les montagnes de Castellane et de Digne, en correspondance avec la catastrophe démographique du Moyen Age finissant. En vérité, les 77 lieux-dits disparus dans le Clunisois après l'an mil n'étaient pas tous des villages. Il est possible d'établir que certains de ces noms désignaient en fait des exploitations rurales isolées, héritières d'une *villa* romaine. Mais il apparaît aussi fort nettement que d'autres noms, et relativement nombreux, s'appliquaient bien à des agglomérations de taille moyenne, lesquelles ont effectivement disparu. Et, semble-t-il, ces lieux se trouvaient précisément en voie d'abandon au début du XIe siècle, à un moment où le développement rural modifiait sensiblement ici les conditions de la vie agraire. De toute évidence, il s'est opéré dans cette région, pendant la longue période d'expansion économique et démographique des campagnes médiévales, un reclassement de l'habitat rural. Celui-ci paraît au moins aussi profond que les modifications qui furent, un peu plus tard, contemporaines du retrait de la population. Les modalités de ce reclassement mériteraient de la part des historiens et des archéologues une attention plus soutenue que celle dont elles ont jusqu'ici bénéficié. Je risquerai, à leur propos, quelques observations d'approche.

La première concerne l'Allemagne du Nord-Ouest aux XIIe et XIIIe siècles. Ici, les *Wüstungen* abondent. Non point que ce pays se soit alors dépeuplé. Il est évident que les hommes, comme partout ailleurs, se multiplièrent dans ces régions, quelle que fût l'intensité du mouvement qui tirait de cette contrée des troupes de paysans, les poussant à la conquête des terres incultes au nord et à l'est. Mais l'époque fut ici celle d'un profond changement dans les structures agraires. Jusqu'alors le sol était exploité par des *Waldbauern*. Dispersés par petits groupes au milieu des forêts, ces hommes cultivaient peu les céréales ; ils jardinaient, ils élevaient des porcs. L'économie de ces campagnes se fondait sur le bosquet de chênes et sur la glandée, sur le travail assidu de quelques petits enclos jouxtant les maisons et, fort accessoirement, sur l'ouverture, chaque année, de quelques champs temporaires dégagés par écobuage au milieu des taillis, et vite abandonnés. Point de labours permanents, point de terroirs stables, point de villages. Un semis de sites habités, *Höfe* solitaires ou réunies à quelques-unes. Donc, d'innombrables lieux-dits. Mais après le milieu du XIIe siècle le paysage se transforma par l'effet d'un développement économique, lequel revêtit un double aspect. Les seigneurs, qui détenaient un droit supérieur sur les espaces sylvestres, s'aperçurent que le bois se vendait bien. Il en fallait des quantités pour construire les villes nouvelles, pour alimenter en matière première les forges, les salines et toutes les activités artisanales en expansion. Ils voulurent alors organiser l'exploitation des arbres, les protéger, les défendre contre les brûlis et la divagation du bétail. Utilisant leur pouvoir de commandement, qui précisément se renforçait alors, ils réservèrent à leur seul usage certains secteurs boisés ; ils en firent des « forêts » d'où les paysans furent bannis. L'institution des cantons de forêts seigneuriales provoqua un reflux de l'habitat, un exode paysan, la désertion des écarts. Elle créa de très nombreuses *Wüstungen*. Or, dans le même temps, l'économie paysanne s'orientait vers la production des blés. Les rustres mangeaient moins de porc, davantage de pain. Le *Waldbauer* devint un *Ackermann*. De ce fait il entreprit avec ses voisins d'organiser un terroir, d'implanter des quartiers agricoles. Il émigra de la forêt vers le centre de cette aire de culture permanente. Les habitats disséminés se regroupèrent en villages compacts, cernés de leurs haies, cœur d'une communauté disciplinée qui, sous l'autorité du seigneur, dut respecter des règles collectives, les usages de la vaine pâture, du troupeau commun, l'interdiction de bâtir hors de l'espace villageois. Deux transformations étroitement alliées, le renforcement du ban seigneurial, le passage d'une économie fruste et déprédative de type sylvo-pastoral à un système fondé sur l'exploitation plus rationnelle des bois et des champs cultivés, déterminèrent un complet remaniement de la carte du peuplement[9]. Certes, on ne saurait chercher dans la Saxe de cette époque beaucoup de villages abandonnés. Dans cette période les villages, ici, ne mouraient pas, ils se formaient. Mais leur renforcement même vidait nombre de sites et, notamment, bien des hameaux, d'où l'abondance des *Wüstungen*. Il est certain que les vieux pays saxons ne furent pas seuls affectés par cette forme de développement de l'économie rurale. Invitons les historiens de l'habitat rural à en rechercher les traces en d'autres provinces et, aussi, en d'autres périodes du Moyen Age européen.

Je reviendrai donc à la région mâconnaise, dans un temps un peu plus éloigné du nôtre, pendant les XIe et XIIe siècles. Ici, point de bouleversement aussi radical du système agraire, mais seulement un essor régulier et lent des techniques de production qui soutient un essor continu et lent de la population. Les travaux d'André Déléage ont montré qu'un nombre important d'agglomérations paysannes furent abandonnées dans ce pays à cette époque. Qui s'interroge sur les modalités de cette désertion doit, à mon sens, regarder du côté de la seigneurie. D'abord parce que toute la lumière de la documentation se concentre alors sur cet organisme, mais aussi parce qu'il commande, dans une très large mesure, le développement économique des campagnes et l'oriente. Pour cela, l'institution seigneuriale a exercé alors une forte influence sur l'évolution de l'habitat paysan, et ceci de diverses manières.

Le hameau, ou même le village, gênait parfois l'exploitation seigneuriale dans sa croissance, principalement lorsque les administrateurs du grand domaine se souciaient d'étendre le faire-valoir direct, d'abandonner le système de la tenure productrice de redevances, de regrouper les champs pour en confier la culture à des équipes de domestiques et de corvéables. On sait que les abbayes cisterciennes pratiquaient résolument ces méthodes. Au XIIe siècle, au cours de la grande poussée démographique, de nombreux paysans durent, dans toutes les provinces d'Europe, sous la pression des moines blancs, quitter leur demeure pour s'établir ailleurs. Des villages, ainsi, moururent ; sur l'emplacement de leurs maisons détruites des granges s'élevèrent, isolées, exploitées par des convers[10]. Mais bien d'autres seigneurs agirent comme les cisterciens. Je prends le cas de *Serciacum* : un vrai village, celui-ci, situé à quelques kilomètres de l'abbaye de Cluny sur l'emplacement d'une *villa* romaine et groupant une bonne douzaine de *manses*. Vers 1080, l'un des administrateurs de ce monastère s'employa à acquérir, l'un après l'autre, tous les droits seigneuriaux et tous les titres de possession sur les parcelles de champs, de prés et de vignes, et sur les *manses* qui formaient l'agglomération. Il traita de la sorte avec dix-huit seigneurs, petits et grands, et quatorze familles d'alleutiers paysans ; il racheta leurs droits respectifs[11]. Lorsque fut achevé ce transfert de propriété, le village était vide. Les clunisiens y construisirent une grosse ferme. *Serciacum* devint la « Grange-Sercie », comme on l'appelle encore.

Pour accroître les revenus seigneuriaux, les détenteurs du pouvoir furent enclins parfois à favoriser, au contraire, la concentration de l'habitat paysan en certains points privilégiés. Ce groupement s'opéra au détriment des localités voisines, dont certaines quelquefois disparurent. On sait que dans l'Allemagne des XIIIe-XIVe siècles, le mouvement naturel d'urbanisation multiplia les *Wüstungen* : on voit celles-ci former une dense couronne autour de chaque petite bourgade dont les franchises avaient attiré les familles d'alentour. Mais, deux siècles plus tôt, dans les campagnes mâconnaises, un semblable mouvement de synœcisme opéra, à une échelle plus réduite, des transferts analogues. Lorsque, dans le cours du XIe siècle, se diffusèrent les règlements pour la paix de Dieu, quelques emplacements reçurent un statut juridique plus favorable que celui de l'espace commun : c'étaient les *cimiteria*, les aires sacrées voisines de certains sanctuaires. La nouvelle législation les mettait à l'abri des violences, on pouvait y trouver asile ; la famille paysanne qui y établissait sa demeure pouvait ainsi échapper à son seigneur, dénouer les liens de servitude qui l'attachaient à lui ; elle échappait aux exactions. Elle ne se libérait pas tout à fait, car elle devait payer certaines taxes au maître du sanctuaire et subir sa justice. Lorsqu'un seigneur proclamait la liberté d'un lieu, il espérait bien en effet voir s'y installer des travailleurs, dont l'exploitation, si modérée qu'elle fût, lui procurerait de nouveaux profits. En fait, parce que les paysans s'y savaient mieux traités qu'ailleurs, ces « cimetières », ces « sauvetés », toutes ces aires de paix et de franchise que délimitaient les croix dressées sur les chemins, se peuplèrent très vite ; les récriminations des seigneurs des agglomérations voisines et non exemptes, qui voyaient celles-ci perdre leurs habitants, n'y firent rien. On a conservé le texte d'un accord entre le chapitre cathédral de Mâcon et le châtelain local garantissant à la fin du XIIe siècle les franchises particulières dont jouissaient les hommes résidant dans le cimetière du village de Pierreclos[12]. En fait, dans le paysage actuel, ce village conserve les traces d'une particulière concentration ; non loin de lui se situaient quelques-uns des toponymes disparus après le XIe siècle. Le jeu des privilèges produisit donc un effet comparable à celui de la mutation du régime agraire dans les pays saxons dont je parlais tout à l'heure : concentration du peuplement en quelques villages, autour des églises paroissiales, de celles du moins dont le maître avait le pouvoir de faire reconnaître les libertés ; affaiblissement parallèle des hameaux du voisinage, qui aboutit parfois à leur disparition totale.

Quelques générations plus tard, dans la première moitié du XIIIe siècle, l'octroi, par l'autorité de tel ou tel seigneur, d'une charte de franchise, qui non seulement allégeait le poids de la fiscalité, mais créait un marché, des foires, encourageait le négoce, plaçait la localité dans une situation plus favorable, à une époque où l'économie rurale s'ouvrait largement aux échanges, provoqua des réactions semblables et des modifications analogues dans la carte de l'habitat. Aujourd'hui encore le taux de concentration est spécialement élevé dans les communes de Salornay-sur-Guye, de Cortevaix ou de Prissé, qui reçurent des chartes de franchises entre 1220 et 1230 [13]. Il n'est pas interdit de croire que la croissance du village privilégié de Prissé hâta la désertion d'un village voisin, Mouhy, réduit depuis lors à quelques maisons. Dans le Mâconnais des XIe-XIIIe siècles, le grand mouvement d'expansion démographique n'a pas augmenté sensiblement le nombre des agglomérations paysannes. Le pays, en l'an mil, n'offrait plus guère d'espace propice à la conquête agricole : toutes les terres utilisables, ou presque, étaient occupées. Pas de villes neuves donc, très peu même d'exploitations pionnières isolées. Les quelques exemples précédents montrent, en revanche, que parmi les hameaux très nombreux, souvent très proches les uns des autres, qui parsemaient cette contrée avant l'an mil, quelques-uns disparurent, tandis que certains grossissaient pour devenir des villages. Ce mouvement d'agglomération était favorisé par le progrès des techniques rurales de production et d'échange. Cependant il est visible que l'influence déterminante vint des décisions de la seigneurie.

*

Voici donc mes conclusions, très provisoires et qui prennent essentiellement la forme de propositions d'enquêtes.

1. La toponymie médiévale atteste l'abandon d'un très grand nombre de lieux-dits et, parmi eux, d'un nombre encore considérable de sites effectivement occupés à une certaine époque par des familles paysannes. Mais qui se préoccupe de repérer les villages désertés doit en premier lieu opérer parmi ces

noms de lieux un tri sévère. Et d'abord se demander : qu'est-ce qu'un village ? Donc fixer certains critères, ce qui n'est pas commode et implique pour chaque région des définitions appropriées. On connaît sur ce point les hésitations des géographes lorsqu'ils s'avisent de classer dans le paysage actuel les types d'habitat. Il est évident que dans bien des cas la fouille seule peut résoudre les incertitudes, prouver sur l'emplacement de tel toponyme l'existence d'un habitat et donner des indications sur sa taille.

2. Lorsque se développe dans une région une tendance générale de régression démographique, il apparaît que le village offre aux populations rurales moins nombreuses un site si favorisé, doté notamment de tant d'avantages pédologiques, que les derniers habitants du terroir s'y raccrochent. Ils peuvent se réduire à quelques-uns, et même à une seule famille : il semble exceptionnel qu'ils l'abandonnent tout à fait et pour très longtemps. Les flux et les reflux de la population affectent essentiellement les sites d'habitat périphériques, gonflent et multiplient les écarts ou les fermes isolées, ou bien les vident et les font durablement disparaître.

3. Cependant, tous les sites villageois ne sont pas également favorisés par la nature ou par le droit, et l'histoire de l'économie, celle du pouvoir seigneurial, modifient leur situation respective. Entre eux règne la concurrence ; c'est elle qui, quelquefois, conduit à la complète désertion. Mais il faut bien voir que cette concurrence joue indifféremment dans les phases de repli ou de progrès démographiques d'ensemble. En fait, la croissance ou la diminution du nombre total des hommes paraît exercer une influence fort restreinte en comparaison d'autres facteurs. D'ordinaire, pour que les familles paysannes aient pu vaincre les routines et tout ce qui les attachait à l'habitat ancestral, aient enfin décidé d'abandonner un village, il fallut que les modifications de l'économie rurale aient tout à fait — et généralement de longue date car les

résistances de mentalité sont fort puissantes — dépouillé son site de ses anciens avantages, l'aient placé en état de flagrante infériorité par rapport à d'autres emplacements. Ainsi, le retrait de l'agriculture, les progrès de l'économie pastorale dans la période de jonction entre l'Antiquité et le Moyen Age avaient fait, en Italie, préférer des sites de collines à bien des sites de plaines ; quelques siècles plus tard un retournement inverse du système agraire devait provoquer un inverse transfert. Mais, dans l'économie rurale, la production n'est pas tout. Comptent aussi et pour beaucoup le poids du pouvoir, ses pressions, les ponctions qu'il opère. Ce qui fait que certains villages furent abandonnés parce que le seigneur avait largement payé le prix d'un exode et d'un nouvel établissement, ou parce que ses agents poussaient plus loin qu'ailleurs l'exploitation fiscale des familles. Les désavantages du statut juridique ont ainsi pu, souvent, outrepasser les avantages qu'offrait le site pour la production ou l'écoulement des denrées. Quelquefois enfin, des villageois furent expulsés par la seule puissance expansive du grand domaine conquérant.

L'extension ou la résorption de l'habitat rural intercalaire, le gonflement, l'anémie ou la disparition d'un village, sont évidemment des faits d'histoire démographique. Toutefois, ce n'est pas seulement parce qu'ils sont plus ou moins nombreux que les paysans se groupent ou se dispersent de telle ou telle manière sur un territoire campagnard. Depuis quelques années les historiens ont entrepris de dénombrer les familles paysannes. Il faut les convier à observer également, et de très près, leurs migrations et leur répartition dans le terroir. Ce qui exige alors une attention précise aux données locales de l'économie, de l'économie de la seigneurie plus encore sans doute que de celle du village.

5

LE PROBLÈME DES TECHNIQUES AGRICOLES *

L'essor de l'Europe médiévale, toutes les manifestations d'exubérance qui apparaissent dans une vive lumière après l'an mil, la montée démographique, la renaissance des villes et des échanges, l'affermissement de l'ordre politique, aussi bien que la floraison culturelle, procèdent incontestablement, pour reprendre une expression de Fernand Braudel, d'une « réussite agricole ». Car ce pays était auparavant exclusivement rural ; les traditions alimentaires y imposaient de produire avant tout des grains. Tout le progrès fut par conséquent poussé en avant, sans nul doute, par un accroissement de cette production céréalière. Malheureusement, ce premier départ est tout à fait obscur. D'abord parce qu'il se situe aux niveaux les plus humbles de l'activité humaine, dans une zone qui laisse ordinairement peu de vestiges et qui pratiquement échappe, à toutes les époques, aux curiosités de l'historien. Mais aussi parce que ce progrès s'est produit entre le VIIIe et le Xe siècle, en un temps très barbare pour lequel la documentation est des plus indigentes. Il serait de premier intérêt de connaître quel était, à ce moment, le niveau des techniques agricoles. Or cette question capitale est presque entièrement insoluble. Comme l'indique le titre donné

* Texte publié dans *Agricoltura e mondo rurale in occidente nell'alto medioevo,* Spolète, Presso La Sede del Centro, 1966, pp. 267-283.

à mon intervention, je me propose seulement de poser le problème, de le cerner et d'en préciser brièvement les données.

L'espace et le temps où s'inscrivent ces remarques — je me limiterai à l'Europe carolingienne entre le VIIIe et le Xe siècle — furent par bonheur le lieu d'une première renaissance culturelle. C'est pourquoi nous ne sommes pas entièrement démunis de textes utiles. La rénovation de l'Etat, dont les rois francs furent les artisans, impliquait en effet un effort pour réintroduire l'usage de l'écriture dans l'administration, et notamment dans l'administration des grandes fortunes foncières, celle du souverain lui-même, celle aussi des grands établissements religieux dont il se sentait responsable. En fait, un certain nombre de documents furent alors rédigés et ils n'ont pas tous disparu. Les sources écrites demeurent toutefois, quant aux questions que nous nous posons, d'un intérêt limité. Elles sont d'abord très clairsemées et s'égrènent sur un peu moins d'une centaine d'années, entre le début du IXe et le début du Xe siècle. Les plus explicites, d'autre part, proviennent toutes des seules régions où l'action carolingienne fut réellement efficace, c'est-à-dire des pays d'entre la Loire et le Rhin, du sud et de l'ouest de la Germanie, et enfin de la Lombardie. En outre, elles ne concernent jamais qu'un secteur très privilégié de l'agriculture, de très vastes entreprises seigneuriales, gérées de manière exceptionnellement rationnelle par des hommes cultivés qui vraisemblablement appliquaient à leur terre les méthodes les plus évoluées. Ces textes, enfin, sont presque tous des inventaires. Ils révèlent la physionomie d'une exploitation, telle qu'un certain jour elle apparut aux yeux d'enquêteurs envoyés pour la décrire ; or, ces hommes avaient pour mission d'enregistrer l'*état* des biens, meubles et immeubles ; on n'attendait pas d'eux qu'ils dressassent un bilan ni qu'ils missent en évidence le sens d'une évolution. Images statiques donc, isolées les unes des autres et qui ne jettent que quelques traits de lumière très discontinus. Les techniques agricoles n'y sont jamais décrites pour elles-mêmes ; on ne peut en découvrir jamais qu'un reflet, fragmentaire et flou, celui qui avait pu s'imprimer dans la structure de l'une ou l'autre de ces grandes seigneuries rurales.

Certes, l'histoire des techniques ne se construit pas seulement avec des textes, et l'on peut même dire que la relation écrite n'apporte jamais sur le travail humain qu'un témoignage partiel. Rien ne saurait remplacer, lorsqu'il s'agit des techniques paysannes, l'observation directe de l'outillage et celle du paysage agraire, c'est-à-dire de l'espace naturel aménagé par l'effort des hommes. L'archéologie doit donc être appelée en renfort et peut efficacement contribuer à étendre et à compléter l'enseignement de l'écrit. C'est ici qu'il faut déplorer le net retard de la recherche archéologique ; elle est beaucoup moins poussée dans la partie carolingienne de l'Europe, l'Allemagne mise à part, qu'elle ne l'est en Angleterre, en Scandinavie ou dans les pays de l'Est. Sur les outils de cette époque, les fouilles n'ont pratiquement rien appris, et l'on ne peut rien attendre de précis de l'exploitation du matériel iconographique. Il s'avère, d'autre part, que reconstruire en palimpseste à partir de l'aspect présent des campagnes le paysage rural carolingien est une entreprise fort hasardeuse. La toponymie, et surtout la microtoponymie, ont subi depuis lors de telles altérations que la strate des VIIIe-Xe siècles se trouve, la plupart du temps, inaccessible. On pourrait attendre davantage d'un recours systématique à la génétique botanique, mais, en dehors encore de l'Allemagne, on peut dire que, dans l'espace géographique qui nous occupe, les recherches de ce genre n'ont pratiquement pas commencé. Ces considérations désabusées font pressentir le caractère conjectural et, la plupart du temps, négatif des remarques que je vous livrerai maintenant.

*

De toute évidence, le problème des techniques agricoles ne peut être abordé valablement qu'à l'intérieur d'un ensemble plus vaste, du système agraire tout entier, c'est-à-dire du complexe cohérent de pratiques que toute communauté rurale applique au terroir dont elle attend sa nourriture. Le champ de céréales n'est en effet jamais qu'un élément du paysage, et, selon qu'il en constitue un élément majeur ou un élément marginal, ni les méthodes de sa culture, ni même sa fertilité ne sont exactement les mêmes. Il importe donc de partir d'une première interrogation. Quelle place occupait alors l'agriculture dans l'économie rurale ? Autrement dit, quelle était la part respective du *saltus*, de la nature vierge, et de l'*ager*, de l'espace cultivé, dans le paysage agraire ? Pour y répondre, deux voies s'offrent à la recherche. On peut s'efforcer de délimiter l'importance relative des grains dans la production paysanne, et par conséquent dans l'alimentation humaine ; on peut essayer de reconstituer la structure ancienne du terroir. Mais ces deux voies ne conduisent jamais qu'à des résultats partiels et décevants.

1. En effet, les seules données précises dont l'historien dispose pour savoir comment se nourrissaient les hommes des temps carolingiens lui sont fournies par les règlements intérieurs des monastères. On y voit que l'usage de la viande était strictement limité et que le pain formait dans les cloîtres la nourriture fondamentale. Ces dispositions expliquent que l'exploitation de la terre monastique, la seule à peu près qui soit connue par les documents écrits, apparaisse résolument orientée vers la production des céréales. Mais l'on doit considérer que les abbayes constituaient un milieu très particulier, où le régime alimentaire était fixé par une règle et, en quelque sorte, ritualisé. Et l'on ne saurait en déduire qu'en dehors des communautés monastiques tous les hommes se nourrissaient semblablement, ni que les régisseurs des grands domaines laïcs n'attendaient pas des ressources beaucoup plus importantes de la forêt ou du pâturage. En fait, les très rares textes qui décrivent des domaines laïcs attestent le rôle considérable que pouvait tenir ici l'exploitation de la végétation naturelle. On a remarqué que le capitulaire *De Villis*, recueil de directives à

l'usage des régisseurs des seigneuries royales, s'occupe relativement peu de l'agriculture et qu'il s'occupe bien davantage de l'élevage et de la protection des bois, que les administrateurs du fisc avaient mission de défendre contre l'extension des cultures. Domaine royal, Annapes apparaît comme une vaste exploitation pastorale et, parmi les réserves de nourriture que les enquêteurs y ont inventoriées, les porcs fumés et les fromages occupaient, semble-t-il, une place sensiblement plus large que les stocks de grains. Se dessine ainsi, au moins dans le nord de l'Europe carolingienne, un premier contraste entre les grandes entreprises gérées pour des seigneurs laïcs et celles qui relevaient des moines.

2. L'archéologie des terroirs révèle d'autres contrastes qui, ceux-ci, sont géographiques. La plupart des données qu'elle fournit aujourd'hui proviennent, à vrai dire, des régions voisines de la mer du Nord, l'Allemagne du Nord-Ouest et les Pays-Bas. On entrevoit ici que l'espace aménagé pour la culture était fort restreint et que les hommes tiraient de la forêt, du taillis, des pâturages et du marécage, par la cueillette, la chasse et l'élevage, de très importants compléments de nourriture ; et les fouilles, d'autre part, attestent également l'importance de l'alimentation carnée. Hors de cette zone géographique, qui correspondait en fait à la partie la plus primitive, la moins évoluée du monde carolingien, on voit à vrai dire beaucoup moins clair. Plus au sud, il existait certainement aussi des régions où la culture des céréales se disséminait en champs de dimensions restreintes dispersés au milieu d'un vaste espace laissé inculte ; c'était le cas, par exemple, à Nully, aux frontières du Perche, dans le plus occidental des domaines de l'abbaye de Saint-Germain-des-Prés. Et si l'on considère les provinces qui, depuis l'époque romaine, avaient été toujours vouées à la production des blés, il n'est pas interdit d'émettre à leur propos l'hypothèse d'un certain retrait de l'agriculture. On peut la fonder notamment sur les déplacements de l'habitat rural ; dans les pays les plus proches

de la Méditerranée, comme la Provence, l'abandon des sites de plaine pour des sites de hauteur paraît bien résulter d'une modification du système agraire, de l'extension de l'activité pastorale aux dépens de la culture céréalière, et peut être également tenu pour corrélatif à une évolution conjointe du régime alimentaire, à l'extension de la consommation de la viande, dont témoigne l'analyse des résidus de nourriture découverts sur les rares emplacements de villages qui ont été fouillés. Cependant, dans l'ensemble de l'Europe carolingienne, l'image très imparfaite que l'on peut construire sur les données de la toponymie rend plausible l'hypothèse d'une implantation de l'agriculture nettement moins restreinte que dans les seuls pays du Nord-Ouest : il existait en Ile-de-France de très vastes clairières agricoles ; dans le Mâconnais, la très forte densité de l'habitat rural implique que l'aire cultivée l'emportait nettement sur les espaces incultes.

3. Au demeurant, on peut s'arrêter à deux conclusions sûres. Il est évident, d'abord, que partout l'élevage avait sa place dans l'exploitation rurale. Toutefois une place plus ou moins grande, et j'ajoute tout de suite ces deux restrictions importantes : il s'agit partout essentiellement de l'élevage du petit bétail et spécialement du porc ; donc d'un élevage sauvage, de forêt et de plein vent, et non pas d'étable. D'autre part, les documents écrits (ils concernent tous des domaines relevant d'établissements monastiques, et ceci restreint la portée de leur enseignement) donnent à penser que, hors de la portion la plus septentrionale de l'Europe carolingienne, les étables étaient fort peu garnies dans les plus vastes entreprises céréalières, et qu'elles l'étaient assurément trop peu pour assurer un heureux équilibre agropastoral. J'emprunte deux exemples à l'inventaire de la fortune de l'abbaye de Santa Giulia de Brescia : dans la *curtis* de Canella, quatre bœufs seulement à l'étable, alors que l'on semait quatre-vingt-dix muids de grains sur les champs de la réserve ; six bœufs et quatre vaches à Porzano, où la terre arable du maître s'étendait sans

doute sur quelque 70 hectares. Cette déficience en gros bétail me paraît fondamentale dans la plus grande partie de l'Europe carolingienne, et je me réserve d'y revenir tout à l'heure.

Mais, deuxième conclusion sûre, il est non moins évident que partout l'on cultivait aussi des céréales, non seulement sur la terre des seigneurs, non seulement sur la terre des moines. A Annapes, dans une zone de prédominance pastorale, les installations destinées à la préparation du grain placées par le maître à la disposition des paysans d'alentour, les moulins et les brasseries, procuraient chaque année de très grosses quantités de blé, prélevées sur les usagers : plus de mille cinq cents muids, c'est-à-dire autant ou presque qu'il en était semé en automne sur la terre domaniale. On ignore le taux du prélèvement et le nombre des foyers paysans qui le subissaient. Mais l'importance du profit assure que la population rurale, même dans cette région très retardée, très pastorale, fondait en partie au moins son alimentation sur le pain et la cervoise, et qu'elle récoltait pour cela des céréales — des céréales diverses : beaucoup moins de froment que, selon les contrées, d'épeautre, d'orge ou même de mil. Mais partout des champs établis sur les sols légers, les moins rebelles à la culture. Et, sur ce point les textes sont formels, partout des champs permanents.

*

Or, qui dit champs permanents entend la nécessité d'appliquer à la terre des techniques aptes à en renouveler périodiquement la fertilité. Dans le système agraire traditionnel des campagnes européennes, ce but était atteint par l'usage conjoint de trois procédés : d'une part, l'institution d'une rotation des cultures laissant des temps de repos au sol cultivé, restituant celui-ci momentanément, par la jachère, à la végétation naturelle ; l'apport du fumier d'autre part ; enfin, le labour. Qu'en était-il à l'époque qui nous occupe ? Je me suis assez longuement étendu sur cette question dans un autre ouvrage, et je me contenterai de brèves observations.

1. Le premier aspect du problème concerne la jachère et sa situation dans le cycle des cultures. Les inventaires des grands domaines carolingiens évaluent parfois la quantité des différents grains récoltés et semés sur la terre de maître, et, plus souvent, décrivent les prestations en céréales exigées des tenures ; ils indiquent d'autre part comment les services en travail effectués par les dépendants sur les champs de la réserve se disposaient dans le cours de l'année. Ces indications permettent d'établir avec certitude qu'une semaille de printemps — en avoine surtout et, accessoirement, en légumineuses — succédait normalement sur les champs seigneuriaux à la semaille d'hiver, de froment, de seigle, d'épeautre ou d'orge. Malheureusement, comme les enquêteurs ne se souciaient que de la part utile du domaine, comme les intéressaient seulement les surfaces ensemencées et les travaux préparatoires qui s'y trouvaient appliqués, il est tout à fait exceptionnel de trouver dans les textes des indications précises sur l'étendue de la jachère. Certes, l'inventaire des domaines de l'abbaye de Saint-Amand atteste avec clarté que les champs de la terre *indominicata* étaient répartis en trois portions égales, l'une cultivée en blés d'hiver, l'autre en blés de printemps, la troisième laissée au repos. Ici, l'emploi d'une rotation triennale, qui ne laissait chaque année improductif que le tiers de l'espace arable, est assuré. Cet emploi est probable également sur un certain nombre de domaines du centre du Bassin parisien où les corvées s'organisaient en fonction de deux « saisons » équilibrées, l'une d' « hivernage », l'autre de « trémois ». Mais ailleurs, et dans la plupart des cas, on discerne, dans les évaluations de récolte et de semailles, un net déséquilibre entre les deux catégories de céréales ; rarement les blés de printemps l'emportent, d'ordinaire ils ne constituent qu'une part très marginale de la production. Il faut donc considérer que la semaille de printemps n'était souvent répandue

que sur une portion seulement de la terre précédemment cultivée en blés d'hiver, laissant le reste au repos total, et que, par conséquent, la jachère s'étendait normalement sur plus d'un tiers des labours. Les documents de l'abbaye flamande de Saint-Pierre-au-Mont-Blandin montrent que les champs n'étaient ensemencés qu'un an sur trois. Il est permis de supposer que la plupart des agriculteurs de ce temps sentaient la nécessité de ménager de très longs repos à la terre. La faim les tenaillait : ils laissaient pourtant en friche une partie importante de l'espace cultivé.

Pendant ces périodes de repos, les champs étaient-ils livrés à la libre pâture du bétail ? La question est importante, car le parcours du troupeau concourt efficacement à reconstituer la fertilité du sol. Pour la partie nord de l'Europe carolingienne, c'est-à-dire pour les régions où l'activité pastorale occupait la plus grande place dans l'économie des campagnes, différents textes, les inventaires du domaine, mais aussi les prescriptions des lois, font allusion à ces barrières temporaires, dressées autour des champs dès la première pousse des blés, puis abattues après la moisson, à ces signes que l'on élevait sur les champs ensemencés pour en interdire l'accès au bétail. Ces dispositions prouvent que les bêtes normalement étaient lâchées sur les chaumes et y demeuraient tant que le champ restait en jachère. Mais de telles indications manquent dans les documents qui concernent les autres provinces. Faut-il en déduire que l'*ager* était ici plus strictement isolé du *saltus* et que les jachères n'étaient pas pâturées ? L'eussent-elles été que, dans ces pays plus agricoles, l'insuffisance de l'élevage du gros bétail, que j'ai signalée tout à l'heure, eût fortement limité l'apport d'engrais naturel que la terre pouvait recevoir de cette manière. Dans la plupart des cas, on peut donc penser que la période de repos était à elle seule impuissante à reconstituer valablement la fécondité du sol. Il importait donc de nourrir celui-ci d'autre façon.

2. Dans l'ensemble, les sources écrites contiennent fort peu d'allusions à la fumure. Sans doute, l'inventaire des biens de l'abbaye bavaroise de Staffelsee mentionne-t-il que certaines tenures étaient astreintes à répandre chaque année du fumier sur la terre du maître. Mais quatre seulement des manses dépendant du domaine se trouvaient chargés d'un tel service, et chacun ne devait pas fumer plus d'un journal des champs de la terre *indominicata*, laquelle s'étendait sur 740 journaux : ce n'était donc guère plus de 0,5 pour 100 des labours seigneuriaux qui, chaque année, recevait sous cette forme de l'engrais. L'apport paraît donc dérisoire, et ceci tient encore à la rareté du gros bétail. Le souci majeur, celui de nourrir les hommes, faisait réserver les meilleures terres aux grains, restreignait étroitement l'étendue des prés de fauche et, dans les campagnes les plus évoluées, sur les domaines les plus fermement orientés vers la production des céréales, limitait strictement le nombre des animaux que l'on pouvait alimenter de fourrage à l'étable et qui produisaient du fumier. La plupart des insuffisances de l'agriculture de ce temps me paraissent découler de là.

3. Le procédé essentiel, pour revigorer la fertilité des champs permanents, consistait donc, dans ces conditions, à en retourner la terre avant la semence, à les labourer. Dans les exploitations où les techniques agricoles semblent les plus avancées, dans les grands domaines monastiques du Bassin parisien, on pratiquait trois fois dans l'année cet acte régénérateur ; deux labours préparaient la semaille d'hiver, après la longue jachère, un troisième précédait la semaille des blés de printemps. *Arare,* ce terme utilisé par les rédacteurs des inventaires, indique que ce travail s'effectuait à l'aide d'un instrument tracté. Toutefois, de la structure de celui-ci, on ignore à peu près tout. Les textes le nomment soit *aratrum*, soit *carruca*, mais ce dernier vocable signifie seulement d'une manière certaine qu'il avait des roues. Le soc dont il était muni ouvrait-il seulement la terre ? Ou bien, de structure

dissymétrique, parvenait-il à la retourner, renforçant ainsi de manière fondamentale la valeur agronomique du labour ? Les documents iconographiques ne permettent aucune réponse à cette question capitale. On m'a montré, sur certains chantiers de fouilles de l'Europe orientale, des socs de fer datant vraisemblablement du xe siècle, mais qui étaient symétriques ; les archéologues néerlandais ont trouvé aussi des socs de fer, qu'ils ne peuvent dater précisément ; ils sont eux aussi symétriques, et l'on ne peut dire s'ils armaient des charrues ou des houes ; enfin on ignore la forme des socs métalliques que certains tenanciers lombards devaient livrer à leurs seigneurs. Quant aux instruments aratoires dont parlent les inventaires dans les pays d'entre Loire et Rhin, me fondant sur des arguments que je ne reprendrai pas ici, j'ai cru pouvoir démontrer que, vraisemblablement, c'étaient des outils de bois, donc à peu près sûrement symétriques. Dans les meilleurs des cas sans doute, la terre carolingienne était donc labourée par des outils qu'il faut techniquement définir comme des *araires*. Munis d'avant-trains, ceux-ci permettaient parfois, certes, de creuser des sillons profonds ; mais impuissants à retourner véritablement le sol, ils ne contribuaient qu'imparfaitement à le régénérer. Ce qui nécessitait sans doute d'envoyer périodiquement sur les champs, pour renforcer le labourage, des travailleurs manuels, armés d'outils à bras. C'était, je pense, de cette manière, à la main, à la houe, que les dépendants de l'abbaye de Werden devaient, une fois par an, défoncer une certaine étendue des champs seigneuriaux, avant le passage de l'araire. On peut croire que les si lourds services de bras imposés aux tenanciers carolingiens s'appliquaient ainsi aux champs de céréales, par un véritable jardinage, dû, lui, à la nécessité de compléter de temps à autre un labourage trop peu efficace.

Mal outillée, insuffisamment associée à l'élevage, l'agriculture de ce temps était donc très extensive ; elle exigeait pour la jachère de vastes espaces libres, et elle absorbait une main-d'œuvre surabondante, dans des campagnes qui pourtant paraissent alors fort peu peuplées, et qui d'ailleurs l'étaient fort peu sans doute pour cette raison même. J'ajouterai que l'agriculture était aussi fort peu productive, et je poserai en dernier lieu le problème des rendements. On ne trouve, dans les textes de cette époque, et d'ailleurs de la plus grande partie du Moyen Age, qu'un seul moyen de les évaluer : comparer l'estimation des récoltes de l'année précédente, lorsque les enquêteurs l'ont enregistrée, à l'estimation de la semaille pour la future récolte, lorsque le document la mentionne aussi. La méthode est imparfaite car elle ne livre jamais le produit réel d'un ensemencement. On sait, d'autre part, qu'une seule des sources de cette époque fournit sur ce point des indications numériques : l'inventaire du domaine royal dont Annapes était le centre; en outre, les chiffres donnés par cette source unique demeurent d'interprétation très conjecturale. Ces taux sont extraordinairement bas : dans la cour d'Annapes, de l'épeautre récolté aux moissons précédentes, 54 pour 100 des grains furent semés, du froment 60 pour 100, de l'orge 62 pour 100, du seigle 100 pour 100, et qui répond à des rendements respectifs de 1,8, 1,7, 1,6 et 1 pour 1 ; toutefois, certains rendements étaient plus élevés dans d'autres domaines du même ensemble seigneurial et s'élevaient parfois, pour l'orge, jusqu'à 2,2 pour 100. Ce document indique par ailleurs que, dans la *curtis* d'Annapes, où le surplus des blés d'hiver de la présente campagne, après les prélèvements pour la nouvelle semaille, ne dépassait pas 1 340 muids, il restait cependant encore dans les greniers, amassés pendant l'année agricole qui avait précédé l'enquête, des quantités considérables d'orge et d'épeautre : 1 180 muids. Ce qui incite à supposer qu'il pouvait exister des écarts importants, d'une année à l'autre, dans le taux des rendements. Telles sont les données du seul document explicite. Même si l'on tient l'interprétation de ces chiffres pour sujette à caution (et l'on a beaucoup de raisons de le faire), même si l'année de l'inventaire avait été à Annapes exceptionnellement mauvaise, ces taux de rendements, qui se situent entre 1,6 et 2,2 pour 1, semblent bien s'accorder à quelques autres indices, très fugitifs, que l'on peut glaner, çà et là, dans les sources écrites du IXe siècle. J'alléguerai deux de ces indices : dans tel domaine, dépendant de l'abbaye de Santa Giulia de Brescia, les enquêteurs n'avaient en fait trouvé, en 905-906, que 51 muids au grenier, alors qu'on en avait semé normalement 98. D'ailleurs, pour couvrir sa consommation de grains, qui s'élevait à 6 600 muids, ce monastère en faisait semer chaque année 9 000 sur sa terre, et les hommes responsables de l'économie domestique n'attendaient pas, par conséquent, des champs domaniaux un rapport supérieur à 1,7 pour 1. Seconde indication convergente : l'organisation de la corvée de battage dans la seigneurie de Maisons, dépendant de Saint-Germain-des-Prés, prouve que, de ce domaine, où l'on semait 650 muids de blé, les moines comptaient tirer normalement une livraison de 400 muids ; c'est-à-dire qu'ils espéraient encore un rapport net voisin de 1,6 pour 1. Il est certain que les grands possesseurs fonciers de l'époque carolingienne fondaient leur prévision de récolte sur ce fait d'expérience : le rendement de la terre cultivée était extrêmement bas. Et voilà bien l'origine de cette peur de manquer, de cette hantise de la disette, que je sais gré à M. Cipolla d'avoir désignée comme le trait majeur de ce que l'on pourrait appeler la mentalité économique de cette époque.

*

Je reviendrai, pour conclure, à mon point de départ. J'ai dit que l'essor de l'Europe du XIe siècle était le fait d'une « réussite agricole ». Or, que révèlent les sources du IXe siècle, sinon une emprise très précaire des hommes sur le sol cultivé, sinon des techniques très primitives et inefficaces ? Où sont, dès lors, les prémices de la réussite ? Où sont même les signes de progrès ? Telles allusions, fort rares en vérité, dans les inventaires, à de récents essartages ; tel passage d'un édit, promulgué en 864 par Charles le Chauve, qui suggère que, dans les campagnes de la

France occidentale, la pratique du marnage s'était introduite au début du siècle. Rien de plus. Cependant, on doit remarquer que les documents écrits au xe siècle, bien que beaucoup moins nombreux et plus secs, contiennent des indices plus évidents d'une hausse de la productivité. Dans les inventaires établis à cette époque, on peut discerner en effet, d'une part, que les tenures se sont fragmentées, qu'elles apparaissent désormais divisées entre plusieurs ménages et que, par conséquent, une famille de dépendants était censée tirer sa subsistance d'une moindre étendue de terre arable. On voit d'autre part que les corvées s'étaient fort amenuisées, ce qui permet deux hypothèses : ou bien la superficie de la réserve domaniale s'était elle-même réduite, mais alors c'était que ses champs étaient, eux aussi, devenus plus productifs, ou bien le travail de chaque corvéable avait gagné en efficacité. Toutefois on ne trouve rien non plus dans les textes du xe siècle qui permette d'estimer les rendements, ni de percevoir sur quels perfectionnements techniques pouvait reposer l'intensification probable de la productivité.

A mon sens, il n'est qu'un moyen, dans l'indigence documentaire où nous sommes, de dissiper un peu cette obscurité, c'est de comparer aux écrits carolingiens les premiers inventaires de même type que l'on conserve pour l'Europe continentale, lesquels datent du xiie siècle. Et, à titre d'exemple, je proposerai un essai de comparaison, me fondant sur la description de dix exploitations agricoles proches de l'abbaye de Cluny, qui firent l'objet d'une enquête aux alentours de 1150. La confrontation fait apparaître deux points d'intérêt capital. D'une part, les services en travail des dépendants étaient devenus au xiie siècle incomparablement plus légers qu'au ixe et même qu'au xe siècle ; ils consistaient essentiellement en quelques corvées de labour, les corvées manuelles ayant pratiquement disparu. D'autre part, et surtout, les rendements paraissent nettement moins bas. Le document que j'évoque fournit pour six exploitations l'évaluation conjointe des semailles et des moissons. Dans trois d'entre ces domaines, le rapport se situe entre 2 et 2,5 pour 1, c'est-à-dire à peine plus haut que dans les exploitations satellites du fisc d'Annapes ; mais dans deux autres, le rapport atteint entre 4 et 5 ; dans la sixième, il monte jusqu'à 6 pour 1. Par rapport aux vagues indices carolingiens, la hausse est donc sensible ; elle est aussi fort inégale ; mais même modeste, elle a bouleversé les conditions de vie dans les campagnes, car passer d'un rendement moyen de 2,5 pour 1 à 4 pour 1, c'est, en fait, doubler le surplus de la récolte, c'est produire avec moitié moins de terre et de travail autant de denrées alimentaires. Or, le même texte montre que, pourtant, la plupart des pratiques agricoles n'avaient pas changé par rapport à l'époque carolingienne. Point de modifications sensibles quant à la rotation des cultures : un cycle triennal était bien en vigueur dans deux domaines clunisiens, mais dans sept autres la semaille de printemps était, comme jadis sur les seigneuries carolingiennes, beaucoup plus réduite que celle d'hiver, et la jachère, par conséquent, plus prolongée ; elle durait un an sur deux dans la dixième exploitation. Point de changement notable en ce qui concerne le travail de la terre : dans un seul domaine, la jachère était labourée trois fois au lieu de deux avant l'ensemencement d'automne. Enfin rien ne laisse supposer un renforcement de l'apport d'engrais : aucune allusion non plus à la fumure, et les exploitations clunisiennes du XIIe siècle n'étaient pas mieux équipées en gros bétail que les exploitations monastiques modèles du IXe siècle. Je ne vois donc, pour ma part, qu'une hypothèse pour expliquer l'élévation du rapport de la terre : l'outil majeur — j'entends par là la charrue elle-même et les forces animales qui l'entraînaient — s'était amélioré. Par l'emploi d'un meilleur procédé d'attelage, par une plus grande vigueur des bêtes de traits — plus probablement par une modification fondamentale de l'instrument aratoire, par l'adoption d'un soc à versoir, fabriqué par l'un de ces forgerons que certains textes montrent alors au travail dans la région de Cluny. Simple hypothèse, et fragile. Mais j'invite une fois de plus, en terminant, à scruter attentivement toutes les sources des xe, xie et xiie siècles — époque sans doute d'une rénovation profonde en Europe des techniques agricoles — à la recherche des indices qui permettront peut-être un jour de fonder plus solidement cette supposition.

6

LE MONACHISME ET L'ÉCONOMIE RURALE *

Pour mettre en place ces quelques considérations générales sur les liens que l'on peut discerner entre l'institution monastique et l'activité rurale, je me suis permis deux libertés. Celle, d'abord, de concentrer la plupart de mes observations sur l'espace français, et ceci pour deux raisons : d'une part, je connais mieux cette région de la chrétienté ; d'autre part, c'est dans l'espace français que les sources les plus expressives me paraissent être le plus nombreuses. En second lieu, j'ai choisi d'opérer un léger décalage par rapport au cadre chronologique fixé à ce colloque, et de proposer une période commençant aux alentours de 1075 et se prolongeant en revanche jusque vers le milieu du XIIe siècle. Un tel décalage s'explique aisément. C'est celui-là même qui sépare de fait la chronologie de la réforme monastique et celle des retentissements de cette réforme sur les phénomènes économiques. Mon choix permet en effet, me semble-t-il, de mettre successivement en évidence, tout d'abord, un modèle de gestion économique, transmis par une longue tradition et encore communément appliqué dans les monastères d'Occident en 1075 —, puis la remise en

* Texte publié dans *Il monachesimo e la riforma ecclesiastica, 1049-1122* (Atti della quarta Settimana internazionale di Studio, Mendola ; 23-29 agosto 1968), Milan, Editrice Vita e Pensiero, 1971, pp. 336-349.

cause dont ce modèle fut l'objet à partir de cette date sous la pression à la fois de l'esprit de réforme et d'une modification générale et lente du climat économique —, de montrer enfin les premières conséquences de cette remise en cause sur la vie même de l'institution monastique.

Pour décider de la *dispositio rei familiaris* — je reprends à dessein le langage de l'abbé de Cluny, Pierre le Vénérable [1] —, pour établir l'ordonnance de l'économie domestique, c'est-à-dire pour fixer son attitude à l'égard de la vie agricole, le monachisme occidental disposait d'un guide, d'un texte, celui de la Règle de saint Benoît ; toutefois, au cours des âges, des interprétations avaient été données de ce texte, notamment par le capitulaire monastique de 816, afin d'en adapter l'esprit aux besoins d'une société et d'un milieu économique qui depuis le VIe siècle s'étaient sensiblement modifiés. De ces interprétations devenues coutumières, de ces « usages », les plus respectés, à l'époque que j'ai prise pour point de départ, ceux aussi qui sont le plus clairement attestés par les textes, étaient suivis dans le monastère de Cluny, dont je propose donc de faire ici l'un des champs privilégiés de notre observation. Ces règlements montrent immédiatement un premier fait, fondamental, et qui doit être à la base de toute interprétation économique du monachisme : c'est d'abord et surtout en codifiant les *besoins* de la communauté que les pratiques traditionnelles commandent la position des maisons monastiques au sein de l'économie rurale.

Une coutume fort ancienne répartissait ces besoins en deux catégories : d'une part, les besoins alimentaires, *victus* ; d'autre part, les besoins, disons, d'équipement, *vestitus*. Vis-à-vis de ces deux catégories les comportements économiques étaient, depuis le IXe siècle au moins, nettement différents, traditionnellement, institutionnellement, je dirais même rituellement (car, à l'égard de la consommation des biens matériels, l'attitude monastique est véritablement

1. Voir note 1 et suivantes pp. 252-253.

rituelle). Les nécessités du vestiaire, c'est-à-dire de l'équipement, devaient être normalement satisfaites par l'achat, c'est-à-dire par le recours à l'instrument monétaire, et donc par l'entremise du *camerarius*, percepteur et gardien des ressources en numéraire de la maison. En revanche, le domaine des victuailles se reliait, lui, à la mise en valeur, à l'exploitation directe des forces productives détenues par la famille monastique : le *cellerarius*, percepteur et gardien des fruits de la terre, procurait à la communauté, pour sa subsistance, les produits d'une entreprise agricole [2]. L'insertion du monastère au sein de l'économie rurale se situait donc très exactement au niveau des besoins alimentaires et dépendait par conséquent de ce que prescrivait à propos de ceux-ci la Règle et ses interprétations.

En ses chapitres 39 et 40, la règle bénédictine gouverne strictement (*constituta annona*, lit-on au chapitre 31) la nourriture et la boisson des moines ; elle fixe, selon les périodes du calendrier liturgique, le nombre des repas, la nature des denrées que l'on y sert, enfin leur quantité (en fonction cependant d'unités de mesure dont la valeur n'était pas restée stable ni conforme dans le monde chrétien, ce qui laissait sur ce point le champ libre à des précisions réglementaires et à de foisonnantes controverses). Disons brièvement que la Règle refuse formellement à tous les frères, sauf aux malades et aux faibles, la viande des quadrupèdes (encore que, pour des raisons impérieuses d'approvisionnement, il ait bien fallu autoriser au temps de Louis le Pieux de substituer la graisse animale à l'huile pour les assaisonnements) et qu'elle adjoint aux herbes, aux racines et aux légumineuses, fondement de l'alimentation aux temps primitifs du monachisme, le pain et le vin. Ajoutons enfin que les moines ne sont pas dans l'abbaye les seuls consommateurs, que le cellérier doit aussi nourrir « les malades, les enfants, les hôtes et les pauvres », que ces bouches supplémentaires sont parfois fort nombreuses (à Cluny au milieu du XIIe siècle, leur ravitaillement quotidien en céréales équivalait celui des frères, à condition encore qu'un afflux exceptionnel de visiteurs ne vînt pas gonfler outre mesure les besoins de l'hôtellerie [3]), mais que les usages et les statuts avaient également ritualisé, et parfois dans les moindres détails, le régime alimentaire de cette population annexe et mouvante, ainsi que des serviteurs entretenus dans la maison [4]. Par là, la consommation des fruits de la terre se trouvait tout entière réglée ; il appartenait au cellérier de dresser un plan de distribution des vivres [5] ; planifiée de la sorte, l'économie domestique de chaque monastère s'organisait donc en fonction d'une demande, laquelle n'était point libre, mais régie par des coutumes rigoureuses. A cette demande, comment était-il répondu ?

Tous les établissements monastiques d'Occident possédaient de la terre. D'une manière très générale, le flot des donations pieuses avait accru ces patrimoines fonciers à tel point que, d'une part, il n'était point apparu jusqu'alors dangereux pour la satisfaction des besoins matériels de soustraire à cette fortune surabondante de quoi gagner les faveurs de l'aristocratie laïque par des concessions quasi gratuites en précaire ou en bénéfice, et que, d'autre part, la communauté se trouvait suffisamment pourvue de terres en plein rapport pour n'avoir nul besoin de créer aux dépens des friches des champs nouveaux. L'image des moines défricheurs ne me paraît nullement convenir aux pays français en 1075. Des revenus de ces biens fonds, une partie était de longue date affectée au *vestitus*, donc à l'office du chambrier. Ce qui impliquait pour une partie de la fortune foncière des modes de gestion susceptibles de faire parvenir au monastère non point des produits en nature, mais du numéraire. Les règles de la consommation obligeaient donc l'institution monastique — et c'est là une première constatation que je crois importante — à stimuler, au voisinage d'une portion au moins de son patrimoine, la commercialisation des denrées agricoles, soit en négociant ses propres récoltes, soit en exigeant de l'argent des exploitants ou des concessionnaires de sa terre, c'est-à-dire en les contraignant par là à vendre eux-mêmes. On saisit là le rôle que joua le monachisme, aux moments de pire contraction de l'économie rurale européenne, dans le soutien de la circulation monétaire.

Quant à la part des biens fonciers qui se trouvait affectée au *victus*, trois catégories de remarques peuvent intervenir à son propos.

1. Les principes de la consommation, c'est-à-dire le rituel alimentaire, vouaient ces terres à produire certaines denrées et commandaient par conséquent le système agraire qui leur était appliqué. Restreignant l'usage de la viande, ils réduisaient naturellement la part des activités pastorales ; ils incitaient en revanche à développer coûte que coûte la viticulture ; ils faisaient du jardin et du verger, d'où l'on tirait la substance des *pulmentaria* prescrits par la Règle, des éléments majeurs de la production ; ils plaçaient enfin au premier plan la culture des céréales panifiables. On peut se demander si, de cette façon, l'institution monastique n'a pas exercé une autre influence fondamentale sur l'évolution de l'économie rurale européenne : elle proposait en effet, sur les terres de son domaine direct, elle imposait, sur les terres exploitées par ses tenanciers, un modèle de production qui différait peut-être en bien des régions, qui dans certaines parties de l'Angleterre et de la Germanie différait sûrement, des pratiques indigènes et primitives de mise en valeur, mais qui fut peu à peu imité de proche en proche.

2. Mes secondes remarques touchent aux procédés d'exploitation appliqués à la portion du patrimoine foncier pourvoyeur de nourriture. La Règle et les usages n'interviennent plus ici au niveau de la consommation, mais à celui de la production. Le problème, autrement dit, est celui de la participation des moines au travail de la terre. Au chapitre 48, la règle de saint Benoît prescrit, on le sait, contre l'*otiositas*, « ennemie de l'âme », une activité manuelle quotidienne. A vrai dire, ce texte n'entend point par là imposer aux frères de retourner de leur main la terre

de leurs champs. En effet, il considère seulement que parfois les moines peuvent y être contraints par les circonstances, il croit bon alors de les exhorter à la patience, c'est-à-dire à supporter une peine physique tenue pour exceptionnelle, voire scandaleuse. Ajoutons un autre témoignage, celui du chapitre 66, qui traite de l'office du portier et qui insiste sur la nécessité de circonscrire l'activité des moines à l'intérieur de la clôture. Le texte cite à l'occasion les instruments de travail qui doivent se trouver là à cet effet, et qui constituaient le champ d'activité manuelle normal de la communauté ; de quoi s'agit-il ? Du moulin, du pétrin, du jardin. Travailleurs, les fils de saint Benoît ne participent donc pas normalement au labeur agricole, sinon par le jardinage ; leur tâche principale est de préparer la nourriture, non de la produire. Toutes les interprétations ultérieures de la règle accentuèrent d'ailleurs le détachement à l'égard de la terre. L'esprit de Benoît d'Aniane fit admettre que les moines devaient s'abstenir des gros travaux « pour l'honneur du sacerdoce » et étendre en compensation l'office liturgique. Peu à peu l'*opus manuum* fut restreint aux besognes de la cuisine, et même, dès 822 à Corbie, les religieux se déchargeaient des moins nobles de ces besognes sur des serviteurs laïcs[6]. Aussi, vers 1080, à qui l'interrogeait sur les travaux qu'il avait vu de ses yeux accomplir à Cluny par les moines, Ulrich, le rédacteur des coutumes, pouvait répondre (I, 30) : « Ecosser les fèves, désherber le jardin, pétrir le pain. » Activités que l'on peut qualifier de symboliques. Un fait est clair : les moines du XIe siècle ne sont pas des agriculteurs. Dès le temps de Louis le Pieux, leurs prédécesseurs, qui faisaient bêcher leur jardin par des tenanciers corvéables ou par des tâcherons salariés, ne l'étaient pas davantage[7]. Une tradition séculaire, qu'est venue renforcer au lendemain de l'an mil la large diffusion de la théorie des trois ordres, les engage, tout comme les spécialistes de la guerre, à attendre du travail d'autrui leur nourriture, c'est-à-dire à vivre en seigneurs, à imposer aux tenanciers des redevances périodiques, à employer sur leurs terres en faire-valoir direct des esclaves domestiques, des corvéables ou des mercenaires.

3. Troisième point, et qui se relie directement à l'ensemble des remarques précédentes : il n'existe pas de centre d'exploitation agricole dans la proximité immédiate des établissements monastiques, lesquels d'ailleurs sont pour la plupart urbains ou, en 1075, en voie de s'urbaniser par la rapide expansion du bourg qui se développe à leur porte[8]. Les terres nourricières se situent donc à distance. Aux alentours de Cluny, elles sont organisées en une quinzaine d'unités domaniales, placées chacune sous la surveillance d'un moine délégué, le *decanus* ; au cours d'une tournée annuelle, le grand prieur contrôle chacune de ces entreprises de production[9] ; de leur rapport, le tiers est réservé pour les besoins propres du domaine — j'indique au passage que la même proportion se trouvait déjà prescrite par le capitulaire *De villis ;* le reste doit assurer l'approvisionnement de la maison et être conduit vers ses greniers. Remarquons bien cependant que l'économie du monastère est une économie de consommation, établie en fonction non point de la production mais de besoins déterminés à l'avance. La communauté se préoccupe donc, non point de développer indéfiniment le rapport de chaque domaine, mais de le maintenir à un niveau tel que les denrées agricoles lui parviennent chaque année en suffisance, compte tenu des calamités climatiques et des aléas de la production. Dans cette perspective, l'une des fonctions primordiales des administrateurs monastiques est d'abord d'établir une équitable répartition des charges entre les diverses unités de production, adaptant à la capacité de celles-ci le volume et la nature des fournitures. Très généralement, un système de roulement est institué, chaque domaine à tour de rôle devant assurer pendant une période de l'année le ravitaillement complet du monastère : ce que les documents appellent *mesaticum* ou *mesagium*. De telles méthodes, qui répondent à une économie planifiée au niveau des besoins, ont conduit naturellement, et

notamment dans les abbayes anglaises, à l'affermage des domaines ruraux [10].

Remarquons d'autre part que la communauté monastique est astreinte à la stabilité et ne peut, comme le font les princes ou les évêques, se transporter sur place pour consommer les fruits de sa terre ; il faut l'approvisionner. Cette nécessité, le souci, en particulier, de réduire des transports difficiles et coûteux, incita à recourir également, dans cette part de l'économie domestique, à l'instrument monétaire. La Règle de saint Benoît ne proscrivait pas en effet l'usage du numéraire ; au contraire, elle la réglementait ; et les instructions économiques de l'époque carolingienne, dont l'influence fut très grande sur les coutumiers monastiques, prévoyaient normalement l'emploi de l'argent. On s'accoutuma donc, dans les domaines ruraux affectés au service du réfectoire, à vendre une portion des récoltes pour, avec les deniers recueillis par ce négoce, acheter, dans le voisinage du monastère, certains biens de consommation [11]. Ainsi, l'administration du *vestitus* n'était pas seule à favoriser la commercialisation des produits de la terre monastique. Parce qu'ils se déchargeaient du travail manuel sur des salariés, parce qu'ils tiraient leur nourriture d'exploitations rurales éloignées, les moines bénédictins, depuis le XIe siècle au moins, se trouvaient les promoteurs d'une économie d'échanges fondés sur l'usage du numéraire.

*

Dans le dernier quart du XIe siècle, le modèle dont je viens de présenter un schéma très simplifié fut l'objet d'une transformation, et d'abord sous la pression de l'évolution économique. Je pense que l'on peut, dans celle-ci, situer une flexion importante aux alentours de 1075 : à ce moment, la multiplication des échanges, l'accélération de la circulation monétaire commencent à s'insinuer jusqu'au fond des campagnes ; à ce moment aussi, le premier essor de la production agraire permet aux aristocrates de hausser notablement leur train de vie. Dans les abbayes bénédictines, ces conditions nouvelles amenèrent le comportement à l'égard des biens matériels à se déformer insensiblement. Qu'apprennent, sur l'orientation de ces changements, les documents qu'a laissés l'abbaye de Cluny ?

Dès 1080, les coutumes recueillies par Ulrich attestent d'abord, semble-t-il, une inclination vers une existence moins frugale, une tendance à laisser, tout comme dans les demeures de l'aristocratie laïque, s'élever les dépenses de l'écurie et de la table. Sans que soient transgressées les injonctions fondamentales de la Règle, un certain luxe s'est introduit dans le régime alimentaire des moines [12]. Incontestablement d'autre part, l'accroissement de la consommation se trouve favorisé par le fait que le monastère clunisien recueille dès ce moment des quantités de numéraires beaucoup plus importantes que naguère, et dont certaines lui parviennent de fort loin ; il perçoit en particulier des cens en deniers versés par les maisons de l'ordre ; des aumônes régulières lui viennent aussi des princes, et notamment des souverains de la Castille, qui ont institué en sa faveur une très grosse rente annuelle en or. Cet afflux de métaux précieux exalte l'office du chambrier par rapport à celui du cellérier et tend à modifier de ce fait les relations de la communauté avec l'agriculture. Sans doute ne peut-on dire que le domaine soit négligé : on sait par exemple que, vers 1090, le cellérier s'efforça d'acquérir pièce à pièce tout un finage, en expulsa les exploitants paysans et put ainsi créer, affecté au ravitaillement des réfectoires, un nouveau centre d'exploitation directe [13] ; on perçoit également de la part des administrateurs en temporel, entre 1095 et 1120, un effort soutenu pour faire rendre gorge aux ministériaux, aux prévôts des divers doyennés dont l'activité parasite frustrait l'abbaye d'une portion notable des profits de sa terre [14]. Mais cependant l'habitude se prenait peu à peu, dans un climat d'aisance et de décontraction économique, de traiter du *victus* comme jadis du seul *vestitus*, c'est-à-dire de développer les opérations commerciales que le modèle ancien impliquait, mais maintenait marginales, et de faire finalement dépendre l'approvisionnement domestique beaucoup moins des ressources en nature que des ressources en argent. « Il arrive fréquemment, dit le coutumier d'Ulrich, que de toutes les ressources annuelles nous n'ayons rien pour les subsistances, sinon ce que l'on achète avec des deniers [15]. » Un fait est significatif : en 1077, l'énorme rente en métal précieux versée par les rois espagnols (on peut en estimer la valeur à quelque cent mille deniers de la monnaie clunisienne), d'abord affectée au vestiaire, fut transférée à l'achat de céréales [16]. Le mouvement s'accentua dans les années suivantes : Pierre le Vénérable affirme que, vers 1120, on dépensait pour le vin et pour le pain plus de deux cent quarante mille deniers [17]. Ce qui signifie tout simplement que la distance s'était démesurément élargie entre la vie des moines et l'activité agricole.

Tandis que cette évolution se développait dans le milieu clunisien, le modèle primitif se trouvait, d'autre part, non point seulement transformé de l'intérieur, mais, cette fois, contesté de l'extérieur par les réformateurs du monachisme. De la part de certains, il s'agissait d'une contestation globale. Cette aile radicale — plaçons ici, en particulier, les chartreux ou les moines de Grandmont — se reliait étroitement au mouvement érémitique ; elle proposait, d'une part, la retraite au désert ; elle exhortait, d'autre part, à une austérité alimentaire qui entendait retourner, par-delà saint Benoît, au régime des anciens pères, qui refusait le vin et qui, si elle n'excluait pas le pain, n'admettait pour sa confection que les céréales les plus viles [18]. De telles options modifiaient sur deux points l'insertion de la communauté monastique dans la vie rurale : elles suscitaient le défrichement, puisque les moines, partant s'établir au milieu des espaces incultes, devaient créer de toutes pièces leur terroir nourricier ; elles retranchaient la viticulture du système agraire et étendaient la part du jardinage aux dépens de celle du champ. En revanche, ce type de réforme ne considérait pas que les moines pussent être des travailleurs agricoles ; il prévoyait, bien au contraire, que leur existence serait assurée par le labeur d'autrui. Non point, à vrai dire, celui de paysans, serfs ou tenanciers, puisque la communauté devait résolument rompre avec le monde. L'entretien du groupe monastique incomberait à des religieux de seconde zone que leur inculture rendait inaptes à la prière et à la méditation, les *conversi*. Cette attitude des réformismes les plus rigoureux à l'égard du travail manuel montre qu'ils ne pouvaient s'abstraire d'une double exigence, imposée par l'ambiance culturelle. L'une intérieure au monachisme : des tendances très anciennes rapprochaient l'office du moine et le sacerdoce, exigeaient donc que le moine fût instruit ; or la réforme elle-même excluait maintenant de l'abbaye l'école et interdisait d'accueillir les oblations d'enfants ; les convertis adultes, qui n'avaient pas préalablement reçu l'instruction indispensable, devaient donc être cantonnés dans l'accomplissement de besognes matérielles. L'autre exigence venait du siècle et n'en était pas moins souveraine : à l'époque où nous sommes placés, la morale aristocratique se raidissait, elle condamnait le labeur des mains comme indigne et dégradant, elle dressait une barrière infranchissable entre les travailleurs et les autres, elle instituait cette ségrégation avec tant de puissance que les statuts de la Chartreuse, par exemple, tout tendus qu'ils fussent vers l'abstinence et l'humilité, prévoyaient deux sortes de pains, l'un « plus beau » pour les moines, l'autre pour les convers[19].

Quant à la contestation qui vint de Cîteaux, elle fut partielle. Elle entendait seulement réagir contre les déviations qu'elle jugeait abusives et revenir à la lettre de la règle bénédictine. Elle ne mettait par conséquent en cause ni la possession foncière, ni le maniement de l'argent. Mais, parce que la séduction de l'ascétisme et de l'érémitisme l'animait elle aussi, elle modifia finalement, dans le même sens que les options cartusiennes et grandimontines, les rapports entre la condition monastique et la vie rurale. Point n'est besoin de rappeler les invectives de saint Bernard contre les raffinements culinaires de Cluny. Refus de tout luxe alimentaire : du pain d'avoine, d'orge ou de mil ; des feuilles de fèves accommodées sans huile, des pois et des vesces le jour même de Pâques[20]. Fuite au désert, donc défrichement, encore que, semble-t-il, bien des abbayes cisterciennes — c'est le cas par exemple de La Ferté, première fille de Cîteaux — se soient établies sur l'emplacement d'anciens ermitages, c'est-à-dire en des sites où l'attaque des bois et des marécages était déjà largement commencée[21]. Recours exclusif enfin au faire-valoir direct, puisqu'il n'est question, dans le texte de la Règle de saint Benoît que l'on entendait suivre à la lettre, ni de dîmes, ni de corvées, ni de serfs. Toutefois, les coutumes cisterciennes s'engagèrent plus avant sur un point, celui du travail manuel. Cîteaux répartit bien ses frères, comme la Chartreuse et Grandmont, en fonction de l'éducation qu'ils avaient reçue avant leur entrée au monastère (c'est-à-dire de leur origine sociale) entre deux catégories aux fonctions économiques distinctes, les convers et les moines de chœur. Mais lisant au chapitre 48 de la règle qu'« ils sont vraiment moines s'ils vivent du travail de leurs mains, comme nos pères et les apôtres », Cîteaux rétablit le contact direct, immédiat, physique de tous ses religieux avec la terre. Sur les initiales ornées des *Moralia in Job* de la bibliothèque de Dijon, ce sont effectivement des moines qui manient la hache de l'essarteur et la faucille des moissons.

*

Ainsi, au début du XIIe siècle (disons, reprenant la limite chronologique choisie pour ce colloque, en 1122) s'affrontaient dans le monachisme occidental deux systèmes nettement antagonistes. L'un d'eux, le clunisien, où l'agriculture était devenue véritablement extérieure — et je reprends à dessein le mot *exteriora*, qui dans le vocabulaire monastique de ce temps s'appliquait à ce qui relève de l'économie monétaire. L'autre, disons le cistercien, où la mise en valeur du patrimoine foncier était vraiment redevenue le fait de la communauté et où, sans l'aide de quiconque, moines et convers tiraient de leur terre, à la sueur de leur front, leur nourriture. Encore faut-il, en quelques mots, esquisser ce qu'il advint, dans le fil du courant réformiste et sous la pression des nécessités économiques, de ces deux systèmes.

Le premier était doublement vulnérable. Il prêtait le flanc aux critiques condamnant, dans l'institution monastique, trop de complaisance à l'égard du luxe ; il s'était aussi imprudemment aventuré dans la voie d'une économie monétaire qui supposait pour être poursuivie sans dommages, au sein d'un développement général des échanges générateur d'une dépréciation lente des espèces monétaires, un accroissement continu des revenus en argent. A Cluny même, la désagrégation de l'ordre, les débuts d'une désaffection de la part du peuple fidèle qui commençait de détourner le flot de ses aumônes vers d'autres fondations religieuses (Pierre le Vénérable écrivit son livre *Des Merveilles* en partie pour conjurer ce péril) déterminèrent la stagnation, sinon le fléchissement de ces ressources[22]. L'approvisionnement de la maison devint difficile après 1120. Pendant tout son abbatiat, Pierre le Vénérable dut faire front, tentant à la fois de désarmer les attaques cisterciennes et d'assainir l'économie domestique. Son effort fut, non point d'innover, mais, en définitive, de revenir autant qu'il était possible au modèle primitif. Les statuts qu'il édicta réfrénèrent quelque peu l'inclination au luxe alimentaire qu'avait favorisé l'aisance du temps de saint Hugues. Il resserra les liens, devenus si lâches, entre le ravitaillement et l'exploitation du patrimoine foncier ; il tâtonna longtemps pour rectifier le *mesaticum* de telle sorte que les services de fourniture fussent accordés à la production des doyennés ruraux ; pour accroître celle-ci, il encouragea la restauration du faire-valoir direct[23], l'extension et le meilleur équipement de la réserve domaniale ; la crise de la sorte retentit directement sur le paysage rural aux alentours du monastère, et notamment par le développement de la viticulture. Pierre le Vénérable, cependant, ne suivit pas Cîteaux et ne fit rien pour que les moines clunisiens s'adonnent aux travaux champêtres. Il condamna à l'intérieur du cloître l'emploi de serviteurs salariés [24] ; il mit au travail les *conversi barbati*, les convertis sans formation intellectuelle — ceci, non pas pour des motifs économiques, mais pour lutter, comme le voulait saint Benoît, contre les dangers de l'oisiveté, puisque ces hommes, sauf ceux très peu nombreux qui savaient lire, dormaient ou perdaient leur temps tout le jour [25]. Notons bien toutefois qu'il ne les employa jamais qu'à des besognes internes et domestiques, qu'il ne les envoya ni dans les bois, ni dans les vignes, ni dans les champs. Le labeur des convers fut bien loin de prendre à Cluny l'ampleur qu'on lui connaît dans d'autres congrégations, notamment à Hirsau. Ajoutons enfin que toutes ces mesures se révélèrent finalement inefficaces, que la production domaniale ne fut pas stimulée au point de couvrir les besoins, que Pierre le Vénérable dut recourir à l'emprunt et que finalement l'économie clunisienne s'enfonça dans un endettement permanent qui ne favorisa pas le rayonnement spirituel de la congrégation. Celle-ci souffrit doublement de son insertion imparfaite dans l'économie nouvelle.

Considérons maintenant le monachisme réformé et, plus précisément, cistercien. Celui-ci se trouva après 1120 devant un autre problème, lequel était en profondeur beaucoup plus grave. Le modèle d'activité temporelle que proposait la réforme, bien que fondé sur la stricte lecture de la Règle de saint Benoît, se révélait, lui, au contraire, trop bien ajusté aux conditions économiques du XIe siècle. A l'époque où — les enquêtes menées vers 1155 sur l'ordre de Pierre le Vénérable dans les domaines de Cluny le prouvent clairement [26] — les redevances paysannes rapportaient fort peu, où les corvées disparaissaient progressivement, où le recours à des salariés agricoles réduisait notablement la marge de profits de l'exploitation directe, refuser l'emploi de la tenure, disposer en la personne des convers d'une main-d'œuvre gratuite, enthousiaste et pour l'instant surabondante, plaçait les entreprises agricoles cisterciennes dans une situation privilégiée. D'autre part, l'intention ascétique en elle-même, qui refusait de décorer le sanctuaire, interdisait l'accumulation de richesses non productives et condamnait en particulier la possession d'un trésor d'ornement précieux. Seul le capital foncier pouvait s'accroître. Suger raconte que des monastères cisterciens lui vendirent des pierres précieuses, reçues en aumône des comtes de Champagne, mais qu'ils ne se sentaient pas en droit de conserver. L'argent provenant de telles ventes fut vraisemblablement investi dans l'achat de terres et permit l'accroissement de la fortune domaniale. Par un retour étrange, la vocation d'ascétisme favorisait ainsi l'extension d'exploitations rurales hautement productives. Enfin, l'établissement dans les solitudes incultes et le choix d'un système de culture de type sylvo-pastoral accentuaient encore ces avantages économiques en un temps où les progrès de la civilisation matérielle conféraient plus de valeur marchande à des productions qui n'étaient pas celles des vignes ou des champs de céréales, mais celles des pâtures et des bois, à la laine, la viande, le bois d'œuvre, les cendres, le charbon de bois. Comme les moines de Cîteaux ne trouvaient dans le texte de la règle bénédictine aucune interdiction de vendre, qu'ils y lisaient au contraire l'autorisation formelle d'échanger les surplus de la production domestique contre des deniers, ils s'avancèrent donc très rapidement vers la prospérité monétaire. Et cette prospérité ne tarda guère à contraster, de manière scandaleuse aux yeux du monde, avec la profonde austérité de leur vie. Méditons, pour conclure, sur ce fait apparemment paradoxal : les effets économiques de la réforme monastique préparèrent à long terme la condamnation même du monachisme, dans ses formes rénovées aussi bien que dans ses formes traditionnelles, par l'hérésie d'abord, puis par les ordres mendiants.

7

LES CHANOINES RÉGULIERS ET LA VIE ÉCONOMIQUE DES XIe ET XIIe SIÈCLES *

Rechercher les rapports entre ce grand fait d'histoire religieuse qu'est le mouvement canonial et la vie économique des XIe et XIIe siècles est une tâche périlleuse. D'abord parce qu'il importe de laisser aux aspirations proprement spirituelles leur autonomie, et l'historien spécialisé dans les enquêtes économiques et sociales doit se garder de donner aux infrastructures une importance et une fonction qu'elles n'ont peut-être pas eues. Ensuite et surtout, parce que les études préalables, les recherches de détails, les monographies qui pourraient servir de support solide aux conjectures et aux vues d'ensemble font presque absolument défaut. A l'inverse des communautés de moines, les chapitres réformés n'ont pratiquement pas été, pour l'époque qui nous intéresse, l'objet d'études économiques approfondies. Ce rapport ne sera donc pas la mise au point, le bilan de résultats acquis, mais bien davantage un programme de recherches, un plan de travail, un ensemble de propositions, d'interrogations, d'hypothèses. Je ne me dissimule ni le vague, ni l'insécurité de ces considérations trop générales. Mais la discussion, je l'espère, permettra de les préciser et de les rectifier sur plus d'un point.

Je pense qu'il faut distinguer au départ deux

* Texte publié dans *La vita comune del clero nei secoli XI e XII*, Milan, Società Editrice Vita et Pensiero, 1962, pp. 72-81.

champs d'investigation. D'une part, l'examen des questions particulières d'adaptation économique que posa dans chaque chapitre l'adoption de la régularité : quels aménagements, quelles modifications de la gestion du patrimoine commun provoqua-t-elle ? Autant de problèmes que je me propose de considérer dans la deuxième partie de mon exposé. Dans la première partie je poserai une interrogation plus générale. Peut-on discerner des liens entre la multiplication des communautés de chanoines réguliers et les changements qui, à la même époque, ont affecté, dans la chrétienté occidentale, le milieu économique et social ?

Il est évident que le mouvement canonial, ce pullulement de collégiales nouvelles, n'est qu'une des formes de la nouvelle jeunesse qui saisit au XIe et au XIIe siècle l'ensemble de la civilisation occidentale, du bouillonnement, du renouvellement de toutes les structures — et il semble bien se développer au rythme même de l'expansion économique. Certaines concordances paraissent particulièrement significatives : le moment où le mouvement paraît se déclencher au tournant de l'an mil est aussi celui où se manifestent les premiers indices d'expansion ; la période de plus grande intensité de la réforme canoniale coïncide entre 1070 et 1125 avec la première et décisive ouverture de l'économie rurale dans l'ensemble de l'Europe, l'accélération de la circulation monétaire, la nouvelle animation des routes, une brusque croissance urbaine ; enfin les deux dernières décennies du XIIe siècle, où se produit un peu partout une remise en ordre des formules de la vie commune, sont à la charnière des deux âges féodaux, à l'orée d'une époque où la ville, en France au moins, commence à tenir décidément dans l'évolution de la civilisation le rôle prépondérant.

Dans ces perspectives très larges, on peut donc tout de suite considérer que, d'une part, l'aspiration à la pauvreté, qui est à la source de la réforme des chapitres, s'est trouvée stimulée par les bouleversements de l'économie, par le passage de la stabilité campagnarde à la mobilité des fortunes marchandes, par l'importance nouvelle de l'argent, la lente et insidieuse pénétration de l'idée de lucre, et relier, d'autre part, la restauration et la multiplication des chapitres à la renaissance urbaine. Mais il faut voir ces phénomènes de plus près et pour cela, je crois nécessaire d'examiner successivement deux points : la réforme des chapitres existants et la création de communautés nouvelles.

1. La réforme, on le sait, est une mise en question des coutumes instituées à l'époque carolingienne, et plus précisément de la règle d'Aix ; ce besoin de rénovation s'inscrit donc au milieu du XIe siècle dans le grand mouvement de réaction contre les structures religieuses carolingiennes, par référence à des usages plus proches des origines chrétiennes, à l'Eglise primitive, à la *Vita apostolica*. Mais il convient de bien marquer combien la règle d'Aix se trouvait parfaitement adaptée aux structures économiques et sociales du « premier âge féodal » (pour adopter l'expression de Marc Bloch, qui est commode). Adaptée d'abord à une économie foncièrement terrienne et agricole : l'atténuation de la vie commune, le partage de la fortune collective en parts attribuées à chacun des membres, en prébendes, répondaient au cloisonnement naturel d'un monde ruralisé. Chaque fragment du temporel, chaque *obedientia* se trouvait placée sous la direction directe d'un chanoine qui s'en considérait comme le seigneur, qui l'administrait aidé de ses propres domestiques, des hommes bien à lui et fidèles, qui réglait lui-même les conflits avec les seigneurs concurrents, par le plaid, voire par les armes. Réponse à la nécessité d'un contact physique entre le chef et la paysannerie ; solution au problème difficile des transports de richesses ; suppression des très coûteux intermédiaires, intendants ou fermiers. Mais adaptation aussi à une société dominée par l'aristocratie militaire et rurale. Les concessions à l'individualisme, la possibilité de vivre à part dans sa propre maison du cloître à l'intérieur de l'immunité restreinte, avaient

grandement facilité l'entrée dans les chapitres cathédraux régis par la règle d'Aix des fils des grandes familles du diocèse. Ceux-ci, tout en récoltant pour leurs frères et leurs cousins les bénéfices de la prière collective, continuaient d'être seigneurs et cavaliers, et chasseurs et soldats, ils continuaient à participer à la fortune du lignage. Transmise d'oncle à neveu et accrue par la libéralité de ses titulaires successifs aux dépens de l'alleu familial, la prébende n'était au fond qu'une annexe de cet alleu, et cette participation des principales familles chevaleresques au patrimoine capitulaire était comme la matérialisation du lien spirituel entre l'aristocratie des environs de la cité et la cathédrale. Elle assurait l'équilibre entre la seigneurie de l'Eglise et celle des laïcs, facilitait les donations pieuses et la sauvegarde du patrimoine ecclésiastique. Ces considérations permettent, je crois, de comprendre que les chapitres cathédraux soient restés généralement fidèles à la règle d'Aix dans les pays rhénans, l'Allemagne de l'Ouest, la France du Nord et du Centre jusqu'à Lyon, dont l'organisation du chapitre est typique de celle que je viens de décrire — c'est-à-dire dans la partie de la chrétienté la plus profondément marquée par l'empreinte carolingienne, où la constitution plus précoce d'une mense canoniale particulière rendait le chapitre plus indépendant de l'évêque —, mais surtout dans la région par excellence de la féodalité rurale, dans les pays où la ségrégation entre la population urbaine et la noblesse demeura nette jusqu'en plein XIIIe siècle, où, avant ce moment, les fils des plus riches bourgeois ne pénétraient pas dans les chapitres cathédraux.

En revanche, le succès de la réforme, le retour à la stricte vie commune, la renonciation à la possession individuelle furent peut-être favorisés dans d'autres régions par des conditions économiques et sociales différentes. D'abord par un nouvel aménagement interne de la mense capitulaire — mais, comme je l'ai annoncé, je me réserve d'examiner cet aspect dans la deuxième partie de cet exposé. Favorisé surtout par un milieu social moins exclusivement dominé par une aristocratie militaire et rurale. Il est remarquable que les provinces où la vie commune fut précocement introduite dans les chapitres cathédraux, le nord de l'Italie, l'Espagne, l'Aquitaine, la Provence, les pays alpins, sont précisément celles où la noblesse résidait communément dans les cités, s'y trouvait plus étroitement mêlée aux élites non chevaleresques, participait aux activités économiques proprement urbaines, disposait d'une fortune plus mobile, moins strictement attachée à l'exploitation directe de la terre. Des recherches locales menées dans les villes où la documentation est la moins parcimonieuse, étudiant de près les milieux où se recrutèrent les chanoines réguliers, confrontant les progrès de la réforme au peu qu'il est possible de connaître de l'évolution économique, de l'essor du négoce et de la circulation monétaire, montreraient peut-être que l'aspiration à la vie commune et à la pauvreté trouva un terrain plus propice dans les milieux plus libérés de l'économie foncière, plus pénétrés par les préoccupations mercantiles. Des recherches de ce genre sont en cours en Italie. Ailleurs, certaines concordances chronologiques sont significatives. Ainsi à Arles : première réforme du chapitre en 1032, c'est-à-dire au moment où s'amorce la renaissance commerciale ; installation de la Règle de saint Augustin en 1191, au seuil de la grande phase de prospérité urbaine et de liberté communale. Il existe là incontestablement des liaisons dont l'étude systématique ne saurait manquer d'être féconde. J'ajouterai que, dans les cités du Nord, où le chapitre cathédral, entièrement tenu par la noblesse féodale, a résisté à la réforme, celle-ci s'est souvent introduite dans un chapitre marginal, dans une collégiale du bourg neuf, en rapport beaucoup plus étroit avec la société bourgeoise. Ainsi à Mâcon au XIIe siècle : les chanoines de la cathédrale Saint-Vincent sont des fils de chevaliers nantis de prébendes proches de leurs alleux familiaux dont elles sont comme les annexes, mais la vie commune est en pratique dans la collégiale Saint-Pierre, paroisse du bourg neuf où les gens de la ville, les artisans et les marchands se font ensevelir, et qu'ils enrichissent de leurs aumônes en numéraire.

2. De la réforme des chapitres anciens, passons à l'autre aspect du mouvement de rénovation, la création de communautés régulières nouvelles. Entre ce fait et les tendances de l'évolution économique et sociale des XIe et XIIe siècles, les liaisons sont plus évidentes ; je me contenterai d'indiquer les grandes directions où pourraient s'engager des recherches plus approfondies.

a) La multiplication des nouveaux chapitres, l'essaimage des communautés, le succès des fondations nouvelles, de celles en particulier qui groupent autour des clercs des convers laïcs — toute cette brusque expansion de l'ordre canonial dans les décennies qui encadrent l'an 1100 compte parmi les multiples indices de l'essor démographique qui caractérise cette période. Mais il ne serait sans doute pas sans intérêt d'examiner de plus près le phénomène — de voir dans quelle mesure la conversion dans une communauté nouvelle fut pour les familles trop nombreuses (familles nobles, bourgeoises ou paysannes) un moyen de réduire le surpeuplement du patrimoine familial. Comment faisait-on entrer son fils dans la fraternité ? A quel âge ? A quel prix ? En échange de quelle donation initiale ? De telles études de recrutement sont malaisées, elles ne sont pas impossibles. J'en ai jadis tenté une pour un monastère cistercien. Je suis persuadé que, pour les villes du Midi, les documents abondent dans le dernier quart du XIIe siècle.

b) Il semble également, mais l'enquête ici serait plus difficile, que l'on puisse rechercher si les formes nouvelles du mouvement canonial, celles en particulier qui se développent dans les communautés liées à l'érémitisme, ne peuvent être mises en rapport avec des mouvements sociaux plus profonds, ceux en particulier, encore très mal connus, qui affectent les structures familiales. Dans quelle mesure les conversions dans ces chapitres soumis à la vie commune ont-elles été stimulées par le relâchement des solidarités de lignage, relâchement plus précoce, notons-le, dans les milieux urbains et d'autant plus poussé que le patrimoine familial se trouvait plus dégagé de l'économie terrienne ? Dans quelle mesure les fraternités sont-elles apparues comme des refuges, comme des parentés de remplacement pour des individus mal à l'aise au milieu des hommes de leur sang ? Les belles recherches du professeur Ernst Werner sur la question féminine se situent strictement dans ces perspectives ; elles pourraient s'étendre à ces communautés de *sorores conversae* qui furent incluses dans l'ordre de Prémontré.

c) Il serait utile enfin de considérer bien des fondations nouvelles, et surtout les fonctions spécialisées qu'elles ont senti devoir remplir, comme une réponse à certains besoins nouveaux du peuple, nés de l'extension démographique ou du développement de la circulation, qu'il s'agisse de la *cura animarum*, du souci de satisfaire des besoins spirituels de groupes humains plus nombreux ou nouvellement implantés à l'écart des anciens lieux de culte. Dans son admirable exposé, M. Lemarignier assignait essentiellement des causes politiques à la fondation des collégiales castrales. Mais ces créations sont aussi une adaptation des structures religieuses aux conditions sociales nouvelles. Je suis frappé de voir en Provence tant de collégiales créées au milieu du XIe siècle aux lisières des diocèses dans des contrées dont l'équipement liturgique était insuffisant : à Barjols, à Moustier-Sainte-Marie, à Oulx. Besoins nouveaux, ceux que cherchent à satisfaire les communautés de vocations hospitalières. Elles se rattachent à ces formes de piété ouvertes sur l'action charitable qui se développent, semble-t-il (et là encore la passionnante étude reste à faire), d'abord en milieu urbain et bourgeois. Mais surtout elles se fondent en fonction de la nouvelle animation des passages, de ce fait social dont la brusque ampleur remplit cette époque, le voyage. A tel point que leur apparition, leur localisation, leur fortune comptent parmi les plus utiles matériaux d'une histoire de la route.

Il me faut maintenant passer, car je tiens à rester bref, à un autre ordre de questions, c'est-à-dire aux problèmes particuliers de gestion économique qu'a posés l'adoption de la vie commune. Mais, pour voir plus clair, il me faut encore une fois distinguer, d'une part, les chapitres simplement réformés — où il s'est agi de modifier, d'adapter aux exigences de la pauvreté individuelle, des structures anciennes correspondant à la règle d'Aix —, d'autre part, les communautés régies par *l'ordo novus,* les fraternités de tendance érémitique, inspirées par les Pères du désert, qui, refusant la jouissance de revenus seigneuriaux, se vouant à la solitude, à l'ascétisme, au travail manuel, ont adopté un style de vie original. C'est par ces dernières que je commencerai.

1. Dans ces fondations on voit en effet se développer, au cours du XIIe siècle, une forme d'entreprise très particulière : de grosses exploitations rurales, isolées au « désert », c'est-à-dire en terrain en grande partie inculte (je dis en grande partie, car le plus souvent ces exploitations se sont développées autour de petits essarts antérieurement ouverts par des ermites ou des colons paysans), et en tout cas à l'écart des terroirs organisés et des contraintes collectives ; le travail y est fourni par les membres de la « famille », de la fraternité qui, de ce point de vue, se répartissent en deux catégories : les clers, les *canonici* qui ne travaillent qu'à certaines heures dans l'intervalle de la célébration liturgique, les convers laïcs sur qui reposent, au contraire, la mise en valeur du patrimoine foncier, la production de la nourriture, et qui reçoivent leur tâche du *magister laboris*. Structure d'exploitation particulièrement profitable du point de vue économique, car elle avait l'avantage de fournir une solution au problème majeur de l'économie domaniale de ce temps, celui de la main-d'œuvre — problème

que, depuis la disparition de l'esclavage, n'avaient pu résoudre ni le servage, ni le système de tenures corvéables, ni l'utilisation, encore très limitée pour des raisons monétaires, du salariat.

C'est par ces avant-gardes érémitiques et pionnières que l'institution des chanoines réguliers s'introduit, le plus profondément sans doute dans le mouvement d'expansion économique de ce temps, par sa participation au grand effort de conquête rurale en France, en Angleterre, en Allemagne surtout, et spécialement dans les provinces germaniques de l'Est, en pays slave. Evoquons le rôle tenu dans la mise en valeur du Brandebourg, de la Poméranie, de la Silésie, par les maisons de Prémontré. Il faudrait d'ailleurs étudier de près l'évolution économique des entreprises de colonisation menées par les chanoines réguliers, et ces recherches préciseraient ce que, en l'état actuel, on entrevoit à peine, c'est-à-dire les transformations fondamentales provoquées dans la seconde moitié du XIIe siècle d'abord par la difficulté de recruter de nouveaux convers, donc de constituer les équipes de travail. (J'indique entre parenthèses que ces difficultés de recrutement posent à elles seules un immense problème : doit-on les mettre en rapport avec un repli démographique, ou bien avec une modification des cadres familiaux, voire avec un progrès des techniques agricoles qui permit aux vieux terroirs d'absorber entièrement le surcroît de main-d'œuvre libéré par la croissance de la population, ou bien seulement avec un changement d'attitude religieuse, une désaffection pour les formes de piété dont la *conversio* représentait l'idéal ? On voit là combien l'histoire des chapitres se rattache étroitement à celle de l'économie, de la société, de la civilisation.) En tout cas, à ce moment, le défaut de main-d'œuvre semble avoir conduit les communautés canoniales, d'une part, à orienter l'exploitation vers l'élevage (celles au moins dont la règle n'interdisait pas, comme à Notre-Dame d'Hérival par exemple, de posséder des animaux [1]), c'est-à-dire, par

1. Voir note 1 et suivantes p. 254.

l'écoulement nécessaire des surplus et spécialement de la laine ou des cuirs, vers l'économie marchande; d'autre part, à abandonner en grande partie le faire-valoir direct. C'est ce qui se passe en particulier en Allemagne orientale où les chanoines réguliers à la fin du XIIe siècle appliquent à leurs possessions foncières le système de la *locatio,* organisant avec les capitaux fournis par la vente des surplus l'installation de colons tenanciers. Ils offrent à ces pionniers un régime de tenure très avantageux qui réduit à très peu la rente seigneuriale; le plus clair des profits qu'ils attendent du peuplement leur vient des dîmes et de la perception de taxes ecclésiastiques. Au terme de cette évolution, c'est-à-dire dans le cours du XIIIe siècle, les communautés de régime érémitique se trouvèrent dans une situation économique peu différente de celle des chapitres réformés de l'*ordo antiquus*.

2. Pour ceux-ci, la réaction contre les complaisances de la règle d'Aix envers la possession individuelle, l'adoption de la vie commune stricte, nécessita au XIe et au XIIe siècle un aménagement de l'économie domestique.

a) La réforme, en premier lieu, suppose la consolidation d'une *substantia* suffisamment profitable pour que les membres de la communauté soient, dans le cloître, à l'abri des pénuries et pour que la célébration liturgique se déroule dans un cadre digne d'elle. Elle se trouve, par conséquent, étroitement liée à la reconstitution du temporel, à l'action menée dans la seconde moitié du XIe et au début du XIIe siècle pour dégager les biens d'Eglise de l'emprise des laïcs, pour récupérer les précaires et les fiefs. Elle fut préparée par le courant d'aumônes dont bénéficièrent, un peu plus tôt, cathédrales et collégiales. En Provence, la réforme des chapitres débute lorsque les fonctions épiscopales échappent aux familles dominantes, lorsque le temporel de la cathédrale gagne son indépendance. Confronter la chronologie des réformes à l'histoire de la propriété ecclésiastique serait une entreprise relativement facile et riche d'enseignements.

b) Encore fallut-il que les revenus du patrimoine aient acquis une certaine souplesse. A la possession de seigneuries foncières administrées directement convenait, je l'ai dit, le système de la prébende. L'institution de la vie commune interdit aux chanoines réguliers de gérer sur place les domaines, exige un transfert régulier vers le cloître de revenus, de préférence stables, donc un système plus perfectionné de liaison entre la terre et son seigneur collectif. Il faudrait examiner si la réforme s'est accompagnée d'un usage plus étendu de la concession à ferme. Il apparaît en tout cas que son installation fut favorisée par l'acquisition ou la récupération d'un grand nombre d'églises paroissiales et de dîmes. Je considère, par exemple, le patrimoine du chapitre cathédral de Nice que l'évêque Pierre voulut en 1108 ramener à la vie communautaire ; il augmente à cet effet la mense capitulaire et lui attribue toute la dîme de Nice, avec les *mortalagia,* les dîmes et mortalages de dix paroisses, la moitié des revenus synodaux, les prémices et les oblations de Nice. De même la collégiale de Pignans au diocèse de Fréjus, réformée selon la Règle de saint Augustin, possédait en 1152 trente et une églises avec leurs dîmes. Or, de tels revenus étaient, par arrangement avec le desservant, parmi les plus aisément mobilisables et susceptibles d'être convertis en monnaie. J'ajoute enfin que la vie commune, le ravitaillement du réfectoire et le financement des services spécialisés me paraissent avoir été très facilités par la diffusion, à la fin du XIe et au XIIe siècle, des aumônes funéraires sous forme de fondations de services anniversaires, alimentés par des dons en nature ou en numéraire. La sépulture, la célébration de la liturgie des défunts ont été très souvent dans les villes l'une des principales fonctions sociales des chapitres réguliers, et les revenus qui soldaient ces services, fixes, perpétuels, de perception et d'affectation généralement aisées, ont pu facilement, en particulier par l'organisation des *procu-*

rationes, assurer la subsistance d'une communauté libérée dans son ensemble des soucis d'administration. Je pense que l'étude des obituaires, celle aussi, pour l'extrême fin de la période que nous étudions, des testaments, jetteraient de vives lumières sur cet aspect de la vie économique des chapitres.

c) Ceux-ci, enfin, par vocation devaient, une fois leur entretien matériel assuré, assumer des charges particulières, principalement la célébration liturgique qui engageait aux dépenses de la sacristie et de l'œuvre — mais aussi l'enseignement, donc l'entretien de l'équipe d'écoliers —, enfin l'aumône. L'institution de la régularité s'accompagne souvent de la régularisation des offices spécialisés, pourvus de revenus distincts de ceux affectés à la *mensa canonicorum*. Ainsi, à Arles, l'archevêque Imbert, qui en 1191 avait restauré la régularité et introduit la règle de saint Augustin dans le chapitre, sanctionna quatre ans plus tard une nouvelle répartition des revenus entre sept dignitaires, le sacriste et l'archiprêtre, l'ouvrier, le capiscol, l'infirmier, le vestiaire et l'aumônier, chaque office recevant essentiellement des parts d'oblations et des cens dus par les églises.

d) J'indique pour terminer l'intérêt certain d'études comparatives de la prospérité des différents chapitres réformés, conjointe à celle de l'activité des villes qui les entourent. De telles recherches se relieraient étroitement à l'examen archéologique des constructions conduites par l'œuvre des communautés régulières. Resterait enfin à mesurer la part qui revient à celles-ci des aumônes de la ville et de ses environs, la concurrence qu'elles subissent dans le partage des libéralités pieuses de la part d'autres établissements religieux. A Arles, les premiers testaments bourgeois montrent, par exemple, que les générosités funéraires, dont les chanoines de la cathédrale avaient d'abord reçu la plus grosse part, avaient tendance, dans le premier tiers du XIIIe siècle, à se transporter en partie vers les institutions charitables, à aller aux trinitaires, aux hôpitaux, aux léproseries, puis aux ordres mendiants[2].

Voici donc quelques voies ouvertes. Cette présentation est sèche, et rares sont les références concrètes à des faits déjà repérés. J'aurais préféré pouvoir m'avancer sur un terrain mieux défriché. Mais j'espère que la discussion va permettre, maintenant, de donner à ces considérations quelque peu abstraites la consistance dont elles sont dépourvues.

8

LE BUDGET DE L'ABBAYE DE CLUNY ENTRE 1080 ET 1155 *
ÉCONOMIE DOMANIALE ET ÉCONOMIE MONÉTAIRE

Dans le cours du XIe siècle, le numéraire circule plus aisément en Europe occidentale. Les seigneurs fonciers commencent à acheter davantage au-dehors et à user plus largement de la monnaie. Mais les modalités et les conséquences de cette évolution restent obscures : très rares sont les documents qui permettent d'observer de près le mouvement de l'argent dans les caisses seigneuriales.

Pourtant, les archives de l'abbaye de Cluny renferment encore un certain nombre de textes rédigés durant le dernier tiers du XIe siècle et la première moitié du XIIe qui procurent des renseignements de grand intérêt sur l'économie domestique de cet établissement. Des indications éparses sont d'abord fournies par les deux biographies de l'abbé saint Hugues (1049-1109) et dans les traités et les lettres de l'abbé Pierre le Vénérable (1122-1155)[1]. Les coutumes du monastère, recueillies vers 1080 par le moine Ulric de Zell, secrétaire de saint Hugues[2], et les statuts de réforme promulgués en 1132 par Pierre le Vénérable[3] fournissent des données détaillées sur la vie matérielle de la communauté. Dans les cartulaires, les titres des achats, des ventes, des aumônes en

* Texte publié dans *Annales : Economies, Sociétés, Civilisations*, nº 7 (2), avril-juin 1952, pp. 155-171.

1. Voir note 1 et suivantes pp. 254-258.

numéraires, des emprunts contractés par les moines et des prêts qu'ils ont consentis, apportent des témoignages sur la circulation des deniers et des métaux précieux. Trois fragments de comptes ont été conservés ; deux d'entre eux, dressés aux environs de 1100, établissent, chacun pour une subdivision du domaine monastique, un bilan partiel des revenus en numéraire[4] ; le troisième, un peu plus tardif, récapitule les cens que versaient à la maison-mère les filiales provençales de l'ordre de Cluny[5]. Enfin, les informations les plus abondantes proviennent de deux grands actes administratifs du milieu du XIIe siècle. L'un, la *dispositio rei familiaris,* est l'œuvre de Pierre le Vénérable qui fit transcrire en 1148 sur l'un des cartulaires, autant pour justifier son action que pour guider ses successeurs, une relation des efforts qu'il avait déployés depuis son avènement pour assainir l'économie du monastère, et un exposé détaillé de la formule qui, finalement, lui avait semblé la plus efficace[6]. L'autre, la *Constitutio expense cluniaci,* est le résultat d'une enquête générale, destinée à préciser le rapport annuel du patrimoine foncier pour répartir plus équitablement les charges entre les diverses unités domaniales et en améliorer le rendement ; on conserva le rapport des envoyés, qui avaient parcouru les domaines entre les labours d'automne et les semailles de printemps, pour faire dans chaque seigneurie l'inventaire de la réserve, noter le produit des redevances, dénoncer les fautes de gestion. Ce travail, mené sur l'ordre d'Henri de Blois, évêque de Winchester, et (si l'on en croit une tradition bien établie à Cluny) lors du second séjour que ce haut dignitaire fit au monastère, peut être daté de 1155[7]. Tous ces documents, qui se complètent, forment un ensemble d'une richesse exceptionnelle.

Certes, par ses dimensions, le domaine clunisien dépasse largement le cadre de la plupart des seigneuries contemporaines : il ne faudrait pas étendre sans précautions les résultats de son observation. D'autre part, les sources que nous nous proposons d'utiliser ne permettent pas de reconstituer le budget domestique dans tous les détails de son évolution. Elles fournissent cependant bon nombre de données numériques précises qui donnent le moyen d'étudier de manière concrète quelques-uns des problèmes que pose l'histoire de la seigneurie rurale [8]. On peut en particulier, grâce à elles, mesurer la place que tient l'argent dans l'administration d'un grand domaine, au moment même où se transforment les conditions de l'économie occidentale ; on peut examiner dans quelle mesure les méthodes de l'exploitation foncière ont été affectées par la renaissance de l'économie monétaire ; on peut rechercher enfin les causes de la crise qui frappa la plupart des fortunes seigneuriales dans les premières années du XIIe siècle.

1. L'économie traditionnelle

Rédigées par le moine Ulric vers 1080, les *Très Anciennes Coutumes* décrivent les pratiques traditionnelles, celles qui ont assuré la vie matérielle de l'abbaye pendant la plus grande partie du XIe siècle et qui, sanctionnées par un long usage, sont encore tenues, à l'époque de la rédaction, pour les plus sûres.

Ce document montre d'abord ce que sont les besoins de la communauté. Il faut d'abord entretenir environ trois cents moines accoutumés à vivre en seigneurs dans un confort voisin du luxe — leur vêtement, par exemple, froc et coule, tissé de bonne laine, est renouvelé chaque année [9]. Il faut nourrir, et presque aussi copieusement que leurs maîtres, de nombreux serviteurs, qui s'arrangent encore pour alimenter aux dépens du monastère leur famille installée dans le bourg [10]. Dix-huit pauvres pensionnaires, des visiteurs de passage presque aussi nombreux que les frères reçoivent également tous les jours leur pitance ; les écuries sont remplies par les chevaux des dignitaires et des pèlerins nobles ; l'abbaye procède enfin régulièrement à de grandes distributions d'aumônes : à l'entrée du Carême, 250 porcs salés sont partagés entre 16 000 indigents [11]. Bref, plusieurs centaines de personnes vivent, et très largement, aux frais de l'abbaye. La seule confection des pains nécessaires à leur subsistance réclame chaque année 2 000 setiers de grains ou, pour donner une image plus concrète, 2 000 charges d'ânes, qui souvent viennent de loin, car la communauté monastique obligée à la stabilité doit faire venir jusqu'à elle sa provende [12].

Le rédacteur des *Très Anciennes Coutumes* estime que, normalement, la production du domaine doit satisfaire la plupart de ces très grands besoins : au temporel, l'office majeur est celui du cellérier [13] qui, assisté du grainetier, du garde-vin et du garde de l'hôtellerie, rassemble les produits de la seigneurie et les répartit entre les réfectoires et les écuries. L'abbaye dispose en vérité d'un patrimoine foncier très vaste et bien administré. Formé progressivement depuis la fondation du monastère et surtout depuis la fin du xe siècle par d'innombrables aumônes, il réunit de très nombreuses terres dans un rayon de 5 à 6 lieues autour des bâtiments conventuels [14]. Beaucoup, il est vrai, sont des tenures, chargées pour la plupart de redevances très faibles, mais beaucoup aussi sont mises en valeur directement et cette réserve est en progrès constant. Le domaine est divisé en 18 seigneuries autonomes, les doyennés, ce qui permet une meilleure gestion. Chaque doyenné est dirigé par un moine intègre, établi sur place pour une longue période, souvent originaire du pays et connaissant ses pratiques agraires ; ce doyen est d'ailleurs surveillé étroitement par le grand prieur, qui chaque hiver vient contrôler les profits du domaine et décider de leur affectation [15].

Abondante, la terre est donc bien tenue en main. Malheureusement, aucun texte ne permet d'évaluer son rapport à cette époque. Il apparaît seulement que l'extension même du domaine et son organisation complexe en réduisent notablement le rendement. Une bonne part du produit de la terre est, en effet, consommée dans le doyenné même : des techniques encore rudimentaires obligent à réserver pour les prochaines semailles le tiers, sinon parfois la moitié de la récolte en grains ; de plus, les corvées exigées des tenanciers étant insignifiantes en Mâconnais, le doyen doit confier la culture des vastes réserves à une troupe de valets, proches par leur statut des *prebendarii* des seigneuries germaniques, et cette *familia* absorbe encore une partie des profits ; la perception des redevances sur de multiples tenures dispersées nécessite d'autre part la présence dans chaque village d'un prévôt laïc qui, trompant toute surveillance, parvient encore à distraire à son profit une portion des revenus ; enfin le tiers des surplus est traditionnellement abandonné au doyen pour la distribution des aumônes et l'accueil des hôtes : chaque doyenné, à l'instar de la maison-mère, pratique, en effet, la charité bénédictine[16]. On découvre ici l'un des vices de l'économie agraire médiévale : les frais de gestion s'accroissent très vite dès que la seigneurie prend de l'extension ; la grande seigneurie est de bien moindre profit que la petite. Cluny, en définitive, ne recueille qu'une fraction minime des produits de son domaine.

Ulric de Zell juge que cette fraction doit assurer le ravitaillement de la communauté. Il remarque toutefois qu'il faut souvent acheter au-dehors des denrées[17]. L'abbaye ne vit pas en économie strictement fermée ; elle use de la monnaie et pratique l'échange. Auprès du cellérier, le chambrier, chargé du maniement des deniers, remplit une fonction, plus effacée certes, mais indispensable.

Voici, selon les *Très Anciennes Coutumes*, les dépenses ordinaires du monastère. En premier lieu, les deniers servent à l'aumône : il est d'usage d'en donner un à chacun des hôtes lorsqu'il quitte l'abbaye[18]. Les deniers complètent aussi la prébende des domestiques ; les serviteurs de l'infirmerie reçoivent tous les ans un salaire d'appoint de 40 deniers[19]. L'argent permet enfin d'acheter les objets de consommation que le domaine ne peut produire et que les textes appellent *exteriora* : les épices, dont on use communément au réfectoire et à l'infirmerie[20], les draps pour le vêtement des moines (l'élevage du mouton est peu développé dans la seigneurie clunisienne[21]) ; de temps à autre enfin, certains produits agricoles, poissons et porcs, lors des grandes distributions d'aumônes, et, en mauvaise année, le blé et le vin que les doyens n'ont pu fournir[22]. Nos documents ne donnent pas un bilan complet de ces dépenses ; du moins livrent-ils un chiffre précis : en 1080, on payait 8 sous l'étoffe nécessaire à la confection d'un froc et d'une coule ; le renouvellement du vestiaire pour les trois cents moines coûtait donc chaque année environ 120 livres en monnaie de Cluny[23].

Ces deniers, que l'on ne peut se dispenser d'employer, proviennent eux aussi de la seigneurie. Le chambrier perçoit d'abord le produit des ventes de récoltes. Car, si le grain et le vin fournis par les doyennés les plus proches sont apportés à Cluny par un moine ânier chargé de cette fonction[24], le grand prieur, hésitant à entreprendre de longs charrois, préfère souvent vendre sur place les excédents de production des domaines plus lointains, lors de sa tournée de fin de saison. Un texte le montre, vers 1100, vendant dans le doyenné de Montberthoud-en-Dombes du blé et des chevaux pour près de 10 livres[25]. On peut supposer qu'il agit habituellement de même dans les seigneuries périphériques, à Chaveyriat, à Arpayé, à Jully, et estimer à quelque 50 livres la somme que le chambrier reçoit par là chaque hiver. Des revenus plus abondants et plus réguliers lui sont fournis par les multiples redevances seigneuriales. Les précaires, jadis fort nombreuses mais en voie de disparition (elles se transforment en fiefs), ne procurent plus guère d'argent. Par contre, les moines perçoivent les chevages de nombreux dépendants et la plupart des tenures paysannes doivent, outre des fournitures en nature, un cens annuel de quelques deniers[26]. A ces profits s'ajoutent les amendes judiciaires et différentes coutumes que l'abbaye lève sur le territoire de l'immunité. Il est difficile d'évaluer ces ressources. Vers 1100, on recueillit certaine année dans le doyenné de Chevignes plus de 23 livres[27] ; cinquante ans plus tard, d'après la *constitutio expense,* douze des doyennés fournissent environ 280 livres, mais à ce moment les redevances en argent se sont multipliées et l'on doit réduire ce chiffre avant de l'appliquer au XIe siècle[28]. En définitive, sachant que le tiers des recettes est laissé aux doyens pour leurs besoins et compte tenu des ventes de récoltes, on peut admettre que les dix-huit unités domaniales envoient ensemble chaque année environ 300 livres en deniers au chambrier.

En cas d'urgence, ce dernier peut encore puiser dans le trésor où, depuis la fondation du monastère, vient s'accumuler le surplus des recettes en métaux précieux. A vrai dire, avant 1080, les moines ne recourent à cette réserve que dans des cas tout à fait exceptionnels[29]. On peut penser qu'en temps normal les 300 livres du revenu seigneurial couvrent toutes les dépenses d'entretien et considérer cette masse de petites pièces locales, frappées à Cluny, à Tournus, à Mâcon ou à Lyon et sorties des mains paysannes, comme le fonds de roulement régulier du monastère, comme ses finances ordinaires. Prélevés sur les dépendants de l'abbaye qui, pour se les procurer, doivent vendre un peu de leur récolte, ces quelque 72 000 deniers sont en partie recueillis par des trafiquants itinérants, vendeurs de drap ou d'épices, qui périodiquement viennent offrir leurs marchandises au chambrier[30], le reste va aux pèlerins qui les dépensent sur leur route et à de petits agriculteurs du voisinage, fournisseurs de porcs, de poissons, de blé ou de vin. Les *Très Anciennes Coutumes* montrent bien que, pendant la période immédiatement antérieure à l'essor du grand commerce — les premières manifestations en apparaissent à la fin du XIe siècle en Mâconnais —, l'économie interne d'une vaste seigneurie foncière reposait sur l'exploitation du domaine et, plus particulièrement, sur celle d'une importante réserve, cultivée par des équipes de travailleurs domestiques ; mais ce document prouve aussi que le seigneur, vendeur de bestiaux et de blé, percepteur de nombreuses petites redevances en argent, était le client régulier des négociants et répandait autour de lui le numéraire.

2. La déviation

Toutefois, les pratiques économiques traditionnelles commençaient d'être délaissées au moment même où les notait le moine Ulric. Depuis quelque temps, en effet, Cluny bénéficiait de nouvelles ressources en monnaie, étrangères au domaine, et qui, s'accroissant sans cesse, allaient bientôt, entre 1080 et 1120, bouleverser de fond en comble l'économie de la maison.

C'est son rayonnement spirituel, particulièrement vif dans les provinces méridionales de la chrétienté (sud de la Gaule, Italie, Espagne), qui valait à l'abbaye ce surcroît de revenus[31]. D'abord, l'ordre s'était constitué. La maison-mère exigeait de ses filiales quelques prestations annuelles en argent. Redevances modestes — quelques sous, quelques livres tout au plus —, mais les communautés dépendantes étaient devenues si nombreuses que tous ces cens réunis formaient des sommes importantes. Nous possédons à ce propos des chiffres précis, mais malheureusement encore partiels : dans la première moitié du XIIe siècle, quinze prieurés de Provence versaient ensemble près de cinquante livres ; à la même époque, le cens d'Italie et celui d'Espagne étaient évalués chacun à vingt marcs d'argent[32]. A ces recettes régulières s'ajoutaient les aumônes en numéraire que les plus grands seigneurs du sud de l'Occident offraient au sanctuaire bourguignon et qui fréquemment prenaient la forme de rentes annuelles. La plus riche de ces aumônes était le cens que les souverains castillans avaient constitué en or : le roi Ferdinand s'était engagé à livrer tous les ans « mille de ces pièces d'or qu'on appelle vulgairement *mancus* » ; vers 1077, son fils Alphonse doubla cette redevance[33]. Les biographes de saint Hugues ne sont pas d'accord sur le poids de métal ainsi offert tous les ans ; Hildebert de Lavardin l'estime à 200 onces, le moine Hugues à 280[34]. Le montant de tous ces revenus supplémentaires ne peut être évalué avec précision ; mais, comme l'once d'or valait 40 sous à

Chalon au début du XIIe siècle et 36 sous à Cluny vers 1130[35], le seul don annuel des rois espagnols procurait au chambrier une masse de métal valant au moins 400 livres clunisiennes, c'est-à-dire beaucoup plus que toutes les recettes seigneuriales. Quel usage les moines firent-ils de ce surcroît de ressources ?

On sait qu'ils en investirent une partie. Le trésor s'enrichit de vases sacrés et d'ornements qui rehaussèrent l'éclat des cérémonies liturgiques ; ils pouvaient, en cas d'extrême besoin, servir d'instruments de paiement. En outre, le cellérier, soucieux d'accroître la seigneurie foncière, obtint que l'on achetât de la terre. En ce temps, les chevaliers du voisinage souhaitaient se procurer des espèces pour participer aux expéditions lointaines, en particulier à la croisade. Les moines en profitèrent et arrondirent à bon compte leur domaine en achetant ou en prêtant sur mort-gage. Entre 1090 et 1110 ils consacrèrent à ces opérations avantageuses 900 livres en deniers, 1 livre et 21 onces en or — au moins, car les titres d'acquisition n'ont pas été tous conservés et quelques-uns des prêts, remboursés, n'ont pas non plus laissé de traces[36].

Toutefois, la plus grosse part des nouvelles recettes en monnaie et en métaux précieux ne fut pas capitalisée. « Mieux vaut, disait l'abbé Hugues, dépenser l'or et l'argent que de les garder intacts et tout rutilant[37]. » L'abbé souhaitait employer les ressources nouvelles à réaliser plus parfaitement l'idéal clunisien de charité, de contemplation et de célébration liturgique. Plus riches, les frères devaient s'appliquer davantage à l'*Opus Dei*, se dégager des soucis matériels, vivre plus confortablement encore, pour libérer entièrement leur esprit et consacrer moins de temps aux besognes domestiques et à l'administration du domaine. Plus riches, ils devaient aussi se soucier d'embellir leur sanctuaire et d'offrir un cadre plus magnifique au service de Dieu. Déjà saint Odilon avait été grand bâtisseur ; en 1088, saint Hugues ouvrit le vaste chantier de la nouvelle église[38].

Cette entreprise accrut les dépenses dans des proportions considérables. Pour construire d'un seul jet, en une douzaine d'années, la majeure partie de la basilique (sans parler de nombreuses constructions annexes bâties au même moment, comme les églises des doyennés de Berzé-la-Ville et de Saint-Hippolyte), il fallut beaucoup d'argent. Ne pensons pas, en effet, que l'on pût utiliser la main-d'œuvre domestique, absorbée par ses besognes quotidiennes, ni les services des tenanciers, peu coutumiers des corvées de bras. Le travail des carrières, les grands charrois de pierres et de bois pour les fours à chaux, l'œuvre de maçonnerie réclamaient, sinon des spécialistes, du moins de nombreux tâcherons qu'il fallait payer ou nourrir. Or, le grenier avait déjà peine à ravitailler les réfectoires des moines, des *famuli* et des hôtes. Comme on était fort bien pourvu de numéraire, on prit sans peine l'habitude d'acheter régulièrement au-dehors, non seulement, comme jadis, le vêtement et quelques vivres d'appoint, mais le pain et le vin quotidiens. Ce ne furent pas les produits du domaine qui permirent d'élever la Grande Eglise, mais bien l'or du roi Alphonse qui, selon le vœu exprès du monarque, servit à acheter du blé pour l'entretien des ouvriers. Ainsi, peu à peu, l'abbaye devint un très gros centre d'achat de denrées alimentaires. L'or espagnol, d'abord affecté au vestiaire, fut après 1077 employé *in comparatione tritici* ; depuis lors, la contribution de la seigneurie foncière au ravitaillement de la communauté se réduisit progressivement ; en 1122, le monastère ne tirait plus de ses terres que le quart de ses subsistances et le chambrier, au dire de Pierre le Vénérable, devait dépenser chaque année pour se procurer du vin et du grain une somme énorme, plus de 20 000 sous [39]. Révolution complète : en une génération, la communauté clunisienne abandonna l'économie domaniale pour l'économie monétaire.

Grosse question : ce bouleversement altéra-t-il les méthodes d'exploitation du domaine ? Plus précisément, la multiplication des achats de subsistances provoqua-t-elle le déclin du faire-valoir direct et la réduction de la réserve ? Des textes prouvent que les doyens, gagnés par le souci d'accroître les revenus en argent, acceptèrent de convertir en deniers certains services en travail dus par les dépendants [40]. Mais on ne voit pas que les réserves aient été pour cela loties ; au contraire, les documents témoignent formellement de leur accroissement : vers 1090, le cellérier Hugues de Bissy put acquérir, parcelle après parcelle, tout le finage de Sercy et, rachetant leurs droits aux tenanciers, créer là une nouvelle « grange » [41]. On peut en conclure que le régime domanial ne fut pas foncièrement modifié. Si la contribution de la seigneurie foncière devint en si peu de temps quatre fois moindre, c'est d'abord que le patrimoine fut géré avec plus de négligence (moins surveillés, les prévôts purent retenir une plus large part des revenus qu'ils étaient chargés de percevoir [42] ; les condemines et les clos furent moins bien soignés par des travailleurs moins nombreux et leur rendement s'abaissa) ; c'est surtout que les besoins s'accrurent, les consommateurs devenant à la fois plus exigeants et plus nombreux : à la mort de saint Hugues, le monastère, qui employait dans l'atelier de construction de nombreux ouvriers, abritait plus de quatre cents moines, accueillait chaque jour autant d'hôtes sinon plus, et entretenait des foules d'indigents.

En tout cas, dans les premières années du XIIe siècle, Cluny occupe dans l'économie régionale une position toute nouvelle. Elle va maintenant, pour les répandre autour d'elle, puiser les métaux précieux dans tout le sud du monde chrétien et, en particulier, en Espagne où abondent les pièces d'or arabes. Sans trop en exagérer l'importance, on peut reconnaître là l'un de ces multiples canaux par quoi le métal jaune fut introduit dans le circuit monétaire anémié de la France continentale. Les grosses dépenses du chambrier provoquent autour du monastère une accélération des échanges commerciaux et cette circulation ranimée pénètre tous les compartiments de la société.

L'aristocratie foncière en profite. Vendant leurs terres, empruntant, les chevaliers recueillirent de la monnaie ou du métal qui leur permirent de faire dans leur budget une place plus large au numéraire ;

comme les moines, ils s'accoutumèrent au luxe et à la dépense. Les couches inférieures participèrent également au mouvement. Les besoins permanents en grains et en vin de la communauté stimulèrent la production agricole et les paysans des environs, qui toujours avaient travaillé pour la vente (ne fût-ce que pour réunir les deniers des cens), sollicités désormais par la demande annuelle de douze à quinze cents ânées de froment et de seigle, s'efforcèrent d'y répondre en développant leur production. En retour, ils accueillirent une bonne part des 240 000 deniers qui soldaient chaque année les achats de subsistances. Telle est la cause certaine de la prospérité paysanne qu'attestent les documents et en particulier du maintien de la petite propriété allodiale, si général dans le Mâconnais de cette époque. Ceux-là même qui n'avaient pas assez de terre pour songer à vendre leur récolte, les plus pauvres des manouvriers ou les cadets de familles trop nombreuses, purent, en louant leurs bras sur les chantiers de construction, gagner eux aussi quelques pièces de monnaie.

Mais, de toute évidence, la meilleure part du numéraire que dépensait le chambrier allait finalement remplir les coffres des marchands, soit qu'ils le reçussent directement en paiement de leurs fournitures, soit que l'argent leur parvînt après avoir circulé un moment parmi les autres groupes sociaux qui n'épargnaient guère et dont le pouvoir d'achat s'était accru. Jadis, quelques marchands de passage procuraient seuls au monastère le drap et les épices ; après 1080, l'ampleur croissante des achats les attire plus nombreux, les fixe et fait leur fortune. Parce que leur évêque intervient pour les libérer des exactions d'un châtelain, nous savons que des négociants de Langres viennent tous les ans à Cluny en caravane ; ils ne sont certes pas les seuls ; à la fin du siècle, les moines s'emploient à obtenir pour tous des exemptions de péage[43]. Pendant ce temps, le bourg primitif, simple agglomération, à la porte de l'abbaye, de paysans, de serviteurs et d'indigents, se peuple de marchands et devient une ville. Dans ce pays boisé, à l'écart des grands itinéraires, le seul renom du monastère, ses grands besoins et ses larges ressources l'ont fait naître et en maintiennent la prospérité. En amorçant, en alimentant un circuit monétaire qui parcourt tout le milieu rural avant de converger vers une bourgeoisie florissante, Cluny est un puissant ferment de renaissance économique. On ne saurait négliger la part que prend ainsi cet établissement religieux au réveil, à la fin du XIe siècle, du commerce régional.

3. La crise

Lorsqu'ils se résolurent à faire dépendre l'entretien de leur maison, pour les trois quarts, de revenus en argent dont les sources étaient si diverses et parfois si lointaines — et à dépenser en achats de toutes sortes des sommes énormes relativement à la masse de numéraire alors en circulation, les administrateurs du temporel s'engageaient dans une voie fort aventureuse. En fait, après quelques années d'euphorie, où la communauté s'accoutuma à une existence plus facile, où les plus grands projets furent conçus et leur réalisation entreprise —, le moment vint où l'argent manqua dans la caisse du chambrier et les vivres dans les greniers. De cette crise, tâchons de découvrir les causes.

Ses premières manifestations apparurent avant la mort de saint Hugues (1109) : le pain, de temps à autre, commença de manquer au réfectoire [44]. Petites alertes rapidement conjurées : elles ne semblent pas avoir causé de soucis. C'est seulement vers 1125, peu après l'avènement de Pierre le Vénérable, que, le malaise devenant chronique, les moines prirent conscience de sa gravité. Or à ce moment la vie de la communauté venait d'être gravement troublée : Pons de Melgueil, le prédécesseur de Pierre, après s'être démis de ses fonctions, s'était un moment réinstallé de force sur le siège abbatial; pour y parvenir il avait engagé des mercenaires, qu'il solda avec l'or du trésor [45]. Surpris par le manque d'argent, tous les frères, et Pierre le Vénérable le premier, se persuadèrent que la crise avait été directement provoquée par ce désordre. Devons-nous le penser nous aussi? Certes les réserves en métaux précieux de l'abbaye furent largement amputées durant les troubles — mais les sources mêmes des revenus ne furent pas affectées. Les causes profondes de la crise sont, en réalité, d'ordre économique : le budget domestique de l'abbaye avait été progressivement placé dans un équilibre de plus en plus fragile; seul un exceptionnel concours de circonstances l'assurait; il était à la merci, soit d'un ralentissement dans l'apport du numéraire, soit d'un imprévisible mouvement des prix.

Au premier examen, c'est bien une diminution des ressources en argent qui paraît à l'origine du déséquilibre budgétaire. Avec le XIIe siècle, pour des motifs à la fois économiques et politiques, beaucoup d'anciens revenus tarissent. L'ordre commence à perdre de sa cohésion et certaines filiales acquittent mal leurs redevances. Le trouble croissant qui agite l'Occident, les compétitions entre les principautés rivales rendent plus difficiles le mouvement des fonds[46]. Les aumônes enfin se font plus rares. Les grands princes, engagés dans des entreprises de plus grande envergure, ont maintenant de pressants besoins d'argent et (Pierre le Vénérable le remarque avec tristesse) s'ils montrent à Cluny autant d'amitié que leurs ancêtres, ils sont beaucoup moins généreux[47]. Ils ont peine à assurer le service des rentes « perpétuelles » qu'avaient, un peu légèrement, fondées leurs prédécesseurs; ils rechignent aux échéances et, pour en finir avec ce souci permanent, ils préfèrent se libérer d'un coup en donnant des terres. Ainsi le roi de Castille, en 1142, réduit à 200 marabotins le cens en or constitué par son grand-père et convertit le surplus en une riche donation foncière qui permit de fonder en Espagne un nouveau prieuré; Cluny, qui depuis plusieurs années ne recevait plus rien du tout, se prêta à cette combinaison pour ne pas tout perdre; elle privait pourtant les finances de l'abbaye de ressources précieuses[48].

Cependant, il faut le reconnaître : ces pertes furent compensées dans une large mesure par l'acquisition de nouveaux revenus. En Espagne d'autres monastères réunis à l'ordre furent chargés de cens en or et en argent[49]. A ce moment, le nord-ouest de l'Occident s'ouvrait plus largement à l'influence clunisienne. Désormais — et ce déplacement n'est pas sans jeter quelques lumières sur l'évolution générale de l'économie occidentale — ce sont les pays de la Manche et surtout l'Angleterre, où la famille royale se montrera particulièrement généreuse, qui fourniront à l'abbaye les plus grosses masses de métaux précieux (argent, il est vrai, et non plus or). Henri Ier d'Angleterre, après Alphonse VI de Castille, sera tenu pour le « constructeur » de la basilique[50]. Avec le XIIe siècle également, une nouvelle source de numéraire surgit : soucieux de leur salut, les marchands enrichis du bourg de Cluny commencent à léguer au monastère une part de leur trésor et à lui restituer un peu des bénéfices faits à ses dépens[51]. Enfin, il faut tenir compte des recettes supplémentaires que valut au chambrier la conversion en deniers de certains services en travail exigés des dépendants de l'abbaye. En définitive, les revenus en espèces restèrent sans doute à peu près stables. En tout cas, il n'est pas possible de soutenir qu'ils se soient réduits au point de déclencher la crise.

Les difficultés provinrent sans doute d'une augmentation des dépenses. En vérité, on ne voit pas que les besoins matériels de la communauté se soient encore accrus après 1125 ; la hausse du niveau de vie, l'extension du nombre des moines étaient réalisées à l'entrée du XIIe siècle. Mais pour satisfaire ces mêmes besoins il fallait maintenant plus d'argent. Bien que nos documents, mal faits d'ailleurs pour nous éclairer sur ces matières, n'en fournissent pas une preuve éclatante, on peut admettre que les dépenses de l'abbaye, qui répandait abondamment autour d'elle l'or, l'argent et les deniers, déterminèrent dès le début du XIIe siècle l'avilissement de ces espèces ; on peut admettre que le vin et les céréales, absorbés par le très gros marché qu'était devenu le monastère, enchérirent sensiblement. Dès lors, le même nombre de deniers produits par la seigneurie, la même masse de métal fournie par les aumônes ne permettaient plus que de moindres achats. Or une hausse même légère suffisait à rompre l'équilibre du budget. Etablissons, très approximativement, le bilan de l'exercice annuel à la fin de l'abbatiat de saint Hugues : 50 livres environ étaient, bon an mal an, employées à des acquisitions foncières et à des prêts sur gages ; il en fallait plus de 1 000 pour se procurer le blé et le vin ; 300 livres au moins étaient encore consacrées aux *exteriora*. Or, pour autant qu'on puisse les évaluer, les rentrées atteignaient difficilement cette somme. Même s'il s'interdisait de prêter aux laïcs et d'accroître le domaine, le chambrier côtoyait le déficit. A notre sens, ce fut l'enchérissement des denrées agricoles qui l'y précipita. Pour le combler restait seulement ce que l'abbé Pons avait laissé du trésor, et les possibilités d'un domaine foncier laissé à l'abandon. Aussi, à partir de 1125, les moines durent-ils se restreindre, manger du mauvais pain, boire du vin coupé d'eau [52], et l'abbé vécut désormais dans les soucis.

Le soin de résoudre la crise revint à Pierre le Vénérable. C'était un lettré de médiocre santé, fait pour la contemplation paisible et les commerces de l'esprit, et qui n'avait pas de talent particulier pour l'administration. Il souffrit de se débattre au milieu des difficultés financières qui l'assaillirent dès son avènement et, quelle que fût l'élévation de son âme, ce déchirement n'alla pas sans une certaine amertume que l'on sent percer dans les plus familières de ses lettres [53]. Pourtant, il se donna tout entier à sa tâche et entreprit d'assainir l'économie de sa maison. Réduire les dépenses, les limiter à l'achat des anciens *exteriora*, et pour cela tirer davantage du domaine, son dessein fut de revenir aux pratiques économiques de la première partie du XIe siècle.

Il importait d'abord de réprimer la tendance au luxe que l'abondance avait installée. En 1132, Pierre le Vénérable promulgua de nouveaux statuts, interdisant en particulier l'usage de vêtements trop coûteux, réduisant le luminaire et le nombre des solennités, remplaçant certains domestiques laïcs par des frères illettrés, les *converti barbati*, qui n'avaient pas leur emploi au chœur ou dans les *scriptoria* et qui pouvaient à moindres frais remplir les tâches ménagères[54]. Cependant l'abbé ne pouvait pousser trop loin cette réduction du train de vie : il risquait, par des restrictions trop brutales, de soulever le mécontentement des moines. La crise à ses débuts avait déjà engendré au sein de la communauté un malaise qui peut-être ne fut pas étranger au retour tumultueux de Pons de Melgueil ; nous savons, d'autre part, que la réforme des statuts, pourtant très prudente, fut accueillie par des murmures et que certains frères reprochèrent à l'abbé de mépriser les intentions de ses prédécesseurs[55]. En fait, Pierre le Vénérable fut retenu bien davantage par la volonté de rester fidèle à la tradition clunisienne ; il ne pouvait trahir saint Hugues. Aussi, s'il épargna, ce fut seulement sur le superflu et, ne songeant nullement à suivre les cisterciens dans la voie de l'austérité, il ne sacrifia rien du confort. Dans le plan d'administration qu'il établit en 1148, d'importants revenus étaient affectés à l'achat du vêtement, de la chaussure et à la confection des mets supplémentaires servis au réfectoire les jours de fête[56]. La ration de pain quotidienne fut augmentée, sa qualité améliorée, le dortoir et l'infirmerie agrandis[57]. Enfin, Pierre ne ferma pas le chantier de la Grande Eglise ; il répara la nef effondrée en 1125 et acheva la construction. Mais il laissa tomber en décadence le brillant atelier de sculpture qui, au début du siècle, avait orné la basilique de chefs-d'œuvre[58].

Dans ces conditions, pour combler le déficit sans modifier de fond en comble les règles de la vie monastique, les économies devaient porter principalement sur les gros achats de grain et de vin ; il fallait que le chambrier n'eût plus à leur sacrifier tous les ans 20 000 sous ; il fallait, par conséquent, développer la production domaniale. Ce fut le grand projet de Pierre le Vénérable et les efforts qu'il déploya pour le réaliser sont relatés en détail dans la *Dispositio rei familiaris* de

1148. Il commença par répartir entre les doyennés les plus proches le service du ravitaillement ; chacun d'eux à tour de rôle devait satisfaire tous les besoins de la communauté pendant une certaine période de l'année, quinze jours, trois semaines, un mois, deux mois, selon son importance[59]. Mais pour que ces seigneuries foncières pussent suffire à cette tâche, leur rendement devait être accru. Or, on ne pouvait exiger davantage des tenures, le taux des redevances étant fixé par la coutume. C'était donc l'exploitation de la réserve qu'il importait d'améliorer. Chaque doyenné fut donc spécialisé dans les cultures qui convenaient au sol et au climat local ; on reconstitua le cheptel bovin pour munir les valets des charrues nécessaires à la mise en valeur de toutes les condemines ; on passa avec des paysans voisins des contrats de labourage ; enfin on planta des vignes nouvelles (c'était le vin surtout qui manquait)[60]. Dans la *Dispositio* est inscrit tout un programme de reconstruction domaniale et Pierre le Vénérable affecta à cette œuvre certaines recettes en numéraire et en particulier les gros cens d'Angleterre[61] : l'argent devait payer des salariés employés dans le vignoble. Ainsi la réforme économique de l'abbé de Cluny est fondée sur un perfectionnement du faire-valoir direct. Cette réaction d'un grand seigneur du XIIe siècle devant la pénurie de monnaie surprendra peut-être certains historiens de l'économie rurale ; le fait du moins pose un problème : le parti qu'adopta l'abbé Pierre est-il vraiment original ? Quoi qu'on en ait dit, les grands seigneurs fonciers de son temps n'étaient-ils pas, comme lui, fort attachés à leur réserve ?

Les premiers résultats de cette entreprise se mesurent dans l'inventaire que fit dresser l'évêque de Winchester en 1155, sept ans après la rédaction de la *Dispositio*. L'enquête, une fois de plus, porte sur la réserve : c'est son état qui préoccupe d'abord les administrateurs. A cette date, elle est loin d'être en plein rendement. Partout les visiteurs notent des améliorations désirables : les bœufs et, par conséquent, les trains de charrues sont trop peu nombreux ;

l'argent manque pour l'entretien des vignes ; les frais d'exploitation absorbent une trop large part des profits[62]. Pourtant, il faut bien le souligner, la réserve produit alors sensiblement plus de grains que les innombrables tenures[63]. La seigneurie foncière semble déjà en état de ravitailler le monastère en froment, en seigle et en avoine. Par contre, la reconstitution d'un vignoble étant plus lente, le vin paraît manquer toujours. Il faut l'acheter et de ce fait le budget reste en déséquilibre.

L'œuvre était de longue haleine. En attendant qu'elle fût achevée, Pierre le Vénérable dut s'évertuer à rassembler par tous les moyens les deniers nécessaires aux dépenses. Malgré ses répugnances, il fut obligé d'emprunter au jour le jour. Pour le faire, l'abbaye était en bonne posture : elle profitait d'abord de son prestige spirituel et de ses relations lointaines, puis de l'autorité politique qu'elle exerçait sur les marchands du bourg. Elle disposait surtout d'une belle quantité d'or, débris du vieux trésor et produit de quelques cens espagnols : ce métal rare tentait tous ceux qui possédaient des pièces de mauvais alliage et, sur une telle garantie, ils les prêtaient volontiers à court terme. L'abbé eut recours d'abord aux Juifs de Mâcon dont l'antique communauté était toujours prospère et leur remit en gage des objets précieux de la sacristie, les plaques d'or en particulier qui recouvraient un crucifix[64]. Mais il s'adressa de préférence à des financiers chrétiens et plus précisément à ces négociants de Cluny qui avaient recueilli la majeure partie de l'argent que répandait le monastère. Nous avons conservé le texte d'un accord conclu vers 1130 entre l'abbé et Pierre de Montmin, l'un de ces bourgeois. Aux termes de ce contrat, Pierre le Vénérable reconnaît devoir 110 onces d'or au marchand, chaque once valant alors 36 sous de Cluny ; il s'engage à les rembourser l'année suivante et la lettre est souscrite par les principaux trafiquants de la ville[65]. A vrai dire, on s'explique mal que l'abbé de Cluny ait emprunté de l'or et l'on peut se demander si ce contrat ne masque pas une autre opération. Pierre de Montmin n'a-t-il pas plutôt avancé au monastère les pièces locales nécessaires aux achats journaliers de denrées agricoles ? Exigeant d'être payé en métal jaune, il convertit des espèces viles en valeurs beaucoup plus commodes pour les affaires qu'il traite avec des marchands étrangers ; l'évaluation de l'once d'or en deniers de Cluny dans la lettre d'emprunt appuie cette hypothèse. En tout cas, si ce document est le seul de cette nature qui subsiste dans les archives clunisiennes, on a tout lieu de croire que l'abbé et ses auxiliaires se livrèrent à d'autres opérations analogues. En 1149, en effet, les dettes du monastère étaient évaluées à plus de 2 000 marcs d'argent[66].

Pierre le Vénérable reçut alors l'aide d'un nouveau prêteur, l'évêque de Winchester, Henri de Blois[67]. Ce frère du roi Etienne, ancien légat d'Innocent II, avait été étroitement mêlé aux intrigues politiques qui agitèrent l'Angleterre pendant le second quart du XIIe siècle. Après l'échec de « l'impératrice » Mathilde, qu'il avait soutenue, il s'était prudemment transporté sur le continent ; au retour d'un voyage à Rome, il s'arrêta à Cluny où il avait jadis fait profession et qu'il avait comblé d'aumônes, comme tous les membres de son lignage. Il apprit alors que les moines s'apprêtaient à dépouiller de son revêtement d'or une croix qu'il avait offerte autrefois. Pressés par les créanciers, ils sacrifiaient les derniers restes du trésor et comptaient sans doute rembourser avec les 500 onces de métal ainsi recueillies des emprunts analogues à celui que nous avons mentionné tout à l'heure. Peut-être même s'étaient-ils déjà livrés à cette manœuvre. Voyant leur détresse, l'évêque voulut bien autoriser l'opération ; il mit de plus à leur disposition l'importante réserve de monnaie et de métaux précieux qu'il transportait avec lui. Geste charitable, mais aussi placement prudent et profitable. Sur le point de retourner en Angleterre pour reprendre son activité politique, incertain de l'accueil qu'il trouverait auprès du nouveau roi Henri II, le prélat laissait à l'abri son capital mobilier ; de plus, prêtant des valeurs diverses et, semble-t-il, de l'argent surtout, il entendait lui aussi être remboursé intégralement en or fin ; enfin si, pendant dix années consécutives, les moines, dans l'octave de Pâques, ne versaient pas 100 onces d'or à l'évêque et s'ils n'en consacraient pas 60 autres à la restauration de la croix, 21 bourgeois de Cluny choisis parmi les plus riches promettaient de s'enfermer dans le cloître et de n'en pas sortir avant l'exécution du contrat ; par là ils s'engageaient à contribuer en cas de besoin aux paiements[68]. Ce dépôt venait à point : il permit à l'abbé Pierre d'attendre la rentrée des cens espagnols et, en engageant pour dix ans les revenus en or de sa maison, de se libérer des dettes les plus criardes. Son habile investissement valut donc à Henri de Blois de figurer au premier rang des bienfaiteurs de l'abbaye, aux côtés de ses ancêtres et de ses cousins les rois d'Angleterre. D'ailleurs, en 1155, en difficulté avec Henri II, l'évêque de Winchester quitta de nouveau son siège et, emportant son trésor, vint se réfugier à Cluny. Renonçant désormais à ses ambitions terrestres pour préparer son salut, il remit certainement leur dette à ses frères les moines et employa encore 7 000 marcs d'argent à rembourser les nouveaux emprunts que depuis 1149 Pierre le Vénérable n'avait pu s'empêcher de contracter[69]. C'est alors qu'il s'associa aux efforts de l'abbé pour assainir l'économie domestique en développant la production du domaine et fit rédiger à cette fin la *Constitutio expense*.

Ainsi, à partir de 1125, la crise, provoquée par l'avilissement des espèces et par la hausse des prix agricoles, obligea les administrateurs du temporel clunisien à fonder délibérément sur le crédit l'économie domestique. Malgré les efforts de Pierre le Vénérable pour la faire reposer, comme autrefois, sur l'exploitation de la seigneurie foncière et essentiellement de la réserve domaniale, le chambrier, obligé de satisfaire des besoins que l'on ne pouvait ni ne voulait restreindre, dut dépenser plus qu'il n'encaissait. Il dut souscrire au jour le jour des emprunts de consommation gagés pour la plupart sur les revenus en or. Ainsi le monastère peut-il continuer de répandre à profusion autour de lui les métaux précieux et l'argent monnayé, et d'entretenir les échanges. Mais cette circulation était désormais alimentée par l'épargne des marchands, fournisseurs de l'abbaye, qui lui prêtaient avec usure des deniers qu'elle allait bientôt dépenser chez eux. Au XIIe siècle, le temps des financiers laïcs commence.

*

Ainsi, en quatre-vingts ans, l'économie domestique de l'abbaye de Cluny passe par trois phases successives.

Jusqu'en 1080, elle repose presque tout entière sur l'exploitation d'un très vaste domaine foncier, dont la réserve, mise en valeur par des serviteurs prébendiers, constitue la portion la plus profitable. Le monastère ne vit pourtant pas en économie fermée ; le chambrier achète certaines denrées à des marchands de passage et supplée de temps à autre aux insuffisances de la production seigneuriale grâce aux deniers que lui procurent la perception des cens et des taxes et la vente de certaines récoltes. Avant la révolution économique, les administrateurs de la seigneurie clunisienne font donc couramment usage de la monnaie.

Dans les dernières années du XIe siècle, les aumônes et les redevances exigées des maisons de l'ordre fournissent au chambrier un tel surcroît de ressources en métaux précieux que la gestion financière de l'abbaye se transforme radicalement : on peut dépenser beaucoup plus, on bâtit, on décore, le niveau de vie s'élève dans le cloître ; de plus, on néglige le domaine. Mal surveillé, son rendement diminue rapidement ; peu importe : l'argent permet d'acheter au-dehors la plupart des subsistances. La communauté ne vit plus de la terre, mais de ses revenus en espèces.

Vers 1125 enfin, la dépréciation de la monnaie, provoquée dans une large mesure par les dépenses du chambrier, ramène les disponibilités financières de l'abbaye à leur médiocrité première. C'est la crise. Il faut revenir à l'exploitation du domaine. Pierre le

Vénérable s'efforce d'en accroître les profits en perfectionnant la mise en valeur de la réserve. Cependant les moines ne peuvent se résoudre à reprendre l'existence frugale que la production domaniale leur permettrait seule de mener et dont se contentaient, un demi-siècle plus tôt, leurs devanciers. Ils trouvent dans l'emprunt de consommation un moyen facile de maintenir artificiellement leur aisance. Ils s'endettent de plus en plus.

Telle est, dans l'économie clunisienne, la place qui revient à la monnaie. En ce qui concerne la structure même du domaine, on notera qu'elle ne fut pas sensiblement modifiée par la renaissance de l'économie monétaire : en 1150, Pierre le Vénérable applique les mêmes méthodes que saint Odilon et voit dans une extension du faire-valoir direct le remède à ses embarras. L'exemple clunisien montre que tous les possesseurs fonciers n'ont pas loti leur réserve au XIIe siècle, pour devenir rentiers du sol. Il montre aussi que les seigneurs ont tendance à se détacher de la terre quand l'argent leur parvient facilement. L'exploitation de réserves étendues prévaut en période de contraction économique, soit (c'est le cas avant 1080) quand l'argent est généralement rare, soit (c'est le cas après 1120) quand le maître est personnellement gêné.

Quant à la crise dont souffrent les finances abbatiales au XIIe siècle, elle paraît avoir pour cause principale une élévation prématurée du niveau de vie. Il reste à vérifier si ce cas est exceptionnel ou si, d'une manière générale, les difficultés que connaissent alors beaucoup de grands seigneurs fonciers ne proviennent pas d'un déséquilibre entre les profits forcément limités de l'exploitation rurale et les besoins nouveaux introduits, vers la fin du XIe siècle, par la renaissance du commerce occidental, l'accélération brusque de la circulation monétaire et la flambée de prospérité qui suivit immédiatement ce phénomène.

9

UN INVENTAIRE DES PROFITS DE LA SEIGNEURIE CLUNISIENNE A LA MORT DE PIERRE LE VÉNÉRABLE*

Lorsque Pierre le Vénérable fut appelé à diriger la communauté clunisienne, celle-ci était en proie à de sérieuses difficultés économiques. Après une période de grande aisance, des dépenses excessives, une gestion moins attentive du domaine qui entraîna une baisse de la production avaient rendu difficile et irrégulier l'approvisionnement de l'abbaye [1]. Pour préserver la santé spirituelle de la famille monastique, il importait de toute urgence de réformer l'administration du temporel, de l'adapter aux conditions nouvelles et, en particulier, à l'intensité croissante de la circulation monétaire. L'abbé Pierre, jusqu'à sa mort, se préoccupa de résoudre ce problème [2], et le fragment d'enquête intitulé *Constitutio expense cluniaci* [3] peut être considéré comme le dernier témoignage de son activité d'administrateur.

A vrai dire, le texte même de l'enquête indique que celle-ci fut entreprise non pas par Pierre le Vénérable lui-même, mais par l'évêque de Winchester, Henri de Blois. On sait l'attachement que ce grand prélat, frère du roi d'Angleterre Etienne, témoigna à l'abbaye de Cluny ; il y fit en particulier deux séjours, en 1149 et en 1155-1156, et cet homme d'action qui arrivait avec un gros trésor en numéraire et en métaux précieux, et,

* Texte publié dans *Studia Anselmiana* n° 40, 1956, pp. 129-140.

1. Voir note 1 et suivantes pp. 258-259.

en outre, l'expérience administrative d'un grand seigneur de la campagne anglaise, vint en aide à l'abbé vieillissant ; il lui apporta d'abord, à deux reprises, un important secours financier qui permit de rembourser une bonne part des dettes de l'abbaye[4] ; il le guida également dans ses tentatives pour réorganiser la gestion domaniale. A cette fin, il voulut posséder un état détaillé des ressources seigneuriales et fit entreprendre l'enquête qui nous occupe. La *Constitutio expense,* qui n'est pas datée, fut donc établie pendant l'un des deux séjours de l'évêque. Deux faits inciteraient à la situer à la fin du deuxième séjour et au voisinage de la mort de l'abbé Pierre, qui survint le 25 décembre 1156. L'enquête en effet fut menée en hiver, alors que le froment et le seigle étaient déjà semés et que l'on prévoyait seulement les semailles du Carême (c'est à cette époque de l'année que d'ailleurs avait lieu normalement la tournée du grand prieur dans les seigneuries dépendantes pour contrôler les profits et décider de l'affectation des surplus)[5] ; d'autre part, on peut penser qu'elle fut interrompue : la description du domaine telle qu'elle apparaît dans le texte transcrit sur le cartulaire[6] est, en effet, partielle sans raison apparente ; et cette interruption pourrait s'expliquer par la mort de Pierre le Vénérable et le départ d'Henri de Blois. Toutefois, ces indices ne sont pas absolument décisifs.

En revanche le but de cette enquête apparaît nettement. Précédée d'une évaluation des besoins de la communauté en céréales panifiables, elle n'était pas destinée, comme celles qui aboutissaient à la rédaction des censiers ou des coutumiers, à préciser les obligations des tenanciers et des dépendants, et à servir d'instrument de référence en cas de contestations ultérieures, mais à favoriser un meilleur approvisionnement de l'abbaye en denrées alimentaires. Parvenir à tirer du domaine l'essentiel de la provende afin d'équilibrer ressources et dépenses en numéraire : tel avait été le souci constant de Pierre le Vénérable. Dans ce dessein, il s'était appliqué à répartir le ravitaillement entre les diverses exploitations seigneuriales autonomes, entre les vingt-trois doyennés[7] (*decaniae*, comme on les désigne dans la *Constitutio*) qui constituaient le temporel du monastère. Spécialiser certains d'entre eux en fonction des aptitudes naturelles dans une production particulière et les charger entièrement de l'approvisionnement de certains services domestiques (c'est ainsi que le doyenné de Mazille était entièrement affecté à l'écurie des hôtes qu'il devait pourvoir d'avoine), établir un roulement entre les autres, chacun étant astreint à ravitailler les réfectoires pendant une certaine période plus ou moins longue, proportionnée à ses possibilités, selon le système du « mésage » *(mesagium, mesaticum)* assez communément employé dans les règlements d'économie monastique de cette époque. Mais il était difficile d'établir une répartition équitable ; après plusieurs remaniements[8], Pierre le Vénérable n'y était pas encore parvenu dans les dernières années de son administration, et c'est pour améliorer l'ultime aménagement datant de 1148 qu'un inventaire, précisant dans le détail les profits de chaque unité seigneuriale, fut entrepris.

L'intention rend compte de la méthode que suivirent les enquêteurs : ils disposèrent leur description doyenné par doyenné. Telle qu'elle se présente à nous, l'enquête, nous l'avons dit, est incomplète. Le fut-elle effectivement ? Ou bien seul l'enregistrement de ses résultats sur le cartulaire fut-il partiel ? Quoi qu'il en soit, douze rapports seulement subsistent. Ils sont rangés dans un ordre qui, peut-être, est celui où ils furent établis — ce qui dans ce cas impliquerait que les enquêteurs, répartis peut-être en équipes distinctes, suivirent quatre itinéraires différents —, mais il se peut tout aussi bien que les rapports aient été arbitrairement classés par le scribe lors de leur transcription définitive. En tout cas, ils ont été dressés selon un plan uniforme, à l'exception de deux d'entre eux.

1. Celui qui concerne le doyenné de Cluny, et dont la disposition particulière doit être mise en rapport avec l'originalité même de ce centre seigneurial, où l'exploitation directe n'était pas pratiquée et qui valait

Doyennés *	Redevances **						
	Numéraire			Nature (en setiers)			
	L.	s.	d.	Froment	Seigle	Avoine	Vin
Cluny	90	—	—	20	—	7	—
Laizé (ca. Mâcon-Nord)	16	17	—	17	—	25	1
Beaumont-sur-Grosne (ca. Sennecey)	7	19	—	37	—	81	180
Malay (ca. Saint-Gengoux)	7	—	—	28	—	58	—
Saint-Hippolyte (ca. Saint-Gengoux, co. Bonnay)	18	—	—	25	—	21	61
Saint-Martin-des-Vignes (ca. et co. Mâcon-Nord)	12	4	3	14	—	2	79
Berzé-la-Ville (ca. Mâcon-Nord)	2	16	—	24	—	18	100
Saint-Gengoux	3	16	2	25	—	30	3,
Lourdon (ca. Cluny, co. Lournand)	47	16	8	23	—	60	10
Arpayé (Rhône, ca. Beaujeu, co. Fleurie)	8	—	—	30	14	51	97
Chaveyriat (Ain, (ca. Châtillon-sur-Chalaronne)	18	16	5	53	7	44	130
Montberthoud (Ain, ca. Saint-Trivier-sur-Moignans, co. Savigneux)	31	3	7	17	9	12	35

* On a indiqué entre parenthèses le département, lorsque la localité n'est pa

** Toutes les quantités indiquées par l'inventaire ont été converties en setiers à l
setier et les autres mesures de capacité.

Profits						
Eglises			Moulins		Fours	
Nombre	Numéraire	Nature (en setiers grains)	Nombre	Profit	Nombre	Profit
—	—	—	1	20 setiers grains	—	—
1	50 s.	50	5	—	1	—
4	55 s.	49	4	entretien du personnel domestique	—	—
2	—	14	1	4 setiers grains	—	—
1	—	18	9	115 setiers grains	1	—
5	70 s.	40	1	3 setiers grains	—	—
1	8 s.	20	1	1 setier grains	—	—
4	4 s.	36	9	52 setiers grains	2	12 setiers grains
5	—	162	2	24 setiers grains	—	—
3	5 s.	46	3	27 setiers grains	—	—
4	20 s.	70	1	4 setiers grains	2	10 setiers grains
8	57 s.	360	3	10 s./s. 2 setiers grains 2 setiers vin 2 porcs	1	5 s.

située dans celui de Saône-et-Loire, et, s'il y a lieu, le canton et la commune.
mesure de Cluny, selon les équivalences fournies par le document lui-même entre ce

Doyennés	Main-d'œuvre				
	Faucheurs de corvée	Charrues de corvée		Chevaux	Ânes
		Nombre	Service		
Cluny	—	—		—	—
Laizé (ca. Mâcon-Nord)	—	—		—	—
Beaumont-sur-Grosne (ca. Sennecey)	—	20	3 labours	—	—
Malay (ca. Saint-Gengoux)	—	2	—	—	—
Saint-Hippolyte (ca. Saint-Gengoux, co. Bonnay)	—	—	—	—	3
Saint-Martin-des-Vignes (ca. et co. Mâcon-Nord)	—	—	—	—	—
Berzé-la-Ville (ca. Mâcon-Nord)	91	7	2 labours	1	3
Saint-Gengoux	18	20	3 labours	—	—
Lourdon (ca. Cluny, co. Lournand)	250	40	4 labours charroi	—	—
Arpayé (Rhône, ca. Beaujeu, co. Fleurie)	—	40	1 labour	—	1
Chaveyriat (Ain, ca. Châtillon-sur-Chalaronne)	—	12	2 labours	—	—
Montberthoud (Ain, ca. Saint-Trivier-sur-Moignans, co. Savigneux)	48	—	2 labours 3 charrois	—	2

*** Au-dessous du chiffre réel est indiqué, précédé du signe +, le chiffre
**** Les chiffres suivis d'un astérisque indiquent, non la récolte réelle, mais celle

Réserve								
Cheptel ***				Production (en setiers) ****				
Bœufs	Vaches et veaux	Porcs	Moutons	Froment	Seigle	Orge	Avoine	Vin
—	—	—	—	—	—	—	—	—
—	—	—	—	—	—	—	—	—
14 (+ 28)	18	18	—	—	—	—	—	64
12	8 (+ 1)	18	—	50	—	50	—	32
30 (+ 6)	—	19	—	240	—	107	—	192
4 (+ 2)	4	—	—	46	10	20	—	320
12 (+ 1)	5 (+ 5)	18	40	52	—	—	—	320 *
5 (+ 7)	0 (+ 7)	—	—	—	—	—	—	160 *
24 (+ 6)	28	35	—	—	—	—	—	960 *
7 (+ 7)	0 (+ 10)	—	17 (+ 200)	—	—	—	—	240 *
18	—	—	400		300 *		—	320 *
19 (+ 5)	5 (+ 15)	2 (+ 40)	110	50 *	270	—	—	480 *

d'accroissement possible indiqué par les enquêteurs.
que les enquêteurs prévoient « en bonne année ».

essentiellement à la communauté des revenus en numéraire, produit des cens et des taxes seigneuriales perçues dans le bourg ou de la vente sur pied des raisins et du foin dans les clos et les breuils voisins du monastère.

2. Celui qui concerne le doyenné de Laizé, beaucoup plus bref et dépourvu de toute description de la réserve domaniale. Mais ce rapport est placé en tête de la série et si ce fut vraiment le premier rédigé, on peut le tenir pour un essai imparfait, tenté alors que les enquêteurs n'avaient pas encore mis au point leur méthode d'investigation. Du moins les dix autres rapports présentent-ils, sauf quelques divergences de détail, une disposition identique et furent visiblement établis d'après le même questionnaire.

Leurs auteurs ont enregistré en premier lieu le montant global des cens, redevances et services divers, en argent d'abord, en nature ensuite, perçus dans le doyenné — puis le profit annuel tiré des églises, des moulins et des fours. Cet état des revenus fixes est suivi d'une description détaillée des aptitudes de la réserve domaniale : état actuel du cheptel, avec évaluation des accroissements possibles et souhaitables, rapport des vignes, des prés et des champs (dans les inventaires dressés avec le plus de soin on a noté la quantité des grains semés à l'automne, celle qui est réservée pour les emblavures du Carême, celle enfin qui a été récoltée aux moissons de l'année précédente) — estimation du surcroît de profits que l'on est en droit d'espérer, les méthodes d'exploitation devant être améliorées et les conditions climatiques ayant été, cette année-là, très défavorables. L'inventaire fournit en outre quelques indications sur la main-d'œuvre : état des services en travail dus par les paysans dépendants, prévision des dépenses nécessaires pour l'embauche de travailleurs salariés. Face à ces éléments positifs sont enfin établies les charges actuelles de l'exploitation décanale à l'égard de l'abbaye, fournitures en produits du sol, dettes en deniers. Chaque rapport se termine par la récapitulation des profits.

A l'inverse des censiers et des coutumiers, une

enquête de cette nature ne fournit donc pas de renseignement sur le nombre des tenanciers ni sur les obligations de chacun, et ne permet pas, par conséquent, de préciser les relations entre seigneur et paysans. Elle n'apprend rien sur l'étendue de la réserve et des tenures, ni sur leur position dans le terroir. En revanche elle renferme de précieuses indications sur les profits respectifs des divers éléments de la seigneurie foncière et sur certaines méthodes appliquées à la mise en valeur de la réserve domaniale.

Redevances fixes — églises, moulins et fours —, production de la réserve : ainsi sont classés les différents revenus notés par les enquêteurs. En ce qui concerne la première section, on remarquera d'abord que les redevances procurent au seigneur à la fois des deniers et des produits agricoles, mais que la proportion des prestations en nature est comparativement fort importante. Les onze doyennés ruraux décrits dans l'inventaire (je mets à part celui de Cluny, qui participe d'une économie différente, de type urbain) fournissent en effet, outre 174 livres en deniers, 293 setiers de froment, 30 setiers de seigle, 419 setiers d'avoine, 689 setiers de vin. Or si l'on essaie, en se référant à des ventes conclues quelques années plus tôt dans le doyenné de Montberthoud[9] et qui ont par hasard laissé des traces dans les archives de l'abbaye, d'estimer la valeur en deniers des redevances en nature (il ne saurait s'agir évidemment que d'une estimation très approximative, mais il importe surtout de fixer un ordre de grandeur), on voit que le froment et le seigle livrés représentent à eux seuls au moins 70 livres ; pour le vin et l'avoine, nous manquons d'élément d'estimation mais ces denrées, dont le prix n'est pas d'ordinaire sensiblement inférieur à celui des blés d'hiver, sont en quantités beaucoup plus importantes. Aussi tout conduit à affirmer que, dans les redevances que l'abbaye de Cluny exigeait au milieu du XIIe siècle de ses tenanciers, les fournitures en produits du sol avaient nettement plus de valeur que les prestations en numéraire. On notera d'autre part que les livraisons enregistrées dans l'inventaire — mis à part quelques redevances accessoires en produits de basse-cour et (celles-ci très rares) en porcs ou en viande de mouton — portent avant tout sur du vin, de l'avoine et du froment (les fournitures en seigle sont exceptionnelles et proviennent toutes des trois doyennés des basses plaines de la Saône, Arpayé, Chaveyriat, Montberthoud, situés sur les terres froides où, même dans les champs du seigneur, le froment vient mal). Il s'agit là de productions dont le seigneur fait, en raison de son genre de vie, normalement plus grande consommation que le paysan producteur. Dernière remarque : une part notable des redevances est absorbée par les frais de perception. Souvent en effet, le maître doit offrir un repas aux dépendants qui viennent s'acquitter de leurs charges ; ceux-ci, à Lourdon, mangent 110 des 150 pains de froment qu'ils viennent d'apporter, tandis que le doyen de Berzé dépense pour ce repas coutumier 10 des 78 sous qui lui sont dus.

Eglises, moulins et fours sont inventoriés ensemble. Ces éléments du patrimoine foncier présentent en effet, du point de vue économique, des caractères communs : leur revenu est variable car il est constitué par le produit de taxes perçues sur les usagers, qu'il s'agisse des offrandes — très soigneusement tarifées — apportées par les paroissiens lors des fêtes religieuses, des droits de sépulture, des dîmes, ou de la part de grains que prélève le meunier. Par ailleurs la gestion de ces établissements est assurée d'ordinaire par un intermédiaire qui retient une part des profits. Les moulins sont parfois affermés (certains, comme ceux de Montberthoud, sont de véritables tenures), mais, plus souvent semble-t-il, ils sont confiés au meunier en échange de la moitié ou des deux tiers des céréales perçues ; de même le desservant de l'église reçoit d'ordinaire la moitié des offrandes et des droits de sépulture, le seigneur percevant intégralement la dîme. De ces parties de son domaine, le maître retire relativement peu d'argent (moins de 15 livres pour les onze doyennés), très peu de vin et pas d'avoine. En revanche, elles lui procurent de très grandes quantités de céréales panifiables, beaucoup plus qu'il n'en attend des redevances, puisque l'inventaire, très incomplet (dans plusieurs doyennés seul est noté le nombre des fours et des moulins sans que soit évalué leur profit), fait état d'un produit global de plus de 1 100 setiers, alors que les tenanciers ne livrent que 323 setiers de froment et de seigle.

La réserve domaniale est, de toute la seigneurie foncière, la portion de loin la plus productive. Sur ce point la comparaison n'est possible que pour les doyennés dans lesquels les profits de l'exploitation directe ont été évalués avec précision, c'est-à-dire les six domaines de Malay, Saint-Hippolyte, Chaveyriat, Saint-Martin-des-Vignes, Berzé et Montberthoud. Mais elle est absolument convaincante. Dans ces six centres d'exploitation, les redevances fournissent au seigneur 400 setiers de vin, alors que les vignes domaniales en produisent en année normale 1 664, et si les dépendants lui livrent 360 setiers de grains, il en tire de ses propres champs 1 200. Poussons dans le détail la comparaison en considérant seulement la production du froment : pour cinq doyennés (à Chaveyriat, la récolte est évaluée d'ensemble pour les différents grains), 438 setiers récoltés sur les champs du maître, 108 fournis par les tenanciers. D'une manière générale, la réserve procure environ quatre fois plus de denrées agricoles que les tenures.

Telles sont donc, pour ce qui est du rapport des différents éléments de la seigneurie foncière, les indications du document. Elles sont d'autant plus significatives que l'économie clunisienne n'était pas au milieu du XIIe siècle spécialement orientée vers l'exploitation directe, mais était au contraire de structure délibérément seigneuriale, se fondant, d'une manière que d'autres branches de la famille bénédictine et spécialement les cisterciens jugeaient excessive, sur la perception des rentes. J'insisterai particulièrement sur trois points.

1. La part des rentrées en numéraire dans les recettes domaniales est très variable d'une unité

d'exploitation à l'autre ; alors que dans les deux seigneuries une quantité sensiblement égale de céréales est exigée des tenanciers, ceux-ci versent à Malay 7 livres en deniers, mais à Lourdon (où, l'inventaire le signale, d'anciens services en nature ou en travail ont été récemment remplacés par des prestations monétaires) plus de 47 livres. Mais compte tenu de cette disparité la part des deniers est, d'une manière générale, relativement restreinte. Fait important car — si, comme il y a tout lieu de le croire, le cas de la seigneurie clunisienne n'est pas d'une particulière originalité — il convient d'attacher moins d'importance qu'on est tenté de le faire à l'incidence de la dépréciation progressive des monnaies sur les ressources des seigneurs fonciers. Il faut chercher des causes plus profondes à la gêne dont beaucoup de ceux-ci commencent à souffrir dans la France du XIIe siècle.

2. Les églises — et surtout les dîmes —, les moulins et les fours constituent des éléments très importants du revenu seigneurial. Dans deux doyennés, Beaumont et Saint-Hippolyte, l'entretien de la main-d'œuvre domestique (une vingtaine d'hommes à Saint-Hippolyte) est entièrement assuré par le seul produit des moulins. L'église de Loisy rattachée au doyenné de Laizé — une grosse église certes, mais non point la plus profitable de toutes celles que possède Cluny — rapporte annuellement 50 setiers de grain (de quoi nourrir 12 personnes) et 50 sous ; son profit en argent est équivalent à celui de l'importante seigneurie foncière de Berzé ; en céréales panifiables, il est supérieur au produit des redevances de tous les doyennés sauf celui de Chaveyriat. On devra donc attacher beaucoup d'intérêt à ces établissements dans l'inventaire des fortunes seigneuriales : un seigneur qui possède peu de terres arables et peu de tenures, mais des moulins et des dîmes, peut être dans une fort bonne situation économique [10].

3. Le faire-valoir direct couvre largement les besoins du seigneur et lui permet même d'écouler en

dehors des surplus : les enquêteurs ont noté que 30 setiers de froment ont été vendus par le doyen de Saint-Hippolyte, c'est-à-dire le huitième de la récolte, et l'on sait, par un autre document administratif clunisien, que la pratique était courante [11]. L'indication est précise ; elle prouve que les seigneurs fonciers du XIIe siècle étaient bien loin d'être tous, pour reprendre une expression de Marc Bloch, des « rentiers du sol » et ne se souciaient guère de le devenir. J'ai montré dans un précédent article* que Pierre le Vénérable avait au contraire cherché dans le développement de l'exploitation directe le remède aux embarras économiques dont souffrait la communauté clunisienne, et l'enquête qui nous occupe, prévoyant les améliorations possibles, est précisément destinée à développer encore la mise en valeur de la réserve.

Pour cette raison la *Constitutio expense* contient des renseignements d'un grand intérêt sur les procédés d'exploitation mis en œuvre sur la réserve domaniale de certains doyennés clunisiens. Les premiers concernent la main-d'œuvre. Dans le but de permettre une meilleure gestion, les services en travail dont bénéficie chacune des entreprises seigneuriales sont en effet inventoriés. Les corvées, dues par les tenanciers, mais aussi par les manants soumis au pouvoir banal du monastère [12], sont en vérité fort légères. Aucune mention de réquisition de cette sorte dans trois des doyennés : à Laizé (on sait le caractère beaucoup plus succinct du rapport et, comme la réserve n'y est pas décrite, il n'est pas certain que le silence du document implique l'absence réelle de corvée), Saint-Hippolyte et Saint-Martin-des-Vignes. Ailleurs les services en travail sont très limités. Il convient, à leur propos, de distinguer :

1. Les prestations individuelles de journées d'hommes (*operarii*) pour la fauchaison, attestées à Berzé, Montberthoud, Saint-Gengoux et Lourdon. Le travail fourni de cette manière excède parfois les

* Voir chapitre précédent.

besoins du seigneur ; c'est ainsi qu'à Lourdon le doyen utilise les services de 150 faucheurs ; mais pour 100 autres, il se réserve de convertir leurs obligations en un versement de deux deniers.

2. Les prestations collectives, fournies par les « charrues », unités de travail constituées par l'association de plusieurs paysans. Ces équipes sont en nombre restreint (deux à Malay, quarante dans la seigneurie la mieux pourvue, Lourdon) ; les enquêteurs ont noté qu'elles étaient jadis plus nombreuses et que, par négligence peut-être, les administrateurs du temporel en ont laissé perdre — preuve du peu d'intérêt qu'elles présentaient à leurs yeux. Ces services sont en effet d'étendue variable mais toujours fort réduite. Les « charrues », constituant un train d'attelage, sont parfois employées pour les charrois — à Montberthoud pour le transport du vin, du bois et du foin, à Lourdon pour former de gros chars de dix bœufs (mais qui ne sont pas tous utilisés, leur service pouvant être, au gré du seigneur, commué en une redevance de 4 sous). Mais leur affectation normale est évidemment le labour : à Arpayé, les « charrues » sont requises un jour par an aux semailles d'hiver ; deux jours à la même saison, à Chaveyriat, Berzé et Montberthoud ; elles doivent trois jours à Saint-Gengoux et Beaumont, un à l'automne, l'autre au Carême, le troisième sur la jachère ; à Lourdon quatre, par l'adjonction d'un second labour de la jachère.

Cet apport de main-d'œuvre représente en définitive peu de chose, et certains indices donnent à penser que les doyens l'ont tenu pour très secondaire. L'inventaire montre en particulier que les services d'entretien des vignes ont été récemment remplacés à Lourdon par une redevance de 60 sous, exigée globalement de tous les dépendants. De toute évidence, la mise en valeur de la réserve est assurée par d'autres travailleurs. Selon les indications de l'enquête, trois procédés sont simultanément utilisés.

1. D'abord le métayage, mais d'une manière tout à fait exceptionnelle. Dans la description du doyenné de Saint-Hippolyte, il est indiqué qu'un contrat a été conclu avec un paysan : celui-ci fournit son travail et deux bœufs, reçoit du seigneur la terre, deux autres bœufs pour compléter son attelage, ainsi que la semence (on a cette année-là semé deux setiers de froment) ; il livre en échange la moitié de la récolte.

2. Le salariat, employé, d'après l'inventaire, à Chaveyriat pour la fauchaison, mais d'une manière beaucoup plus générale à Malay, Saint-Hippolyte, Chaveyriat, Arpayé et Lourdon pour les soins du vignoble. A Saint-Hippolyte, le salaire des journaliers absorbe ainsi le tiers du produit des redevances en numéraire. Fait plus significatif : le doyen de Lourdon affecte à cet usage la moitié de la taxe de remplacement exigée des dépendants en échange des corvées de vignoble, et juge, par conséquent, d'un bien meilleur rendement la main-d'œuvre salariée.

3. Mais la charge principale incombe, sans aucun doute, au personnel domestique, à la *familia* dont il est incidemment question dans l'enquête. L'inventaire ne décrit pas ce groupe de valets (on sait seulement qu'ils sont vingt à Saint-Hippolyte et que normalement le produit des fours et des moulins suffit à leur entretien) ; du moins apporte-t-il la preuve que, en dépit de la rareté des corvées et du rôle, malgré tout secondaire, des salariés, un grand seigneur foncier pouvait au milieu du XIIe siècle mettre en valeur une réserve importante et en tirer grand profit.

L'enquête menée sur l'ordre de l'évêque Henri fournit enfin quelques indications, plus intéressantes peut-être encore, car elles sont moins fréquentes dans la documentation de cette époque, sur le système de culture appliqué dans la réserve domaniale de l'abbaye de Cluny. Ce système est évidemment établi en fonction des besoins que la production domestique est appelée à satisfaire. C'est ainsi par exemple que deux traits particuliers de l'économie intérieure du monastère — la part très restreinte que tient la viande dans le régime alimentaire des religieux ; l'habitude ancienne d'acheter tout fabriqué aux marchands le tissu nécessaire au renouvellement du vestiaire — expliquent la très faible importance de l'élevage. Très peu de porcs — même dans les plans d'extension du cheptel ; et, lorsque les enquêteurs se soucient des bois, c'est en pensant, non pas au troupeau domestique, mais aux taxes perçues sur les animaux des usagers paysans du voisinage. Très peu de moutons — sauf dans les trois doyennés de la Bresse et du val de Saône. Dans l'ensemble du domaine clunisien, l'élevage est donc essentiellement destiné à alimenter en force motrice l'exploitation de la réserve : si les chevaux et les ânes sont rares, les enquêteurs portent un intérêt tout particulier aux bœufs, distingués des *occiosa animalia*, se préoccupent, à cause d'eux, de la production de foin et mesurent soigneusement les possibilités de développement du train de culture fourni par ces bêtes.

S'ils se soucient peu de l'économie pastorale, les doyens s'efforcent en revanche de tirer de la terre domaniale les denrées alimentaires dont on fait une large consommation dans les réfectoires de l'abbaye. Le vin d'abord. Certains passages de l'inventaire montrent que la reconstitution du vignoble, souhaitée par Pierre le Vénérable[13], est poursuivie avec application. Un nouveau clos vient d'être planté à Saint-Hippolyte, et les enquêteurs notent soigneusement les fonds qui chaque année sont affectés au travail des vignes ; mieux, il leur arrive, comme à Lourdon, de proposer des investissements plus considérables. Mais la préoccupation essentielle est la production du froment. Céréale majeure, car il est d'usage de servir du pain blanc aux moines et aux hôtes de marque, du pain fait par moitié de froment et de seigle aux domestiques du monastère et aux pèlerins de catégorie sociale inférieure. Au moment où a été dressé l'inventaire, on évaluait à 1650 setiers de froment et à 500 setiers de seigle les besoins annuels de l'abbaye en céréales panifiables [14].

Ceci explique l'intérêt que portent les enquêteurs à l'agriculture domestique, et dont l'historien se félicitera, car leurs notes permettent, en premier lieu, de se faire quelque idée des rendements. Dans les six doyennés où la description de l'économie domaniale a été faite avec le plus grand soin, on peut comparer en effet aux récoltes de l'année écoulée les semailles effectuées ou prévues lors de l'établissement du rapport. A vrai dire une rectification préalable s'impose ; car l'année a été mauvaise, pour le vin surtout mais aussi pour les blés (à Montberthoud, pour le froment, le déficit est évalué au cinquième). Mais, compte tenu de ces mauvaises conditions naturelles, on est frappé de la faiblesse des rendements agricoles. A Chaveyriat, où on peut le mesurer pour l'ensemble des céréales et par rapport, non pas au produit réel des médiocres moissons précédentes, mais — ce qui permet de connaître l'espérance même des cultivateurs — à l'estimation de la récolte escomptée, il est de l'ordre de six pour un. A Montberthoud le rapport est légèrement inférieur : 5 pour un pour le seigle, 4 pour un pour le froment, et pour ce dernier grain nous trouvons le même chiffre à Saint-Hippolyte. Ailleurs, le rendement est moindre encore. Pour l'orge, 2,5 pour un à Saint-Martin-des-Vignes ; pour le froment, 2,5 pour un à Berzé, 2,3 pour un à Saint-Martin, et 2 seulement pour un à Malay.

L'enquête fournit enfin quelques renseignements sur le système de rotations culturales. On constate d'une part que la proportion, dans les récoltes ou les semailles, entre blés d'hiver et blés de printemps est très variable entre un doyenné et l'autre, qu'il n'y a donc pas pour l'ensemble du domaine clunisien de formule uniforme de rotation. D'autre part, que, d'une manière générale, la production de céréales d'hiver est nettement plus forte que celle des autres. A vrai dire, à propos de ce dernier fait, il convient de considérer d'abord que la culture est organisée en fonction des besoins du monastère, gros consommateur de froment, et aussi que certains doyennés, Mazille, Ecussolles, Beaumont, Saint-Victor, sont spécialement chargés des fournitures d'avoine[15] ; ce qui explique que, dans les centres seigneuriaux visités par les enquêteurs, cette céréale soit moins intensément cultivée que d'autres, en particulier que l'orge. Cette réserve exprimée, voici les indications procurées par le document. Dans deux domaines, on semble pratiquer la rotation triennale, avec égalité des blés d'hiver et des blés de printemps : à Lourdon, où on a réservé pour les semailles 44 setiers de froment et 6 de fèves destinés à la sole d'hiver, 50 setiers d'avoine et d'orge destinés à la sole de printemps — et à Malay où on a récolté l'année précédant l'enquête autant d'orge que de froment (notons toutefois que, pour les semailles en cours, l'égalité est légèrement rompue en faveur du froment). Partout ailleurs, les blés d'hiver l'emportent. A Chaveyriat, léger déséquilibre : on a semé 30 setiers de seigle, on sèmera au Carême 20 setiers d'avoine. La différence s'accentue à Berzé : aux semailles 20 setiers de froment et de fèves contre 11 setiers d'avoine et d'orge, puis à Saint-Hippolyte : à la moisson 240 setiers de froment contre 107 d'orge et d'avoine, enfin à Saint-Martin-des-Vignes où l'on a récolté 56 setiers de blé d'hiver contre 20 d'orge. Au terme, l'exploitation de Montberthoud, où seuls les blés d'hiver sont cultivés, le seigle surtout, dans la proportion de 5 contre un par rapport au froment.

Ces données précises font ressortir d'abord l'originalité agraire des trois doyennés du val de Saône, Arpayé, Chaveyriat et Montberthoud, où les techniques de culture sont moins perfectionnées, où, sur un sol froid, vient surtout du seigle (le seigneur en accepte des tenanciers ; il en récolte de ses propres terres normalement plus que du bon blé — et ceci de longue date : déjà à Montberthoud au début du XIIe siècle la proportion des récoltes était la même, un sixième de froment seulement[16]), où enfin l'élevage ovin est très développé pour tirer parti sans doute de terres de parcours plus vastes, les friches qui subsistent dans les interstices d'un peuplement encore très lâche, les jachères plus étendues du fait de la rotation biennale. Mais surtout l'enquête clunisienne révèle la diversité des procédés de rotation céréalière. La rotation triennale est rarement appliquée d'une manière systématique, même dans les exploitations bien outillées et où, au terme d'efforts prolongés pour accroître la production, on n'a rien épargné pour améliorer les méthodes. Il convient donc d'écarter toute conception trop rigide relative à ces pratiques culturales et de reconnaître que les cultivateurs ont adopté à l'époque médiévale des solutions très souples, adaptant leurs semailles aux aptitudes naturelles de leur terre, et surtout aux besoins de leur exploitation ou de son seigneur.

10

GÉOGRAPHIE OU CHRONOLOGIE DU SERVAGE? NOTES SUR LES « SERVI » EN FOREZ ET EN MÂCONNAIS DU Xe AU XIIe SIÈCLE *

« Que de leçons ne pourrait-on pas attendre d'une carte de la liberté et de la servitude paysannes ! » écrivait Marc Bloch dans son ouvrage sur la société féodale. Ebauchant à grands traits cette géographie du servage, il montrait sur la carte de France une large tache blanche d'abord, la Normandie; « çà et là, ajoutait-il, d'autres espaces, également vides de servage, apparaîtraient, moins étendus et plus rebelles à l'interprétation : tel le Forez » [1]. Arrêtons-nous à cette dernière province.

Dans la collection qui rassemble mille cinquante chartes antérieures au XIVe siècle relatives aux pays foréziens [2], les mots *servus, ancilla, mancipia* apparaissent, mais d'une manière exceptionnelle : on ne les rencontre que dans deux documents. Le premier est un diplôme du roi Louis VII, daté du 3 novembre 1166, qui confirme la donation à Cluny du prieuré d'Ambierle *cum edificio et cuncta familia, servis scilicet et ancillis, mancipiis utriusque sexus et etatis*; il précise que l'abbaye détiendra seule les droits de ban sur « ses hommes libres et ses serfs ». Or, il s'agit là d'un acte rédigé loin du Forez, dans la chancellerie royale, par des scribes mal informés des coutumes particulières

* Texte publié dans *Eventail de l'histoire vivante : hommage à Lucien Febvre,* Paris, A. Colin, 1954, vol. 1, pp. 147-149.

1. Voir note 1 et suivantes p. 259-260.

du pays d'Ambierle. D'autre part, les phrases où sont employés les vocables serviles reproduisent les formules classiques des privilèges royaux d'immunité, ou bien les termes mêmes de la donation primitive du prieuré, beaucoup plus ancienne. Les éditeurs de cette charte ont donc parfaitement raison de noter que le rappel de ces formules traditionnelles ne saurait suffire à prouver l'existence du servage en Forez, à l'époque de la rédaction[3]. Le mot *servus* se retrouve, en 1188-1192, dans une donation du sire de Beaujeu au comte de Forez ; mais, cette fois encore, il est utilisé d'une manière abstraite, sans référence à des individus nommément désignés : il figure dans une de ces énumérations de droits, fréquentes dans les actes de cette sorte, où l'on accumulait les termes les plus divers, même lorsqu'ils étaient tombés en désuétude, afin d'éliminer toute restriction mentale de la part du donateur et tout prétexte à des revendications ultérieures[4]. Une chose est certaine : nulle part, dans tout le recueil des chartes du Forez, un paysan n'est appelé *servus* et n'est personnellement revêtu du statut exprimé par ce terme.

Or, si l'on observe les contrées situées immédiatement à l'est du Forez, le Charolais et la région mâconnaise, si l'on dépouille à cet effet les chartes de l'abbaye de Cluny qui concernent ces pays[5], on découvre partout des *servi*, des *ancillae*, des *mancipia* ; et il ne s'agit pas seulement de groupes anonymes, mais bien de paysans que l'on nomme et que l'on situe, que chacun, autour d'eux, connaît et repère[6]. Quel contraste ! Décidément, la carte du servage présente des oppositions brutales. Entre la Loire et la Saône, une ligne nette, parallèle à ces deux fleuves, sépare un pays de servitude d'un pays de liberté. Et, puisque cette frontière ne correspond à nul obstacle naturel, à nulle limite politique vivante, sa présence, comme le disait Marc Bloch, paraît bien rebelle à l'interprétation.

A moins que l'on ne s'avise, en comparant textes foréziens et textes mâconnais, de respecter plus rigoureusement la chronologie. Il importe, en effet, de remarquer que le recueil des chartes du Forez ne renferme que neuf documents antérieurs à 1170, et que le plus ancien date de 1096. Dans ces conditions, il est certes permis de dire que le Forez formerait une tache blanche sur une carte où seraient inscrites toutes les mentions du mot *servus* — mais en prenant bien soin de préciser qu'une telle carte ne saurait valoir que pour les XIIe et XIIIe siècles. Et si l'on veut étendre l'enquête aux régions voisines, il convient de n'utiliser dans ce but que des documents de cette époque. Or, lorsqu'on élimine les chartes de Cluny antérieures au XIIe siècle, on voit disparaître aussitôt presque toutes les mentions de *servi* : c'est, en effet, dans un acte de 1105 que le titre *servus* est employé pour la dernière fois, dans la région mâconnaise, pour définir le statut individuel d'un paysan[7]. Ensuite, il sort presque complètement de l'usage et n'apparaît que de loin en loin, simple survivance verbale, dans quelques énumérations de termes vagues, analogues à celle que nous avons signalée dans la charte forézienne de 1188-1192, et qui ne reflètent pas plus que celle-ci la véritable structure sociale[8]. Par conséquent, à partir du XIIe siècle, les rédacteurs mâconnais de chartes et de notices n'utilisent pas plus fréquemment que ceux du Forez les termes *servus, ancilla* et *mancipia* — et l'on voit s'effacer le contraste qui, au premier abord, paraissait opposer, sur une carte de la servitude paysanne, les pays de la Loire à ceux de la Saône : dans ceux-ci comme dans ceux-là, le mot *servus* n'est plus en usage dans les actes juridiques après 1105.

Mais peut-être le contraste existait-il auparavant ; peut-être, à l'époque où tant de paysans mâconnais et charolais étaient appelés *servi,* les campagnes foréziennes ignoraient-elles déjà cette catégorie sociale. Est-il possible de le vérifier ? Si le recueil des chartes du Forez n'est plus utilisable, il existe du moins un certain nombre de notices concernant des villages du Forez dans le cartulaire de l'abbaye de Savigny, riche en documents du Xe et du XIe siècle. A vrai dire, bien que ce monastère du Haut-Lyonnais ait possédé une importante *familia* servile[9], les mentions du mot *servus* sont, dans cette collection, relativement peu nombreuses : six actes seulement relatent l'acquisition de *servi* par les moines. Toutefois — fait remarquable — dans quatre de ces notices, les dépendants personnels sont des paysans foréziens [10]. Peut-on dire dès lors que le Forez au xᵉ siècle ait ignoré le servage ? Avant 1100 comme après cette date, il ne semble donc pas que la structure de la société rurale ait été sensiblement différente en Mâconnais et en Forez.

Le problème de géographie sociale posé par Marc Bloch devient ainsi un problème d'évolution chronologique. Le contraste n'est pas entre deux régions voisines, mais entre deux périodes successives. Un terme juridique utilisé comme qualificatif individuel, le mot *servus,* disparaît du vocabulaire des chartes et des notices, à une date que l'exceptionnelle richesse de la documentation clunisienne permet de situer avec précision aux alentours de 1105 : voilà l'événement essentiel, celui que l'historien du servage doit expliquer et interpréter.

J'ai vu, pour ma part, dans cette évolution du langage le signe d'une transformation profonde de la dépendance personnelle ; et j'ai pensé que ce phénomène pouvait être mis en rapport avec l'histoire des institutions de droit public et, en particulier, avec la disparition des tribunaux villageois de viguerie, qui se produit dans les campagnes mâconnaises trois générations plus tôt [11]. Mais ce sont là des hypothèses. Pour les vérifier, il serait souhaitable qu'une enquête générale soit entreprise, province par province, sur les destinées du mot *servus,* ainsi que sur son sens véritable et sur les termes qui sont venus le remplacer — et que les historiens, associant géographie et chronologie, s'appliquent à dresser, non pas une carte, mais des cartes successives de la liberté et de la servitude paysannes. Munis d'un tel atlas, peut-être serions-nous mieux armés pour donner une solution d'ensemble au problème du servage, l'un des plus ardus que pose l'histoire de la société médiévale.

11

RECHERCHES SUR L'ÉVOLUTION DES INSTITUTIONS JUDICIAIRES PENDANT LE Xe ET LE XIe SIÈCLE DANS LE SUD DE LA BOURGOGNE *

Dans les travaux qui étudient, dans son ensemble, l'histoire des institutions judiciaires médiévales, on trouve une description très précise de l'administration de la justice à l'époque carolingienne ; d'abondants documents officiels, critiqués et commentés par des générations d'historiens, permettent de se faire aujourd'hui une idée claire de la compétence et du fonctionnement des différentes cours publiques de justice et de définir les secteurs limités de la société où s'exerçaient des juridictions privées. A ce tableau succède immédiatement une étude, elle aussi très poussée, des institutions judiciaires de la période féodale classique ; on y insiste avec raison sur le caractère purement privé que prend désormais la justice, sur la complexité et l'enchevêtrement des nombreuses juridictions seigneuriales, sur le contraste qui oppose le châtiment brutal et expéditif qui frappe les petites gens à l'inefficacité des jugements rendus contre les nobles ; au XIIe siècle, les règlements particuliers sont assez nombreux pour attester l'existence des institutions qui plus tard seront décrites par les juristes professionnels. Mais la période qui relie ces deux étapes bien connues est par contre laissée généralement dans l'ombre ; on ne voit pas nettement

* Texte publié dans *Le Moyen Age* 52 (3-4), 1946, pp. 149-194 et 53 (1-2), 1947, pp. 15-38.

comment, au cours du xe et du xie siècle, le système carolingien, simple et cohérent, a cédé la place à une conception aussi confuse de la fonction judiciaire, entièrement déterminée par des relations personnelles et des considérations domestiques. C'est là une déplorable lacune. L'historien du droit, qui ne peut suivre d'un bout à l'autre l'évolution des institutions qu'il étudie, est tenté de franchir cet espace obscur et de rattacher directement les pratiques judiciaires du xiie siècle à l'organisation du viiie ; c'est ainsi, pour prendre un exemple précis, qu'il est d'usage de chercher l'origine de la notion féodale de justice haute et basse dans la distinction précisée sous Charlemagne entre *causae majores* et *causae minores*. Par ailleurs, l'histoire des institutions judiciaires jette, on le sait[1], un jour très vif sur l'histoire de la société tout entière ; en conséquence, il est permis de regretter particulièrement l'imprécision de nos connaissances pendant cette période du haut Moyen Age où la société féodale s'est définitivement constituée.

Malheureusement, les documents du xie et surtout du xe siècle sont trop rares en France pour que l'on puisse nourrir l'espoir de dissiper un jour complètement cette obscurité. Cependant certains travaux de grande valeur, entrepris dans un cadre géographique restreint, montrent que, dans quelques régions au moins, en Flandre et dans la région angevine, par exemple, la recherche peut conduire à des résultats solides et du plus haut intérêt. Parmi les provinces où la documentation est exceptionnellement favorable à ce genre d'études, le sud de la Bourgogne vient au premier rang : les cartulaires de l'église de Mâcon et de l'abbaye de Cluny offrent en effet une abondante et très complète collection d'actes du xe et du xie siècle. Déjà des chercheurs ont songé à les utiliser pour étudier l'administration de la justice à cette époque ; mais leurs travaux réclament, pensons-nous, quelques compléments[2]. Aussi avons-nous essayé, dans les pages qui suivent, de reprendre l'histoire des institu-

1. Voir note 1 et suivantes pp. 260-278.

tions judiciaires dans la région qui est la plus vivement éclairée par les documents mâconnais et clunisiens[3], en utilisant les renseignements complémentaires fournis par les archives monastiques de Tournus et de Saint-Rigaud, par les premières chartes de l'abbaye de La Ferté, et par les cartulaires du prieuré de Paray-le-Monial et de la collégiale de Beaujeu.

Le but essentiel de ce travail est de dater, avec la plus grande précision possible, les étapes d'une évolution. Dans ce but, nous commencerons — c'est la démarche qui paraît la plus sûre — par étudier les assemblées judiciaires dont les destinées nous sont le mieux connues : les cours comtales, d'abord, puis les cours privées qui rendent la justice au nom de l'église de Mâcon et de l'abbaye de Cluny. Ensuite seulement, et grâce à l'expérience que nous aurons pu acquérir, nous tenterons de pénétrer dans le domaine beaucoup plus obscur des autres juridictions seigneuriales.

*

Il semble bien acquis que les cours comtales, dans le sud de la Bourgogne, sont issues directement de l'ancien *mallus publicus* carolingien, dont peu à peu les caractères se sont altérés[4]. Les documents très abondants qui nous renseignent sur la cour des comtes de Chalon et surtout sur celle de Mâcon permettent de suivre d'assez près la transformation qui, pendant les xe et xie siècles, affecte à la fois la composition, le fonctionnement et la compétence de ces assemblées.

On pénètre déjà fort loin dans le problème de l'évolution du plaid comtal carolingien en précisant la position sociale des personnages qui, au cours de ces deux siècles, viennent siéger auprès du comte pour l'assister dans ses fonctions judiciaires. C'est particulièrement sur l'étude de la composition de la cour que reposent les conclusions de F.-L. Ganshof. Vers le milieu du xe siècle, dit-il, les *boni homines,* les *scabini* disparaissent, les assesseurs sont désormais régulièrement les fidèles du comte ; c'est donc dès ce moment que l'ancien *mallus publicus* s'est transformé en une cour féodale[5]. Il est certain que vers l'année 940 le vocabulaire change[6]. Mais, d'une part, ce phénomène peut être mis en rapport avec la faveur nouvelle dont jouit à ce moment le terme *fidelis* auprès des scribes mâconnais, faveur qu'il conservera jusqu'aux premières décennies du XIe siècle[7]. D'autre part, quelle que soit la valeur exacte du mot, il est certain que les relations personnelles qu'il exprime unissaient bien auparavant le comte aux assesseurs habituels de son tribunal[8]. L'adoption régulière de ce nouveau qualificatif prouve que ces relations passent au premier plan. Mais il n'y a, en tout cas, aucun changement de personnel. Après comme avant, les membres de la cour judiciaire appartiennent à la même catégorie sociale. Ces fidèles ne sont pas en effet, comme le suppose F.-L. Ganshof[9], d'humbles servants d'armes que le comte contraint à venir siéger à sa cour lorsque le nombre des hommes libres indépendants qui pouvaient tenir le rôle de scabins se réduit. Les Nardouin, les Rathier, les Roclen, les Garoux sont bien connus par ailleurs[10] : ce sont les personnages les plus considérables de la région, les ancêtres directs des *domini* du XIIe siècle ; alleutiers bien pourvus, ils ne répugnent pas sans doute à jouir par surcroît de quelque bénéfice, mais leur dépendance vis-à-vis du comte n'a certainement rien de domestique. S'ils continuent à suivre avec le même empressement, avec la même assiduité les sessions judiciaires de la cour comtale, c'est peut-être, mais rien ne le prouve, que leurs relations avec le comte leur imposent cette obligation, c'est surtout que la nature profonde de la cour ne s'est pas transformée ; son importance sociale reste la même ; le tribunal du comte est encore à la fin du Xe siècle, comme l'ancien *mallus* qu'il prolonge, le point de ralliement normal pour toute l'aristocratie foncière du pays.

Le changement véritable se place dans les premières années du XIe siècle, lorsque la force d'attraction de la cour comtale diminue d'une façon brusque et définitive[11]. Les descendants de ces grands qui, au Xe siècle, assistaient régulièrement le comte dans ses fonctions de justicier cessent de paraître à ce moment aux assemblées ; ils ne viennent que si l'une des parties les touche de près, si le bien en litige est situé dans le territoire où ils sont en train d'étendre leur domination [12]. La fin de ces réunions périodiques qui faisaient véritablement du comte le centre de toute la haute société locale a dû singulièrement accentuer la tendance à l'éparpillement des pouvoirs dont elle est elle-même une manifestation. Et surtout, la dispersion de ce groupe homogène d'assesseurs de tout premier plan a porté une grave atteinte aux pouvoirs judiciaires du comte : la cour comtale n'a pu continuer à tenir son rôle éminent ; elle a perdu aux yeux des hommes son caractère de juridiction supérieure. On voit encore parfois, il est vrai, aux alentours de l'an 1100, les *proceres patriae* [13] se rassembler autour du comte à l'occasion d'un plaid solennel ; mais ces réunions, tout à fait accidentelles à cette époque, disparaissent complètement dans les années suivantes : en 1097, Humbert de Beaujeu est encore, comme l'étaient ses ancêtres, l'assesseur insigne de la *curia* comtale, mais quelque trente ans plus tard, son fils Guichard, placé sur le même plan que les comtes, arbitrera leur querelle avec l'évêque [14]. A l'époque de la première croisade, ceux qu'on appelle les *domini* sont complètement et définitivement détachés de la cour judiciaire des comtes de Mâcon [15].

Désormais la *curia* est formée essentiellement de deux éléments. Les familiers du comte, son fils, la comtesse [16], des ministériaux, en particulier le prévôt de Mâcon, constituent un noyau permanent qui confère au tribunal un caractère nettement privé, familial même. Autour de ce noyau se forme, à l'occasion, un groupe très variable qui rassemble des parents, des amis, des voisins des parties en présence [17]. Assesseurs de fortune, ces gens ne sont qu'accidentellement liés au comte par des relations de dépendance ; la cour comtale n'a rien d'une cour féodale classique, d'une réunion régulière de vassaux [18]. C'est l'agglomération fortuite de deux groupes cohérents et hostiles représentant les adversaires ;

entre les deux, le comte entouré par les siens ne fait plus figure de juge mais d'arbitre et de conciliateur.

Dans les dernières années du XIe siècle, en effet, le comte n'est plus capable de faire exécuter les décisions de sa cour[19]. Il s'efforce d'obtenir des deux parties un accord qui les satisfasse l'une et l'autre ; on le voit multiplier ses interventions apaisantes[20] et, par son insistance à s'assurer des garanties préalables, manifester combien lui-même doute de l'efficacité de son entremise[21]. Par la façon dont ils sont rédigés, les actes qui relatent les sentences de la *curia* témoignent eux aussi de l'effacement progressif de la juridiction comtale. Les notices restent jusque vers 1020 fidèles aux vieilles formules[22], mais depuis le milieu du Xe se manifestent déjà les premiers signes d'altération ; peu à peu, elles se transforment en actes d'obligation personnelle signés par le condamné, confirmés par les assistants[23]. Serment solennel qui engage tous les descendants[24], malédictions et menaces spirituelles[25], participation morale des témoins, si ces surcharges sont nécessaires, c'est que la décision judiciaire n'offre plus à elle seule de garanties suffisantes. Dans les premières années du XIe siècle, la transformation s'achève : les notices sont régulièrement doublées de déclarations formelles de renonciation[26], ou bien, plus fréquemment, remplacées par des actes de donation[27], par des récits où les bénéficiaires de la sentence insistent sur les efforts qu'ils ont dû déployer pour obtenir satisfaction et notent avec soin le nom des témoins qui pourront un jour se porter garants[28]. Enfin, aux alentours de l'an 1100, toutes les réunions de la cour comtale se terminent par l'établissement d'un traité ; l'une des parties s'engage envers l'autre à garder la paix pendant un temps déterminé[29] ou bien les deux adversaires s'entendent sur des compensations réciproques que garantissent les signatures des parents et des amis[30]. Au Xe siècle, un notaire rédige un compte rendu des débats qui, conservé dans les archives du bénéficiaire, possède à lui seul une valeur décisive en cas de contestation ; quelque cent ans plus tard, le comte hâte par ses avis la conclusion d'un accord dont il ne se porte même pas garant[31] : on mesure aisément tout le chemin parcouru. L'ancienne juridiction supérieure s'est transformée en une cour d'arbitrage que les plaideurs choisissent pour régler leurs différends pour des raisons privées, de voisinage ou de relations personnelles. Elle est fréquentée de préférence à d'autres par les membres les plus en vue de la classe chevaleresque ; c'est là tout ce qu'elle doit à ses origines officielles.

La compétence de la cour comtale a subi une transformation analogue à celle qui a affecté la composition et le fonctionnement de cette cour. On ne peut pas, il est vrai, découvrir de grands changements quant à la nature des causes qui sont portées devant elle : comme le *mallus* carolingien, la cour des comtes au XIe siècle a pour tâche essentielle de régler les litiges soulevés à propos des patrimoines, contestations d'héritiers[32], reprises par les lignagers de terres ayant fait l'objet d'anciennes donations[33], usurpations pures et simples[34] ; aux alentours de l'an mil apparaissent les premières plaintes contre l'installation de coutumes injustes sur les terres d'autrui[35]. Par contre, le rayonnement géographique du tribunal comtal a beaucoup changé. Ce n'est pas que soit perdu le souvenir des circonscriptions territoriales où le comte, autrefois, exerçait ses hautes fonctions judiciaires, leurs limites, qui courent à travers la région qui nous occupe, vivent encore, à la fin du XIe siècle, dans la mémoire des hommes, au moins dans la mémoire des scribes qui les utilisent pour localiser les actes qu'ils rédigent[36]. Mais ces cadres, depuis longtemps, ne correspondent plus à rien ; la zone d'influence des juridictions comtales, indifférente aux limites anciennes, s'étend, selon la personnalité du comte, dans les environs plus ou moins immédiats du siège habituel du tribunal. La cour des comtes de Mâcon — c'est ce qui la caractérise — se réunit toujours, comme l'ancien *mallus*, à l'intérieur des murs de la cité[37] ; elle a perdu tout contact avec la partie occidentale de l'ancien *pagus*[38] ; en échange, son champ d'activité s'est largement développé dans cette Bresse toute proche qui n'a jamais, semble-t-il, connu de véritable organisation administrative et par où passe la route qu'empruntent fréquemment les comtes pour se rendre dans leurs domaines familiaux du pied du Jura[39]. Par contre l'action de la *curia* chalonnaise se fait sentir dans un rayon beaucoup plus étendu ; elle suit en effet le comte dans ses fréquents déplacements et se réunit dans les châteaux qu'il possède aussi bien dans l'Autunois que dans la région de Chalon, et même parfois sous l'orme de quelque village[40] ; son influence, lorsqu'elle est présidée par des personnages aussi actifs que les comtes Hugues et Thibaud dans la première moitié du XIe siècle, déborde même dans le Clunisois et empiète sur la clientèle ordinaire de la cour de Mâcon[41]. Attachés à la personne du comte, variables selon ses qualités individuelles et l'étendue de son prestige, les pouvoirs judiciaires comtaux sont, au XIe siècle, des attributs privés ; ils ne gardent plus traces de l'ancienne fonction publique dont ils procèdent.

Quels sont, à cette époque, les justiciables de la cour comtale ? Celle-ci est-elle devenue une pure cour de justice féodale, fréquentée seulement par des vassaux qui s'adressent à leur seigneur pour qu'il règle en sa cour des conflits qui les divisent ? Pour être complète notre enquête doit s'efforcer de répondre à cette dernière question. Malheureusement notre champ d'investigation est assez restreint ; à de très rares exceptions près, nous ne connaissons que les procès où sont engagés des établissements ecclésiastiques ; pour eux le recours au comte est normal dans des limites que nous aurons à définir plus loin. Mais l'origine de nos documents nous condamne à tout ignorer du comportement des laïcs. Les chevaliers que nous voyons plaider devant le tribunal comtal sont-ils les clients habituels de cette cour ? Se seraient-ils présentés devant elle si l'abbé ou l'évêque, leur adversaire, n'avait pas pris l'initiative de porter l'affaire devant le comte ? Il n'est pas possible de le savoir et par conséquent de délimiter avec précision les secteurs de la société où le comte apparaît comme le justicier normal. Nous essaierons cependant de préciser la position sociale de ces laïcs qui, aux prises avec des gens d'église, défendent leur droit devant lui. Sur les quatorze personnages que nous font connaître les documents du xe siècle, onze se laissent identifier[42]; ce sont tous d'importants seigneurs, les égaux de ceux qui se réunissent autour du comte pour former sa cour, parfois même les assesseurs habituels du tribunal[43]. Quelques-uns d'entre eux sont connus pour être ses fidèles[44]. Mais, notons-le, à l'inverse de ce qui se passe pour les assesseurs, l'accent dans les notices de jugement n'est jamais mis sur les relations personnelles qu'ils pouvaient entretenir avec lui[45]. On peut donc penser que l'on n'établissait pas de rapport évident entre la qualité du fidèle et la soumission à la juridiction du comte. De plus, certains, nous en avons la certitude, n'ont aucun rapport avec lui. Nous pouvons l'affirmer en particulier pour le seigneur Airoard, dont il est fait mention dans la charte 1179 du recueil de Cluny et que nous connaissons fort bien par ailleurs. C'est la place que ces seigneurs occupaient dans la société qui, semble-t-il, les faisait relever normalement de la juridiction comtale. Au siècle suivant, les rédacteurs des actes ne font jamais mention d'une dépendance personnelle quelconque; dans un cas précis au moins, il n'existe sûrement aucun lien entre le comte et le chevalier qu'il juge[46]; mais il n'est pas possible de décider dans les autres cas. Par contre, il est certain que la position sociale des justiciables perd, à cette époque, de son éclat : de même qu'ils ont cessé de siéger à la cour, les plus grands seigneurs de la région échappent désormais, et cela malgré les liens de fidélité qu'ils ne dissimulaient pas naguère, à la juridiction comtale; tous les plaideurs que nous pouvons identifier appartiennent, à partir de 1030, à la classe directement inférieure des *milites*[47]. Malgré l'imprécision de nos connaissances, nous pouvons conclure que les cours comtales, à la fin du xie siècle, ne sont pas de simples cours féodales, aptes uniquement à trancher les différends des membres du groupe vassalique; ceux qui se présentent devant elles ne sont pas obligatoirement les hommes du comte. La clientèle qu'elles conservent parmi les chevaliers est assez vaste, mais, depuis les premières années du XIe siècle, elles ont cessé d'attirer les plus importants des seigneurs, ces possesseurs de châteaux qui, nous le verrons, étendent à ce moment, aux dépens de celle du comte, des juridictions indépendantes.

Il nous est maintenant possible de préciser l'évolution des pouvoirs judiciaires comtaux depuis la fin du IXe siècle. Pendant le Xe siècle tout entier, la cour du comte conserve les caractères essentiels de l'assemblée publique carolingienne qu'elle prolonge directement. C'est la réunion régulière des hommes libres les plus considérables du comté autour du juge supérieur dont la tâche principale est toujours d'apaiser les conflits qui opposent les plus grands seigneurs fonciers. Dans les trente premières années du XIe siècle se place la transformation complète. L'aristocratie locale cesse de fournir au comte le personnel régulier de son tribunal et n'accepte plus de se soumettre à ses jugements ; les liens de fidélité qui unissaient au comte les plus importants seigneurs, et dont les formules des actes soulignaient depuis 950 l'importance sociale croissante, n'ont pu les retenir ; ce qui prouve, en particulier, qu'il ne faut pas exagérer, à cette époque, la puissance des obligations vassaliques en matière de juridiction [48]. Les conséquences de cette désertion ont été décisives ; la cour comtale a perdu de ce seul fait son caractère officiel et supérieur. Elle n'est pas réduite, il est vrai, au simple rôle de juridiction féodale ; elle continue d'attirer encore, dans une zone qui dépend de l'activité du comte, les membres de la classe chevaleresque, même s'ils ne se rattachent pas à la vassalité comtale. Mais, désormais réduite à des fonctions de conciliation, on ne la distingue plus, si ce n'est par une vague réminiscence de ses origines, des autres cours privées dont le rayonnement s'est accru au moment où elle perdait son éclat.

*

Chacun est d'accord pour voir, dans les privilèges d'immunité concédés par les souverains carolingiens, l'une des origines certaines des juridictions privées de l'époque féodale. Dans le domaine de notre recherche, tous les grands établissements ecclésiastiques, l'église de Mâcon, les abbayes de Tournus et de Saint-Marcel-lès-Chalon, l'abbaye de Cluny enfin, conservaient dans leurs archives les diplômes solennels qui leur assuraient cet avantage[49]. Certains faux[50], qui datent vraisemblablement du XIe siècle, portent témoignage de l'importance que l'on attachait en ce temps à ces concessions royales, toujours considérées comme le gage le plus sûr de l'autonomie judiciaire. Mais les droits de justice qui découlaient légalement de ces privilèges étaient malgré tout assez limités en extension comme en intensité[51]. Or, à la fin du XIe siècle, quelques-unes de ces églises immunistes paraissent en possession de pouvoirs de juridiction beaucoup trop étendus pour n'être que la prolifération des avantages particuliers accordés par les diplômes royaux. Il faut donc chercher d'autres origines à ces pouvoirs ; nous essayerons de le faire pour ceux de Saint-Vincent de Mâcon et de Saint-Pierre de Cluny, sur lesquels nous sommes bien renseignés.

Les seigneurs de l'église de Mâcon disposent à la fin du XIe siècle de droits de justice sur les hommes et sur les terres de Saint-Vincent, qu'il faut considérer comme le développement normal de l'immunité primitive[52]. Mais nous savons très mal, à cette époque, jusqu'où s'étendaient et comment s'exerçaient ces droits. Nous savons seulement que le règlement des différends qui opposaient les seigneurs de Saint-Vincent aux officiers de la seigneurie avait lieu devant le chapitre[53] et aussi devant des réunions mixtes où étaient présents les amis laïcs des prévôts[54]. Nous devinons aussi que, les menses épiscopales et canoniales étant strictement séparées, l'évêque et le chapitre ont chacun leur juridiction autonome sur leur patrimoine ; de même chaque chanoine obéancier doit posséder sur les terres et sur les hommes de son obéance la totalité des droits de justice[55].

Mais l'évêque est en possession de pouvoirs judiciaires qui débordent largement le cadre assez restreint des domaines de Saint-Vincent. Certains lui viennent de sa position dans la hiérarchie ecclésiastique : à la fin du XIe siècle, on lui reconnaît la compétence exclusive pour toutes les causes où sont impliqués les clercs ; d'autre part, depuis la constitution des institutions de paix, il est chargé de juger toutes les infractions à la paix, à la trêve, et toutes les violations des lieux d'asile [56]. En 1100, il en est chargé seul, en dehors de toute intervention des juges laïcs et, expressément, du tribunal comtal ; dans ce domaine, sa juridiction a, semble-t-il, gagné du terrain, car, au milieu du XIe siècle encore, les délits de *fractio pacis* appartenaient conjointement aux justices temporelle et spirituelle [57]. Cette juridiction tout à fait indépendante, singulièrement étendue et surtout, on le voit, susceptible d'extension indéfinie, dut s'exercer en fait très facilement non seulement sur les gens d'Eglise mais encore sur tous les laïcs qui pouvaient le souhaiter.

Mais, par ailleurs, on peut se demander si la compétence de la cour épiscopale, telle que nous la voyons fonctionner au XIe siècle, n'a pas une autre origine, civile et publique celle-ci, de même nature que celle de la juridiction comtale. Aucun texte ne mentionne formellement un partage des attributions judiciaires officielles entre le comte et l'évêque [58]. Mais assez souvent au Xe siècle, on voit l'évêque présider, aux côtés du comte ou de son représentant, certaines sessions du tribunal comtal [59]. Rien ne distingue ces sessions des autres, ni la forme de l'assemblée, qualifiée toujours *mallus publicus* [60], ni les caractères de la cause en débat, ni la situation personnelle des plaideurs [61]. Cette présence du prélat est-elle purement honorifique ? On pourrait le penser car jamais on ne trouve au bas des comptes rendus les signatures de l'évêque et de ses suivants auprès de celles du comte et de ses assesseurs laïcs ; et pourtant, les notices soulignent avec tant d'insistance l'égalité des deux présidents et surtout leur commune situation en face des assesseurs qui sont leurs fidèles[62] que l'évêque semble bien en fait participer à la juridiction officielle du comte. Cependant, si les deux puissances spirituelle et temporelle de la région sont associées, et ceci conformément à l'esprit de la législation carolingienne, jusqu'aux dernières années du Xe siècle il n'existe qu'une seule cour de justice dans la cité : le *mallus*. Mais à partir de ce moment, alors que se laissent percevoir les premiers signes de la décadence de la cour comtale, on voit peu à peu se séparer d'elle une cour épiscopale autonome. D'abord, en l'absence du comte, l'évêque et le chapitre, entourés des assesseurs habituels du *mallus*, règlent eux-mêmes certains conflits qui les concernent[63] ; puis, peu à peu, le rôle des ecclésiastiques devient plus considérable[64] ; enfin, dans les premières années du XIe siècle, l'évolution est achevée : un tribunal épiscopal indépendant fonctionne régulièrement[65]. Présidé par l'évêque, il se tient d'ordinaire dans le cloître et se compose de chanoines[66] auxquels se joignent quelques laïcs[67]. C'est lui seul qui règle toutes les affaires de l'église de Mâcon, qui, depuis ce temps, ne sont plus jamais portées devant la cour du comte[68]. Jusqu'à la fin du siècle, nous ne voyons pas qu'il ait été appelé à régler d'autres conflits ; si l'origine de notre documentation n'est pas seule responsable du fait, on peut penser que, pendant un certain temps, la cour de l'évêque a eu pour rôle essentiel la défense du patrimoine de Saint-Vincent contre les attaques menées de l'extérieur. Ce rôle ne serait ainsi que l'extension vers le dehors de la juridiction de l'immuniste, favorisée par l'effacement de la cour comtale et renforcée par la part de souveraineté que l'évêque a pu retirer de sa longue fréquentation des assemblées publiques. Comme, d'autre part, quelques-uns au moins des plaideurs qui se présentent devant la cour épiscopale sont notoirement liés à Saint-Vincent par la possession de précaires ou de fiefs ou par des relations personnelles[69], il semble que certains droits de justice d'essence féodale s'ajoutent à ces pouvoirs. En tout cas, la juridiction de l'évêque suffit, pendant le XIe siècle tout entier, à sa tâche essentielle et règle toutes les affaires où sont en cause les intérêts de l'Eglise. Mais, à partir de 1095 environ, la cour épiscopale, qui n'avait pas cessé jusque-là de s'étendre aux dépens de la cour comtale, s'affaiblit, elle aussi. Tandis qu'elle est choisie par un nombre croissant de plaideurs pour arbitrer des causes qui ne la concernent pas directement [70], elle n'est plus capable de contraindre ses propres adversaires à venir discuter devant elle les droits de Saint-Vincent. D'une part, l'évêque reprend son rôle ancien de conciliateur et ne cessera plus de l'étendre ; d'autre part, bien que les menaces spirituelles et les armes ecclésiastiques constituent entre leurs mains un moyen de contrainte dont ne disposent pas les tribunaux laïcs [71], l'évêque et les chanoines sont eux aussi obligés, pour leurs propres causes, de recourir à des arbitres : souvent le comte [72], mais aussi parfois des personnes privées [73].

L'histoire des pouvoirs judiciaires de l'évêque de Mâcon se déroule en trois phases : 1) au xe siècle, l'évêque est un seigneur immuniste qui jouit, comme tel, de droits de justice sur les hommes et sur les biens qui dépendent du patrimoine de l'Eglise ; associé au comte dans la présidence du *mallus*, il participe à ses fonctions judiciaires supérieures ; 2) à la fin du siècle, peu à peu, l'évêque se détache, lui aussi, de la cour publique et s'entoure d'une assemblée judiciaire indépendante ; sa clientèle s'étend vite aux dépens de celle du comte : les chevaliers, s'ils sont en conflit avec des clercs, s'ils sont mêlés à quelque affaire qui révèle des institutions de paix, s'ils sont en contestation à propos des droits de Saint-Vincent ou s'ils entretiennent avec l'Eglise des relations féodales, sont normalement justiciables de la cour de l'évêque, à la fois cour de chrétienté, cour d'immunité et cour vassalique ; 3) dans les dernières années du xie siècle enfin, comme la cour comtale, la cour épiscopale perd sa force : les jugements font place à des accords qui souvent réclament l'entremise de personnes étrangères ; mais inversement, de par sa position, c'est l'évêque que l'on choisit le plus fréquemment comme arbitre et sa juridiction d'arbitrage est tout de suite extrêmement active.

Des documents plus nombreux vont nous permettre de pousser plus loin des recherches analogues à propos de la juridiction qui dépend de l'abbaye de Cluny. Fondation tardive, ce monastère n'a pas bénéficié des privilèges d'immunité classiques ; mais, en fait, il fut tout de suite placé dans une situation semblable à celle des églises voisines. La condition privilégiée des biens qui constituèrent la donation primitive, les strictes stipulations de la charte de fondation, l'autorité de Guillaume le Pieux sur les *judices publici* de la région préparaient, sans qu'il fût besoin d'en faire mention expresse, la constitution d'une organisation judiciaire autonome, au moins sur les domaines les plus proches du monastère. Cet état de fait fut sanctionné par un diplôme du roi Lothaire qui mettait les religieux à l'abri de toute intervention judiciaire, mais dans des limites territoriales assez vagues[74]. Nous n'avons aucune lumière sur les pouvoirs qui sont nés de cette immunité avant les dernières années du XIe siècle. Cette justice apparaît à ce moment comme essentiellement personnelle : elle s'étend sur tous les hommes de Saint-Pierre, *tam interioribus quam exterioribus*[75] ; lorsque ceux-ci sont en conflit avec les dépendants d'autres seigneurs, Cluny s'efforce de conserver sa juridiction sur eux en imposant aux seigneurs adverses des limites à l'exercice des représailles, et en les obligeant à porter plainte devant sa cour[76]. Les pouvoirs judiciaires sont exercés par les doyens qui veillent au bon fonctionnement de chacune des unités seigneuriales qui composent le patrimoine des apôtres ; entre leurs mains, ils sont complets, au civil comme au criminel[77], et certainement vigoureusement exercés, car on ne fait aucune différence entre les profits de justice et les autres rapports du domaine : nous avons, par chance, conservé le fragment d'un compte dressé au début du XIIe siècle, qui est l'état des revenus en numéraires encaissés par le doyen de Chevignes[78] ; parmi des sommes de provenance diverse, chevages ou cens en argent, produit de la vente des récoltes, on trouve, après la mention d'un délit, une série de noms suivis du montant des amendes[79]. Rien ne nous permet de deviner la forme que prenait l'activité judiciaire des doyens : nous ignorons quelle était la part que prenaient à cette administration les agents de la seigneurie et s'il existait des assemblées de paysans participant au jugement. Nous ne savons pas non plus jusqu'à quel point cette juridiction patrimoniale avait débordé sur les hommes qui ne dépendaient pas directement de la seigneurie clunisienne. Nous pouvons seulement connaître la manière dont était rendue la justice à l'échelon supérieur de la seigneurie, lorsque la qualité des justiciables réclamait l'emploi d'organes judiciaires plus importants ; il s'agit du jugement de deux prévôts des doyennés de Cluny et de Berzé-la-Ville[80] qui ont outrepassé les droits attachés à leur fonction. La solennité de l'assemblée judiciaire présidée par l'abbé[81] et qui rassemble les clients chevaleresques de l'abbaye[82] porte un témoignage de valeur sur la position sociale de ces ministériaux alors en pleine ascension. Mais la rigueur de la sentence qui condamne les coupables à la confiscation totale de leurs biens, fiefs et alleux, et qui les remet, eux et leur famille, à la merci des seigneurs[83], est celle d'un maître qui punit son homme indélicat ; encore que le luxe de précautions prises pour garantir l'exécution de la sentence, et la restitution gracieuse de la majeure partie des biens confisqués[84], empêche d'exagérer l'efficacité que pouvait avoir à la fin du XIe siècle la justice domaniale de l'abbé sur les plus hauts placés de ses dépendants[85].

Mais les moines de Cluny ne possèdent pas seulement les pouvoirs judiciaires que comportaient en puissance les garanties d'exception attachées, dès sa fondation, au monastère. Par-dessus cette justice domaniale se sont développés d'une part une juridiction de paix, d'autre part des droits judiciaires définis qui, destinés d'abord à défendre le patrimoine contre les entreprises extérieures et à faire régner le calme à l'intérieur du groupe des vassaux de l'abbaye, étaient capables de s'étendre beaucoup plus largement. Ces pouvoirs se manifestent pour la première fois à la fin du xe siècle, au moment même où se développent entre les mains de l'évêque de Mâcon des droits de caractère analogue, c'est-à-dire au moment où se dessine la décadence de la cour comtale.

En 994, les décisions du concile d'Anse[86], première expression dans la vallée de la Saône du mouvement religieux des institutions de paix, entourent le monastère de Cluny d'une paix spéciale qui doit le mettre à l'abri de toutes les violences. L'administration des peines ecclésiastiques qui menacent les violateurs de cette paix est confiée aux moines eux-mêmes[87]. Ce fut le point de départ d'une juridiction compétente pour tous les crimes et tous les actes de violence commis à l'intérieur du territoire protégé. Et les peines spirituelles étaient accompagnées de punitions temporelles; l'amende traditionnelle des 600 sous, attachée depuis l'époque carolingienne à la violation de l'immunité[88], fut bientôt considérée comme la satisfaction que Cluny était en droit d'exiger[89]. Au début, la connaissance des infractions à la paix paraît avoir appartenu conjointement à l'abbaye et à la juridiction séculière, c'est-à-dire à la cour du comte : Gilbert et Orné, qui donnent à Cluny deux courtils *in emendationem... propter locum quem violavimus*[90], ont été, pour le même fait semble-t-il, condamnés par la cour comtale[91] ; et en 1041, saint Odilon, dans la lettre qu'il adresse aux évêques italiens pour la propagation de la trêve de Dieu, paraît considérer comme normale l'intervention du justicier laïc, à qui revient la charge d'infliger les punitions temporelles[92]. Mais, au début du xie siècle, on voit l'abbaye infliger seule les dures amendes coutumières : en 1023, Josserand de Merzé, ayant tué un chevalier devant la porte du monastère, vient, conduit par ses amis, se soumettre à la justice du prieur; il doit donner plusieurs terres, renoncer au bénéfice qu'il tenait de Saint-Pierre et payer les 600 sous[93]. Les seigneurs de Cluny, ainsi chargés du maintien de la paix aux abords immédiats des bâtiments monastiques, ont exercé en fait dans un cadre beaucoup plus vaste ce ministère pacifique. Bien des donations accomplies en amende pour des actes divers de violence [94] sont certainement les pénitences ultimes de pécheurs repentants [95] ou des indemnités destinées à réparer certains dommages ; cependant, nous avons conservé la trace de jugements imposés par les moines pour mettre un terme à des vengeances privées et pour garantir la durée du pardon par la menace d'amendes pécuniaires [96]. On peut donc penser que dans un domaine, difficile à déterminer, les moines avaient soustrait à la juridiction normale de l'évêque tous les délits de *fractio pacis* et que depuis le milieu du XIe siècle ils infligeaient régulièrement à la place du comte les sanctions séculières. Mais la pacification de ces délits n'absorbait qu'une part de l'activité de la cour judiciaire du prieur.

L'existence de celle-ci se manifeste pour la première fois dans les dernières années du Xe siècle et, aussitôt, elle fonctionne régulièrement [97]. Son siège habituel est à Cluny, mais on la rencontre parfois dans le château voisin de Lourdon [98], ou dans un doyenné, à Berzé, en particulier, où séjournait volontiers saint Hugues [99]. C'est normalement le prieur qui la préside [100], la présence de l'abbé est plus rare [101]. Formée lorsque la cause est exceptionnelle par le chapitre tout entier [102], elle est couramment composée par six ou sept moines — des spécialistes, sans doute, car ce sont presque toujours les mêmes — auxquels viennent se joindre, en nombre sensiblement égal, des séculiers. Ces assesseurs [103] sont parfois des prêtres [104] ou d'humbles gens [105], mais, dans la plupart des cas qui nous sont connus, ce sont les petits seigneurs qui vivent dans le voisinage immédiat de l'abbaye. Beaucoup d'entre eux, peut-être tous, sont liés à Cluny par des rapports féodaux : sur une vingtaine de personnages que nous pouvons identifier au début du XIe siècle, six au moins tenaient, nous en avons la certitude, des précaires de l'abbaye [106] ; plus tard ce sont leurs descendants, qui tiennent eux aussi en fief les terres des apôtres [107]. Régulièrement, en tout cas, ils sont liés très étroitement à la partie en cause : toujours ses pairs —

d'humble condition lorsque le défenseur est lui-même sans éclat —, toujours ses amis ou au moins ses voisins [108], ce sont ces relations qui déterminent leur présence. La cour de Cluny est donc, chaque fois que nous la voyons se réunir, une cour mixte : en nombre égal, les tenants de chacune des parties — les moines représentant les intérêts de Saint-Pierre — s'assemblent sous la présidence du prieur. La cour des comtes de Mâcon présente, nous l'avons vu, un aspect analogue lorsqu'elle se transforme en cour d'arbitrage.

Cette assemblée s'occupe uniquement, en dehors des causes relevant directement de la juridiction de paix, de la défense du patrimoine de l'abbaye ; nous n'avons du moins aucun témoignage d'une activité plus étendue. Devant elle se présentent les seigneurs voisins lorsqu'ils sont en conflit avec les recteurs du monastère à propos de terres ou de serfs [109], lorsqu'ils élèvent des revendications sur des biens de leur lignage [110], lorsque le désaccord porte sur des coutumes injustement levées [111]. Toutes ces affaires, tant par la matière que par la condition des personnes en cause, sont pourtant du ressort normal de la juridiction comtale. Pourquoi échappent-elles au comte et sont-elle réglées par cette cour privée, qui ne pouvait, comme la cour épiscopale, revendiquer de par ses origines quelque part des pouvoirs publics de justice ? N'intervenant jamais que lorsque les droits de Saint-Pierre sont mis en question, ces pouvoirs judiciaires peuvent être une simple extension de la juridiction normale de l'immuniste. Les moines ont eu d'abord la connaissance légale de tous les conflits qui séparaient leurs hommes ; puis, nous l'avons vu, ils se sont efforcés d'attirer toutes les plaintes dirigées de l'extérieur contre les agissements de ces dépendants [112] ; ils ont été ainsi naturellement amenés à revendiquer toutes les causes qui pouvaient intéresser l'ensemble de la seigneurie. Mais nous ne pouvons conclure sur le seul témoignage de nos documents que la cour de Cluny n'ait jamais jugé d'autres causes ; les archives de l'abbaye n'étaient pas faites pour conserver la trace des sentences qui n'intéressaient pas directement l'état du patrimoine. Il reste donc possible que la juridiction clunisienne se soit étendue à des cas purement laïcs. Un fait peut justifier cette supposition : pour une part, la justice du prieur était une justice féodale. Nous avons déjà remarqué que, la plupart du temps, des liens de dépendance unissaient aux seigneurs de Cluny les séculiers qui les assistent dans leurs fonctions judiciaires ; le fait apparaît encore plus nettement en ce qui concerne les justiciables. Très significatif est, à lui seul, le langage des actes où se manifeste pour la première fois l'activité de la cour de Cluny : régulièrement les plaideurs laïcs y sont présentés comme des *vassi*[113]. Mais ce témoignage est complété par l'identification des dix-neuf personnages que nous connaissons : pour quatre d'entre eux, la tâche est impossible et pour sept autres, nous n'avons pu découvrir la preuve formelle de relations féodales précises ; ce sont simplement des voisins immédiats du monastère, qui sont en rapports constants avec les moines et qui, à l'occasion, viennent s'asseoir auprès d'eux au plaid ; mais six au moins tiennent certainement de Cluny des précaires ou des fiefs[114] et deux seulement sont de puissants seigneurs qui n'ont aucune relation féodale avec l'abbaye[115]. Enfin, nous connaissons au XIe siècle certaines sessions où l'assemblée judiciaire clunisienne porte indiscutablement tous les caractères d'une cour féodale : composée de chevaliers fieffés du monastère, elle contraint, en 1064, Lambert Deschaux à abandonner le fief qu'il tenait après son père et qui avait donné lieu à de longues contestations[116] ; en 1072, Geoffroi de Saint-Nizier doit, pour recouvrer son fief que l'abbé avait confisqué, renoncer à ses revendications devant le prieur, quatre moines et trois vassaux dont le susdit Lambert[117].

Nous pouvons voir, à propos de l'abbaye de Cluny, dans quelles directions s'est développée une juridiction d'origine purement privée. Des droits du seigneur renforcés par l'immunité procèdent les droits de justice revendiqués sur tous les hommes de Saint-Pierre, quelle que soit leur résidence ; cette juridiction domaniale, de caractère personnel, a donc tendance à déborder hors du cadre assez imprécis des possessions foncières. La justice féodale exercée sur les vassaux lorsqu'ils sont en conflit direct avec leur seigneur est aussi une justice personnelle, mais elle dut rayonner au-delà du groupe vassalique et juger les désaccords entre Cluny et les membres de la classe chevaleresque, quels que soient leurs rapports avec le monastère. Enfin, Cluny exerce une juridiction de paix qui, elle, s'étend sur tous les criminels quels qu'ils soient, mais se limite à un domaine territorial assez resteint[118].

Justice vassalique et justice de paix s'adressaient aux hommes libres de la classe supérieure qui normalement relevaient du tribunal du comte. Au début, elles furent subordonnées à la juridiction comtale ; l'une, parce que les moines n'infligeaient d'abord aux violateurs de la paix que des peines spirituelles, qu'accompagnaient des sanctions séculières ; l'autre, parce que, nous l'avons remarqué à propos de la justice comtale, les relations vassaliques ne contraignent pas encore au début du XIe siècle avec beaucoup de rigueur le vassal à se soumettre à la justice de son seigneur. Aussi, jusqu'au milieu du XIe siècle, bien des procès, même ceux qui l'opposent à ses précaristes ou à ses vassaux, sont portés par Cluny devant les cours des comtes de Mâcon et de Chalon[119] ou sont soumis à l'arbitrage de l'évêque, lorsque celui-ci peut avoir de l'influence sur les adversaires du monastère[120]. Parfois, il est fait appel au comte lorsqu'une première sentence prononcée par la cour de Cluny n'a pu recevoir d'exécution[121], ce qui prouve l'efficacité relative de la justice clunisienne, lorsqu'elle s'adresse aux vassaux.

Celle-ci, cependant, devient complètement indépendante aux environs de 1050 ; à partir de ce moment, les moines ne portent plus plainte devant la cour comtale, sauf lorsqu'il s'agit de démêlés directs avec le comte[122]. Il faut chercher le motif de cette désaffection dans l'affaiblissement de la justice séculière. Ce n'est pas en effet que Cluny soit devenue avec le temps capable de faire respecter, par les seuls arrêts de son tribunal, ses droits contre les empiètements de ses voisins [123]. Au contraire, un nombre croissant d'affaires lui échappent, qui pourtant la concernent directement ; les seigneurs de Saint-Pierre sont obligés, alors, soit de se rendre auprès de leurs adversaires et de s'entendre à l'amiable avec eux [124], soit de soumettre la cause aux efforts de conciliation de l'évêque [125] ou, plus souvent encore, d'une réunion d'arbitres spécialement appelée à cet effet [126]. Ce refus d'accepter la juridiction du prieur n'émane pas seulement de puissants seigneurs comme Bernard Gros ou les frères Enchaînés [127], mais aussi d'obscurs chevaliers [128] et même d'anciens prévôts [129]. Tout ce qui compte tant soit peu dans la société d'alors a donc tendance à esquiver la justice de l'abbaye, comme elle esquive celle de l'évêque ou du comte. C'est un fait général que la disparition progressive, au cours du XIe siècle, de toute contrainte judiciaire sur la classe seigneuriale.

*

Les seigneuries ecclésiastiques, nanties de privilèges d'immunité, ne sont pas les seules à s'être constitué, au détriment des pouvoirs comtaux, des juridictions étendues. Pendant tout le Xe siècle, il est vrai, les cours ecclésiastiques apparaissent seules auprès des organes publics de l'administration judiciaire. Mais, dans les premières années du XIe siècle, au moment où les pouvoirs comtaux subissent l'affaiblissement que l'on sait, on voit pour la première fois des laïcs en possession de juridictions privées. En 1016, le pape Benoît VIII signale à l'attention de tous ceux qui ont reçu de Dieu la puissance à charge de défendre les fidèles un certain nombre de graves usurpations commises aux dépens de l'abbaye de Cluny ; il s'adresse d'abord aux comtes de Mâcon et de Chalon comme aux représentants officiels de ce pouvoir, mais aussi, après eux, au puissant lignage du vicomte Guigue, à Oury de Bâgé, à Ansoud de Bourbon-Lancy, à tous les puissants de la région [130].

Dès les premières années du XIe siècle, certains *optimates*, en nombre semble-t-il assez restreint, sont donc jugés capables, au même titre que les comtes, d'administrer aux spoliateurs des saints les punitions temporelles. Cent ans plus tard, lorsque apparaissent les premiers témoignages un peu précis sur les justices seigneuriales, les possesseurs laïcs de droits de justice sont toujours peu nombreux ; mais on peut définir plus nettement leur situation dans la société : ce sont tous des *domini*, c'est-à-dire, dans le langage du temps, des possesseurs de châteaux [131]. Les pouvoirs judiciaires dont ils disposent peuvent être considérés comme la dépendance de ces forteresses [132], qui, encore peu nombreuses [133], sont certainement revêtues aux yeux des contemporains d'un caractère public très net [134]. Ces châteaux, qui sont devenus les sièges favoris des cours comtales d'abord, d'autres assemblées judiciaires privées ensuite [135], confèrent à leurs possesseurs de la fin du XIe siècle, aux sires de Brancion, de Berzé, de Bâgé, de Beaujeu et à quelques autres encore, une certaine juridiction sur le territoire environnant, et l'on commence à voir, au temps de saint Hugues, les plaids castraux arbitrer, en concurrence avec les cours comtales et ecclésiastiques, les différends qui opposent les seigneurs [136]. Or ces seigneurs châtelains, dont les fonctions judiciaires se développent au début du XIe siècle, sont précisément les descendants directs de ces grands personnages qui siégeaient, à l'époque précédente, au tribunal comtal. Mettons tout de suite en rapport la constitution de leur juridiction indépendante avec la désaffection dont ils font preuve à l'égard de l'assemblée du comte.

L'analyse des pouvoirs judiciaires des châtelains et la recherche de l'origine de ces pouvoirs est rendue malaisée par la rareté et la dispersion des documents antérieurs au XIIe siècle, et nous devrons parfois nous contenter d'émettre des hypothèses. Il ne semble pas, d'abord, qu'il faille supposer à la base de ces droits des privilèges d'immunité analogues, quoique usurpés, à ceux dont ont joui les établissements ecclésiastiques, encore que le patrimoine de certains châtelains soit constitué, entre autres, par des biens d'origine fiscale[137] qui, de ce fait, échappaient à la juridiction ordinaire. Par contre, on doit considérer que les droits essentiels, ceux qui permettent à la juridiction du *dominus* de s'étendre bien au-delà des bornes de sa seigneurie foncière et de jouir, aux alentours de l'an 1100, d'une influence égale à celle du comte, proviennent par des voies qu'il n'est pas permis de déterminer avec précision de l'appropriation de certaines fonctions d'origine publique. D'une part, en effet, on peut considérer les châtelains comme les héritiers de la juridiction exercée à l'époque carolingienne par les agents inférieurs du comte ; d'autre part, ces droits se sont ajoutés aux pouvoirs généraux de *districtio* qui rayonnaient autour de ces forteresses, dont la raison d'être primitive avait été le maintien de la paix publique.

L'étude des destinées des pouvoirs judiciaires publics qui n'étaient pas directement exercés par le comte carolingien autorise, semble-t-il, la première de ces hypothèses. Remarquons d'abord qu'il n'y a pas eu dans notre région d'usurpation du titre comtal, pas même aux confins du vaste *pagus* d'Autun, pas même dans cette Bresse qui échappe absolument au contrôle du comte de Lyon[138]. Aucun seigneur n'a donc tenté par l'adoption d'un titre officiel d'ajouter le prestige d'un pouvoir public à la juridiction qu'il avait pu constituer à son profit. La dignité comtale a pu servir, dans d'autres contrées, à l'édification de pouvoirs judiciaires de grande envergure. Or, le vicomte de Mâcon du Xe siècle n'est jamais sorti de sa position de subalterne ; il assiste le comte dans ses fonctions de justicier, siège auprès de lui et est chargé, en son absence, de la présidence du *mallus publicus* ; mais il n'exerce pas d'activité judiciaire indépendante. La fonction, qui très vite s'installa dans de grandes familles[139], conférait cependant une aptitude particulière à l'exercice des droits de justice ; le vicomte Guigue est nommé tout de suite après les comtes dans la bulle de Benoît VIII. Dans les premières années du XIe siècle, le vicomte, comme les autres grands assesseurs, se détacha du tribunal comtal et fit des châteaux qu'il possédait le centre principal de son activité [140]. Les Blanc, qui vont retenir définitivement le titre jusqu'à sa disparition [141], installés sur leurs alleux autour du *castrum* de Montmelard, ne paraîtront plus dans la vallée de la Saône [142] ; ils vont se créer une importante seigneurie dans la partie occidentale de l'ancien *pagus* et peu à peu glisseront vers les pays de la Loire. Là, ils jouissaient au XIe siècle de pouvoirs judiciaires étendus dont nous ne savons malheureusement rien, si ce n'est qu'ils reposaient avant tout sur la concentration entre leurs mains de la juridiction de nombreuses *vicariae* [143].

En effet, c'est par l'absorption des anciennes *vicariae* que se sont constitués essentiellement les droits de justice civile exercés par les châtelains sur les populations rurales des alentours. Pendant tout le Xe siècle, les assemblées vicariales sont encore en pleine activité dans le sud de la Bourgogne, et nous connaissons avec assez de précision le rôle qu'elles étaient appelées à jouer [144]. Ces réunions campagnardes qui se tiennent dans l'aître d'une église de village sont formées par les hommes libres du lieu [145], gens d'humble condition [146], assemblés sous la présidence du *vicarius* qui lui-même, semble-t-il, n'appartient pas à la classe supérieure de la société [147]. Dans les trois cas que nous connaissons, les notices, rédigées avec une grande fidélité aux anciennes formules par un scribe de campagne, relatent le règlement de procès sur des alleux. La compétence de ces cours, à la fin du Xe siècle, ne semble pas différente quant au fond de celle du tribunal comtal. Contrairement à l'opinion courante qui reste fidèle à l'enseignement des capitulaires de l'époque classique [148], nous pensons que toutes les causes civiles, même les plus importantes, relevaient normalement de la juridiction du *vicarius*. La différence essentielle entre la compétence respective des cours vicariales et comtales est une différence de clientèle : le *vicarius* et ses scabins tranchaient les conflits qui séparaient les hommes libres de condition modeste, habitant dans un domaine géographique restreint[149], à l'exclusion des membres de la classe supérieure qui relevaient du tribunal comtal. Les rapports entre ces deux cours seraient semblables à ceux qu'entretenaient en Angleterre les cours de *hundred* et de *shire*.

En 1004, une assemblée de voirie est encore en fonction à deux lieues au sud-est de Cluny[150]. Au même moment, à une vingtaine de kilomètres de là, dans la zone d'influence du château d'Uxelles, la *vicaria* n'est plus qu'une coutume levée sur les terres du territoire au profit du châtelain. Josseran, l'ancêtre de ces Gros qui, au XIIe siècle, seront les égaux des comtes, remet aux moines de Cluny certains droits hérités de ses parents, qui pesaient sur les terres et les hommes du doyenné de saint Hippolyte : en bonne place figurent les droits de voirie[151]. Dans les premières années du XIe siècle, qui apparaissent décidément comme des années décisives pour l'évolution des institutions judiciaires, les plus puissants des seigneurs laïcs, ceux qui tiennent les châteaux, mettent la main sur les assemblées judiciaires qui fonctionnent, dans les villages des alentours, à l'usage des petites gens.

Quelles furent les conséquences de cette appropriation ? D'abord, le voyer est devenu l'officier[152] du seigneur qui a rarement gardé le titre pour lui[153]. Comme en Lyonnais, en Anjou, en Poitou, en Limousin, ailleurs encore[154], le voyer du XIe siècle est l'humble dépendant qui administre au nom de son maître la justice dans le rayon de l'ancienne *vicaria* et qui, surtout, en recueille les profits. Car c'est là, en effet, la seconde conséquence, qui n'est pas, elle non plus, particulière à notre région : en devenant des droits privés, les pouvoirs judiciaires ont été considérés par les seigneurs qui les détenaient comme une source de revenus ; sous le nom même de *vicaria*, ils perçoivent, dans toute l'étendue où s'exercent leurs droits, une redevance lucrative[155]. Telle est la *vicaria* que donne Hugues le Blanc dans la région de Charlieu[156] ; tel est, plus nettement encore, le *servitium vichariale* levé, sur deux manses donnés à l'abbaye de Saint-Rigaud, par les frères voyers de Montmelard[157]. Ainsi, les assemblées de voirie n'ont pas disparu par le seul fait que, dans les campagnes, le nombre des hommes libres allait diminuant ; la vitalité de celles que nous connaissons aux alentours de l'an mil nous interdit de le penser. Mais elles ont cessé d'apparaître, éclipsées par les pouvoirs privés des châtelains qui les avaient confisquées à leur profit. Ce que nous savons du *vicarius* et de la *vicaria* des temps féodaux[158] nous autorise à donner à notre conclusion une portée générale, qui reste à soumettre au résultat d'enquêtes régionales.

En tout cas, dans le sud de la Bourgogne, les assemblées publiques de voirie ont complètement disparu au début du XIe siècle ; l'usage seul du mot *vicaria*, dans son sens géographique, se maintiendra quelque temps encore. Dans les régions où le comte reste présent — et ceci, notons-le bien, dans la mesure où il a conservé la disposition des châteaux —, l'institution n'a pas été conservée pour autant. Le comte, sans doute, a, lui aussi, accaparé les juridictions publiques inférieures. Mais il ne semble pas avoir conservé les voyers. Ses agents ordinaires sont ses familiers, les prévôts, qui apparaissent dans les premières années du XIe siècle[159]. Ils sont installés dans la cité, ou dans un château comtal[160], et sont rétribués par des fiefs qui s'ajoutent à leurs alleux[161] et par une part des profits de justice[162] ; leur office est sans doute héréditaire[163], ce qui leur permet de s'élever rapidement. Au commencement du XIIe siècle, ce sont des personnages de premier plan[164] ; on peut prévoir le moment où ceux qui sont le plus isolés vont rompre tous les liens qui les retiennent et rendre désormais la justice à leur seul avantage.

Dans le même territoire où ils exercent pour les causes civiles des droits de juridiction qui prolongent ceux des *vicarii*, les châtelains possèdent la justice criminelle complète et ceci parce qu'ils sont les maîtres du château. Si l'on admet, après Hirsch[165], que la poursuite des crimes appartenait de droit au *vicarius* carolingien, la possession de ces droits pourrait s'expliquer par la seule appropriation des voiries. Mais nous pensons, avec certains auteurs [166], que la justice de sang s'est réellement constituée lorsque les mouvements de paix ont tenté de substituer aux règlements privés, vengeances ou compositions, la répression sévère des violences. Or, lorsque les institutions de paix s'établissent dans la Bourgogne du Sud, aux environs de l'an mil, les cours de voirie ont déjà été pour la plupart accaparées par les châtelains. Par contre, le château, qui, à cause de sa destination militaire, était le siège d'une paix spéciale, semblait bien fait pour servir de point d'appui aux pouvoirs séculiers chargés de soutenir les efforts déployés par les clercs pour le maintien de la paix. A ce moment aussi, le départ des principaux assesseurs, maintenant enracinés dans leur forteresse, avait affaibli considérablement la juridiction comtale ; on s'explique donc que le comte n'ait pas, comme en d'autres provinces, conservé le monopole de la justice de sang [167]. Il l'exerce évidemment lui-même dans le domaine territorial où il a conservé un prestige actif : après la découverte d'un crime commis en 1030 dans les environs de Mâcon, c'est au comte, nous dit Raoul Glaber, témoin direct, que fut rapporté le fait ; c'est lui qui, après enquête, se saisit du coupable pour le brûler [168] ; de même, au début du XIIe siècle, le droit de punir l'adultère et le larron dans la cité et aux alentours appartient au comte seul [169]. Il exerce aussi ce droit dans un rayon plus étendu sur tous ceux qui n'acceptent pas, à cause de leur position sociale, de se soumettre à la justice des châtelains. Mais, localement, ces derniers punissent, sans aucune réserve, les crimes commis par les petites gens dans les limites du sauvement.

Le *salvamentum* est le territoire où le châtelain a pour fonction essentielle la défense de la paix, qu'elle soit menacée par des tentatives menées de l'extérieur, qu'elle soit brisée dans le territoire lui-même par certains délits. Cette fonction, qui porte le nom de *custodia*, de *vuarda* [170], confère au gardien des droits de justice spéciaux : en cas de conflits avec des étrangers à propos des biens placés dans le sauvement, c'est lui qui juge [171] ; à lui revient le châtiment de tous les méfaits [172]. Dans une région où les avoués ecclésiastiques ne sont jamais sortis du rôle subalterne de représentants judiciaires et où le terme comme la notion d'avouerie disparaissent vers le milieu du xe siècle [173], les seigneurs d'Eglise, malgré les droits que leur conféraient l'immunité et la place qu'ils tenaient dans l'ensemble des institutions de paix, durent se soumettre aux droits supérieurs du seigneur gardien. Ils le firent volontiers à propos de leurs possessions périphériques, plus difficilement pour celles qui restaient à leur portée ; seuls échappèrent complètement les biens situés au voisinage immédiat des établissements ecclésiastiques [174]. Ce droit de garde était soit expressément concédé [175], soit imposé brutalement par le châtelain, à moins qu'il ne reposât préalablement déjà sur les terres qu'une donation faisait entrer dans le patrimoine des saints. A l'origine, ce droit est toujours entre les mains du maître du château, le comte, lorsqu'il détient lui-même la forteresse [176], un possesseur privé [177], qui l'ajoute alors à la *vicaria* [178], ou les héritiers directs des châtelains [179]. Mais par un phénomène déjà noté, le terme qui désigne la fonction tend à représenter surtout la rétribution matérielle qui y est attachée [180] ; et par *vuarda* on entend généralement les coutumes que le seigneur gardien lève sur le territoire du sauvement. Comme la voirie, la garde, attachée à certaines terres, suivait leur sort ; les partages successoraux, les aliénations, les inféodations ont, dès le milieu du XIe siècle, détaché la *custodia* du château et on la trouve, morcelée, dans le patrimoine des moyens seigneurs [181] ; mais le châtelain, s'il a parfois aliéné la rente qui le rétribuait, exerce seul la fonction.

Justice de sang, garde et voirie représentent donc les pouvoirs judiciaires complets qui s'étendent sur tous les territoires soumis à l'influence du château. Cette justice territoriale recouvrait absolument les droits de justice personnels revendiqués par les autres seigneurs sur ceux de leurs dépendants qui résidaient à l'intérieur du sauvement [182]. Avant le XIIe siècle, nous n'avons en effet aucun témoignage de l'exercice par les petits seigneurs laïcs d'une juridiction quelconque. La petite seigneurie, extrêmement morcelée [183], sans aucune consistance, ne pouvait pas d'ailleurs servir de cadre à une administration judiciaire effective. Les tenanciers libres, autrefois justiciables des cours de voirie, continuèrent sans doute à se soumettre aux jugements rendus par le voyer privé, qui étendit aussi sa juridiction sur les serfs. Jusqu'à la fin du XIe siècle, les droits de justice sur les humbles ont donc été fortement concentrés entre les mains de quelques puissants locaux ; mais, au XIIe siècle, ces droits lucratifs, reposant sur des terres, commencèrent à être régulièrement considérés comme une dépendance du fonds : la mention régulière des droits de justice dans les actes de vente et de donation à partir de cette époque en témoigne [184]. A partir de ce moment, ils suivirent les destinées de la propriété foncière et se morcelèrent.

Le château devint aussi le siège normal des cours féodales. Les *milites castri*, tous les hommes libres de la classe supérieure vivant dans l'entourage du château, formaient normalement la cour lorsque, au Xe siècle, le comte, de passage dans la forteresse, y rendait la justice [185]. Liés pour des raisons militaires au possesseur privé du château par des relations féodales, ils continuèrent à s'y réunir périodiquement et jugèrent dans ces réunions les conflits qui s'élevaient à l'intérieur du groupe vassalique. Mais ces cours de chevaliers parurent le tribunal normal pour la classe seigneuriale de la région tout entière et attirèrent ceux qui auparavant relevaient des cours comtales. A la fin du XIe siècle, certaines de ces assemblées, en particulier dans l'ouest de notre région, en Charolais, en Brionnais, en Autunois, pays qui échappaient à l'influence régulière des comtes, jouèrent sans réserve ce rôle [186].

Le château est donc, au XIe siècle, l'élément fondamental de l'organisation judiciaire. Le rayonnement de la justice comtale dépend du nombre de châteaux possédés par les comtes ; les seigneurs d'Eglise jouissent de leurs pouvoirs spéciaux d'immunistes et de leur juridiction de paix dans la mesure où ces droits sont renforcés par la possession d'une forteresse [187]. Le pouvoir judiciaire du châtelain s'étend sur toutes les classes de la société : défenseur de la paix, il peut agir sur les hommes de corps plus intimement liés à leur seigneur ; il est devenu le justicier normal des petites gens de condition libre depuis que le *vicarius* est devenu son agent ; enfin, les relations vassaliques lui ont permis de constituer une cour chevaleresque qui fait accepter ses sentences par les seigneurs des environs. L'administration de la justice était répartie, au xe siècle, dans des compartiments superposés mais étanches dont la disposition correspondait aux grandes lignes de l'édifice social : justice du maître sur les *servi*, des assemblées vicariales locales sur la classe inférieure des hommes libres, du *mallus* comtal sur les grands du comté. Au XIe siècle, cette superposition a fait place à une juxtaposition géographique : quels que soient les accommodements locaux, le châtelain revendique la justice sur tous les habitants du territoire qu'il contrôle. Notons que, pour l'évolution de la société, le fait le plus lourd de conséquences fut l'appropriation des justices vicariales. Les petits paysans libres qui formaient la clientèle de ces assemblées de village se sont trouvés soumis à une justice seigneuriale durement exercée par des ministériaux, d'autant plus efficace et entreprenante que son exercice représentait pour le *dominus* un profit susceptible d'accroissement indéfini. Perdant tout contact avec les organisations officielles de la justice publique, confondus devant la juridiction seigneuriale et les droits qui en découlaient avec les non-libres, ils devinrent avec eux les dépendants de la seigneurie territoriale constituée autour du château. Pour tous ces gens, c'est-à-dire pour la masse des ruraux, il existe donc une organisation judiciaire précise [188]. Les membres de la classe supérieure, les moyens seigneurs, les *milites* relevant de la cour comtale, ne tombèrent pas sous la juridiction du châtelain, lorsque celui-ci fit rendre en son nom les sentences de voirie. Ils continuèrent de dépendre normalement de la seule juridiction qui conservât un caractère public. Ce seul fait suffit à les distinguer, à les faire considérer comme les seuls véritables hommes libres. Mais, tandis que la cour comtale perdait sa force, ils furent sollicités à la fois par les tribunaux d'arbitrage des prélats, par la cour féodale que réunissait le seigneur de leur fief, par la réunion de leurs pairs tenue dans le château voisin ; ils devinrent pratiquement insaisissables, car aucun de ces organismes ne possédait notoirement le pouvoir de les contraindre. A la fin du XIe siècle, il n'existe plus d'institution judiciaire qui soit capable de maintenir la paix à l'intérieur de la classe chevaleresque[189].

Organisation précise de pouvoirs judiciaires qui s'exercent activement et avec efficacité sur la masse des petites gens, inconsistance et faiblesse totale des juridictions à l'usage de l'aristocratie, le contraste est absolu. C'est la conséquence du grand événement qui date des premières années du XIe siècle : la constitution des justices de châtellenies. Les débuts du XIIe siècle marquent une autre étape de l'évolution des institutions judiciaires ; après une soixantaine d'années d'édification spontanée se manifeste alors le besoin d'une organisation. Il faut, d'une part, préciser des droits qui, après s'être développés parallèlement, commencent à entrer en concurrence, d'autre part suppléer, par des créations nouvelles, aux défauts d'institutions qui se sont établies sans ordre. En étudiant ces faits nouveaux, nous devrons distinguer les deux aspects, maintenant si complètement différents, de l'administration de la justice, selon qu'elle s'adresse aux manants ou aux chevaliers.

*

La justice sur les humbles est considérée essentiellement comme un profit par le seigneur qui l'exerce. Il s'efforce donc d'étendre sa juridiction sur le plus grand nombre de personnes. Mais il rencontre vite des concurrents, ceux qui exercent les mêmes droits que lui dans la zone voisine, ceux au contraire qui dans son domaine se réclament d'autres principes pour lui disputer les siens. A la fin du XIe siècle apparaissent dans le sud de la Bourgogne les premiers règlements qui tentent de mettre fin à cette concurrence en fixant avec précision les droits réciproques des justiciers. C'est ainsi que commence un long travail qui se poursuivra pendant tout le XIIe siècle et qui déterminera finalement l'allure hiérarchisée de la justice féodale classique, avec ses échelons successifs de haute, moyenne et basse justice.

Il importait avant tout de régler les relations entre la justice territoriale des châtelains et la justice personnelle que réclamaient sur leurs dépendants les possesseurs de seigneuries assez importantes pour qu'ils disposent et de traditions judiciaires solides par ailleurs et de moyens suffisants pour lutter contre les justiciers locaux. A peu près seules les grandes Eglises se trouvaient dans ce cas aux alentours de l'an 1100 ; seules, en tout cas, elles nous ont laissé trace des luttes qu'elles ont menées contre les justices laïques, avec d'autant plus de vigueur que les idées réformatrices avaient rendu plus intolérables les empiètements de ces dernières.

Le premier accord que nous connaissions dans le cadre de notre recherche règle les droits de justice respectifs du seigneur ecclésiastique et du seigneur gardien. Il date de 1103 [190]. Il s'agit d'un traité entre l'abbaye de Cluny et Humbert de Châtillon, héritier récent des droits de garde que son beau-père possédait sur le doyenné bressan de Chaveyriat [191]. C'est un retour à l'état ancien, que précise le témoignage d'un ami du défunt, chevalier des environs, *prudens homo ac plenus dierum*. De par son droit de garde, le châtelain possède normalement la *malefactorum justicia* ; mais l'exercice de celle-ci est contenu dans des limites assez étroites : le gardien n'aura aucun droit de juridiction sur les hommes de Saint-Pierre, qu'ils soient ou non installés sur les terres clunisiennes ; s'il intervient pour punir les crimes qu'ils pourront commettre, ce sera sur la demande expresse du doyen et à charge de partager les profits de justice ; enfin, il exercera de plein droit la justice du marché de Chaveyriat sur les étrangers, mais en versant encore la moitié des profits aux moines [192]. Très semblable aux classiques règlements d'avouerie [193], cet accord fait une large part à la juridiction patrimoniale du seigneur sur ses hommes, qui est ici victorieuse : pour tous les hommes de la seigneurie concurrente éparpillés sur le territoire soumis à son influence, le châtelain n'est que l'exécuteur occasionnel, rétribué par une indemnité, des sentences punitives [194].

Le second règlement, contemporain du précédent [195], trace la limite entre les droits concurrents du comte et de l'évêque de Mâcon à l'intérieur et aux alentours de la cité. Ce n'est que la fixation de la coutume, dont se charge une commission mixte, composée de deux dignitaires ecclésiastiques, d'un chevalier de l'entourage du comte et d'habitants de la ville qui sont peut-être les ministériaux du comte et de l'évêque. D'une part, l'indépendance de la juridiction de l'évêque est reconnue pour toutes les causes de chrétienté, celles qui concernent les atteintes à la paix, à la trêve, aux lieux d'asile, celles où sont impliqués des clercs. D'autre part, en dehors de ce domaine réservé, des frontières sont établies entre les pouvoirs généraux de répression du comte et les droits de juridiction revendiqués par Saint-Vincent sur toutes les dépendances de la seigneurie foncière. Le comte a seul le droit de punir, aussitôt qu'ils sont commis, tous les crimes publics, quel que soit le coupable ; pour les causes moins graves, l'évêque et les chanoines possèdent les droits de justice sur leurs hommes et sur leurs biens ; le comte cependant se réserve le droit d'intervenir et d'encaisser les amendes si les hommes de l'Eglise se plaignent à lui, mais dans ce cas seulement et à condition de faire droit à la victime et à son seigneur. Enfin, en cas de conflit entre les hommes du comte et les hommes de Saint-Vincent, le prévôt comtal de la ville présidera dans un carrefour, sur terrain neutre, une réunion mixte où le procès sera tranché *per rectum et concordiam*. Ici, bien que nous soyons au cœur même de la seigneurie, la justice personnelle et foncière a gagné peu de terrain sur la justice territoriale ; la position éminente du concurrent, le comte, suffit, sans doute, à l'expliquer. Sur le patrimoine de Saint-Vincent, la justice est à deux degrés : la justice inférieure est administrée par les officiers du seigneur foncier ; la justice supérieure est aux mains du comte qui connaît, toujours, des crimes les plus graves et, à l'occasion, de toutes causes qui peuvent être portées devant lui. Enfin, il est fait effort pour régler à l'amiable les différends qui séparent les hommes les deux seigneuries et pour éviter que leurs procès ne se transforment en conflits entre les deux seigneurs.

Ces deux accords, les seuls pour cette période qui nous soient parvenus, montrent dans quelles conditions s'est effectuée la répartition des droits de justice. Suivant la force dont il dispose, la cohésion de son domaine, suivant que les biens sont situés près ou loin du centre de la seigneurie, le seigneur ecclésiastique conserve ses droits de justice patrimoniaux, se réservant d'utiliser à son gré la puissance du seigneur territorial dans les cas les plus graves ; ou bien, il ne garde que les moindres causes et le châtelain impose sa juridiction pour les crimes et intervient chaque fois que la justice inférieure ne donne pas satisfaction aux dépendants de la seigneurie ; ou bien même, mais cet aspect ne pouvait laisser de traces dans les archives des églises, le justicier du château détient sur les portions éparses et les hommes isolés des seigneuries lointaines la totalité des droits de justice.

Peut-être faut-il dater aussi des premières années du XIIe siècle les premiers règlements qui, pour se situer sur un plan inférieur de la société, ne finissent pas moins par former une hiérarchie analogue des pouvoirs judiciaires. Certains seigneurs commencent, semble-t-il, à cette époque à concéder aux membres des communautés les plus évoluées qui vivent dans le cadre de leur seigneurie le droit d'apaiser à l'amiable leurs menus conflits. L'abbé Etienne qui, vers 1160, fait rédiger, en ayant recours à la mémoire des plus anciens habitants de la ville, les bonnes coutumes du bourg de Cluny, en attribue le premier établissement à saint Hugues[196] ; s'il y a plus ici qu'une référence respectueuse à la mémoire d'un prédécesseur éminent, la communauté des bourgeois de Cluny[197] aurait commencé aux alentours de l'an 1100 à jouir d'une certaine autonomie judiciaire. Tandis que les seigneurs du monastère se réservent les crimes principaux qui brisent la paix de la ville, et aussi la possibilité d'intervenir en cas de plainte formelle, le règlement des délits inférieurs[198] et la police sur les éléments troubles de la population sont laissés aux bourgeois par la charte du XIIe siècle[199]. Entre les droits de ce groupe privilégié de dépendants et ceux du justicier supérieur, une hiérarchie est établie qui correspond exactement à celle qui superpose la juridiction du châtelain à celle du seigneur foncier.

Cette hiérarchie est précisément celle que connaîtra le XIIIe siècle lorsqu'il distinguera la haute et la basse justice. Ces notions opposées commencent donc à se préciser dans les dernières années du XIe siècle ; par ailleurs la façon dont cette distinction s'établit montre que des pouvoirs judiciaires identiques par leur essence et par leur origine peuvent, suivant les cas, conférer la haute justice ou bien la basse ; les droits des détenteurs de haute justice peuvent être aussi bien le développement de la justice privée de l'immuniste renforcée par une mission pacifique d'ordre spirituel — c'est le cas pour les moines clunisiens à Chaveyriat ou à Cluny — que l'héritage d'anciens pouvoirs publics de juridiction, celui qu'a recueilli, directement, le comte à Mâcon et, indirectement, le seigneur gardien sur le *salvamentum*. La superposition est le résultat, différent suivant les lieux, de la concurrence sur un même territoire de justices diverses se disputant les profits des amendes et des confiscations ; les droits du plus puissant recouvrent alors ceux du plus faible qui, s'il ne voit pas son pouvoir complètement étouffé, ne garde cependant qu'une justice inférieure.

*

Le prix que les seigneurs attachent à la possession des droits lucratifs de juridiction sur les humbles, la superposition de justices différentes toujours prêtes à intervenir, ne laissent aucun doute sur l'activité des seigneurs justiciers et sur l'efficacité de leur action. L'ordre était maintenu, et durement, parmi les gens de classe inférieure. Mais, nous l'avons vu, les institutions judiciaires n'étaient plus capables, à la fin du XIe siècle, de remplir un rôle analogue dans les classes plus élevées de la société. Point de tribunaux fixes pour juger les chevaliers, point de puissance pour les contraindre à exécuter les sentences de paix.

Les chroniqueurs qui s'étendent largement sur les épisodes des luttes seigneuriales, les considérations pessimistes des préambules des chartes, les sombres évocations des écrits moralisants de saint Odilon ou de Pierre le Vénérable, les formules même des rituels liturgiques s'accordent pour tracer le plus triste portrait des seigneurs laïcs de leur temps. Fidèles à ce témoignage, les historiens ont toujours considéré le XIe siècle comme une époque de violences où les plus forts et les plus audacieux ont pu se tailler une place éminente aux dépens des faibles et plus précisément des seigneurs ecclésiastiques[200]. Violences et usurpations comptent parmi les motifs le plus souvent invoqués pour expliquer les transformations de la propriété et de la société tout entière. Ce seul fait oblige à vérifier cette opinion, à préciser dans quelle mesure et par quels moyens de fortune, en l'absence de toute administration régulière, pouvait être maintenue, parmi les seigneurs, la sécurité indispensable au maintien d'une société organisée. Sécurité des personnes par la répression des violences, sécurité des biens par le règlement des querelles de propriété, nous envisagerons successivement ces deux aspects nettement distincts dans l'esprit des hommes de ce temps.

Les documents dont nous disposons ne peuvent qu'occasionnellement nous renseigner sur les actes de violence et sur leur répression. Cependant, ils nous permettent d'affirmer que, dans le Mâconnais comme ailleurs[201], la réaction normale devant le dommage causé est encore, au XIe siècle et pour longtemps, la poursuite privée. Lignage, seigneur, vassaux mènent au nom de la victime la vengeance contre le coupable. Tout se termine par le paiement d'une composition. Nous ne connaissons que les indemnités en terres qui, en cas d'homicide, étaient généralement données ensuite à Dieu par la famille pour le repos de l'âme du défunt[202]. La menace de représailles n'est pas seule responsable de ces arrangements : on voit de puissants seigneurs verser à des personnages beaucoup plus humbles le prix de la mort de leur parent[203]. On ne saurait donc sous-estimer l'influence de considérations morales, qui agissaient surtout à l'heure de la mort[204]. Il n'est pas interdit de penser que ces obligations morales empêchaient déjà l'accomplissement des méfaits. Jusqu'à quel point ? C'est le problème, malheureusement insoluble, de l'influence respective de l'enseignement chrétien et de l'*inimicus veritatis* sur le comportement des chevaliers du XIe siècle.

Aux alentours de l'an mil, au moment où l'affaiblissement de la cour comtale commençait à se dessiner, le mouvement de paix pénètre dans la vallée de la Saône[205]. A Anse en 995[206], à Verdun-sur-le-Doubs en 1016[207], de nouveau à Anse en 1025[208], des assemblées ecclésiastiques rassemblent les seigneurs laïcs de bonne volonté qui s'obligent par serment à imposer certaines limites à leurs violences ; de plus, elles insistent sur la paix spéciale qui rayonne autour des bâtiments ecclésiastiques[209]. De ces stipulations naquirent, nous l'avons vu, les juridictions spéciales exercées par les grandes Eglises. En s'entremettant pour mettre rapidement un terme aux poursuites privées par le paiement des compositions, en faisant respecter ensuite ces accords par la menace des lourdes amendes qui, primitivement, punissaient les violateurs des sauvetés[210], les évêques et les abbés ne purent que s'efforcer d'ajouter des garanties supplémentaires au procédé toujours à peu près seul employé de la vengeance individuelle ; il n'est pas possible d'estimer en ce sens le résultat de leurs efforts.

En fait, la conséquence la plus manifeste du mouvement de paix fut la délimitation des lieux d'asile. Autour des constructions ecclésiastiques, ces aires privilégiées se couvrirent très vite des maisons des paysans venus se placer sous leur sauvegarde[211]. A la fin du XIe siècle, les bornes de ces sauvetés furent précisées par une série d'actes. Les papes, par une sollicitude particulière pour des établissements qui leur sont chers, ou à l'occasion d'une visite spéciale, établissent des privilèges qui, dans leur esprit, achèveront de libérer les Eglises des interventions séculières. Le plus significatif de ces actes pontificaux est celui qui fut délivré par Urbain II en faveur de Cluny, lors du séjour qu'il fit dans l'abbaye en 1095[212]. Se souvenant du temps où, lorsqu'il n'était encore que le prieur Eudes, sa tâche essentielle était de lutter contre les empiètements des laïcs, le pape fixe avec minutie les limites du territoire où nul ne doit commettre de violences et, en particulier, d'homicide ou de mutilation[213]; les recteurs du monastère disposent de l'excommunication pour contraindre les contrevenants à payer l'amende[214]. Des prescriptions analogues sont édictées au même moment par Urbain II en faveur du cloître de Saint-Vincent de Mâcon, par Calixte II, qui établit une sauveté autour du monastère de Tournus[215]. La nouveauté de ces privilèges, qui ne font en fait que sanctionner une pratique ancienne, réside surtout dans la délimitation précise du territoire; des croix, érigées selon une coutume qui paraît générale, désignent à chacun les bornes de l'asile. Ceci témoigne encore de la nécessité alors ressentie de fixer avec exactitude les frontières des différentes juridictions; l'interdiction expresse de toute mise à mort, de toute mutilation à l'intérieur de la paix a peut-être pour but de réserver aux seigneurs ecclésiastiques à proximité de l'église l'exercice de la haute justice, le cœur de la seigneurie étant ainsi placé à l'abri de toutes les prétentions des justiciers voisins[216]. Cependant, le fait que le privilège pontifical accordant sauvegarde totale au cloître de l'église de Mâcon soit antérieur à l'accord, que nous connaissons, conclu entre Saint-

Vincent et le comte et qui laisse à ce dernier sans aucune restriction l'exercice de la justice de sang, nous empêche de penser que ces tentatives aient été généralement couronnées de succès. Avant tout, on devait chercher, par l'établissement des sauvetés ecclésiastiques, à créer autour des bâtiments religieux un climat plus paisible. La précaution est générale au début du XIIe siècle [217] : toute nouvelle fondation est précédée par la stricte délimitation d'un *bannus* privilégié que protègent des croix bénites [218].

En dehors de ces îlots de paix, tous ceux qui échappaient par leur condition au rude pouvoir de punition des détenteurs des justices de sang ne pouvaient être arrêtés que par des sanctions morales ; la pratique constante des compositions, la crainte des censures ecclésiastiques, la fidélité à certains serments ou, plus généralement, aux prescriptions évangéliques étaient seules capables de limiter leurs excès. Le résultat pratique de ces obligations est difficile à estimer : nos sources, en dehors de formules creuses, ne nous donnent aucune indication précise. Un seul fait pourrait être significatif : mourir de mort violente dans des conditions spirituelles éminemment défavorables était considéré comme un malheur insigne [219] ; on devait rarement négliger de faire mention de la circonstance dans les actes des donations destinées à racheter ces âmes en péril. Or, mis à part les quatre mentions de composition déjà signalées et qui appartiennent toutes aux premières années du XIe siècle, les traces de meurtres sont, dans les chartes, extrêmement rares [220]. C'est trop peu pour conclure, mais ceci, joint à l'impression générale que laisse la lecture de nombreux textes, nous permet de penser que la violence avait, à la fin du XIe siècle, des limites.

Nous sommes, par contre, parfaitement au courant du sort des droits de propriété, bien que nous ne puissions connaître que les démêlés des plus grandes seigneuries d'Eglise et que nous ignorions tout des moyens dont disposait la petite seigneurie laïque pour échapper aux empiétements des hauts seigneurs voisins. Nous pouvons donc, dans ces limites, définir avec assez de précision la place que tenait dans la haute société des dernières années du XIe siècle, en l'absence de toute juridiction organisée, cette *justicia* qui, dans l'esprit de Raoul Glaber, est avant tout le maintien immobile de l'équitable répartition des richesses[221].

Les conflits de propriété sont extrêmement fréquents, car les menaces dirigées contre la possession sont très puissantes : d'une part, la mentalité générale de participation collective à la jouissance des biens amène à contester les aliénations individuelles et, aux revendications lignagères répétées[222], s'ajoutent les contestations des vassaux ou des seigneurs féodaux[223]; d'autre part, le développement, entre les mains des *domini*, de dominations territoriales superposées aux seigneuries foncières engendre de graves débats sur la légitimité de certaines coutumes[224] ou même des usurpations pures et simples[225].

Pour défendre son droit, si elle n'était pas assez puissante pour que le recours à la *vindicta* pût lui donner satisfaction, la victime devait tenter de s'entendre directement avec son adversaire[226]. Si la chose était impossible, plainte était alors portée devant l'une des cours supérieures, comtale, épiscopale ou féodale, qui pouvaient avoir quelque influence sur l'usurpateur ; il était en particulier normal de réclamer justice au seigneur gardien de la possession contestée[227]. Mais il était souvent difficile d'obtenir de la cour qu'elle se saisisse du règlement d'un de ces conflits seigneuriaux qui, à l'inverse de la fructueuse juridiction sur les humbles, ne pouvait rapporter que des ennuis[228]. Et surtout, aucune de ces cours n'était capable de faire exécuter par le condamné la décision qu'elle prenait, si celui-ci n'avait pas accepté formellement avant toute action de s'en remettre à son jugement[229]. Un premier accord était donc indispensable pour décider du tribunal qui trancherait le différend. A la fin du XIe siècle, les seigneurs ne sont plus justiciables de cours définies, mais de leur propre gré ils choisissent des arbitres[230]. Lorsque l'affaire traînait depuis trop longtemps, parfois après un premier jugement resté sans effet[231], devant la réprobation de tous contre celui qui refusait de discuter publiquement ses droits[232], après l'intervention des parents, d'amis, de vassaux[233], ou d'intermédiaires qui ne refusent pas un pourboire[234], on acceptait enfin de s'en remettre à la décision d'une cour d'arbitrage. Lorsque l'on s'entendait pour se présenter devant la cour habituelle du comte, d'un châtelain ou surtout de l'évêque, les amis des deux parties venaient en nombre égal former le tribunal. Mais, très fréquemment, le rôle de conciliation était confié à un personnage privé, en général un ecclésiastique[235], ou bien à une assemblée réunie pour la circonstance et formée par les proches ou par les alliés du demandeur et du défendeur[236]. Non seulement les grands châtelains[237], mais, de plus en plus, des personnages sans éclat — tel cet ancien prévôt de Solutré pris récemment encore dans les liens étroits de la justice domaniale[238] — réclament pour juger leur cause la réunion spéciale d'une assemblée.

Devant les arbitres, il appartenait au plaignant de faire la preuve de son bon droit[239]. Parmi les preuves de caractère magique, seuls le duel judiciaire et le serment purgatoire avaient été utilisés couramment au xᵉ siècle. Ils sont encore considérés comme des moyens suffisants et proposés pour justifier leur attitude par les chevaliers[240] et aussi par les chanoines[241]; mais, en Bourgogne, le recours à ces vieux procédés semble avoir été exceptionnel et, en fait, dans les deux seuls documents de la fin du xiᵉ siècle où il en soit fait mention, ils se sont vu préférer d'autres moyens et l'on peut se demander si cette préférence doit être considérée comme propre seulement aux ecclésiastiques[242]. L'enquête, au contraire, jouit de nouveau, à partir des dernières années du xiᵉ siècle, d'une grande faveur qu'il faut mettre en rapport avec la généralisation des procédés d'arbitrage. On recueille le témoignage des gens d'âge connaissant la coutume[243], des voisins qui, sous serment, décident de la longue possession paisible des domaines[244]; on se renseigne aussi auprès des témoins des transactions antérieures, qui en prolongent longtemps le souvenir car ils considèrent leur garantie comme un dépôt héréditaire transmis oralement de père en fils [245]. Mais malgré les promesses parfois formellement exprimées d'apporter un fidèle témoignage en cas de conflit [246], l'enquête présentait une garantie suffisante dans la mesure seulement où les témoins n'étaient pas oublieux, craintifs ou de mauvaise foi [247].

Mais le recours à l'acte écrit est au XIIe comme au Xe et au XIe siècle le moyen de preuve le plus commun ; le soin des archivistes et des rédacteurs de cartulaires [248], la crainte des incendies [249], les formules même des chartes témoignent de l'importance attachée à cette garantie. S'il n'y a pas de traces écrites d'une transaction, toutes les revendications sont permises [250]. La pratique de l'écrit était-elle aussi répandue dans la société laïque ? Au Xe siècle, certainement : l'existence de nombreux notaires de villages, la présence dans les archives de Cluny de dossiers constitués par des laïcs pour garantir leurs droits, la mention, ici et là, d'actes passés entre laïcs le prouvent abondamment [251] ; à la fin du XIe siècle ces témoignages ont à peu près disparu [252], mais la transformation de notre documentation en est peut-être seule responsable et nous ne pouvons trancher la question. Il est sûr du moins qu'à cette époque les laïcs reconnaissaient la valeur de l'acte écrit : si les usurpateurs s'efforçaient de détruire d'abord les documents, c'est qu'ils ne doutaient pas de la force de leur garantie [253].

Cette préférence marquée pour les preuves écrites et pour l'enquête — la Bourgogne en ce domaine manifestant d'une nette avance sur d'autres régions — conférait dans les débats une supériorité certaine au possesseur légitime, mais les arbitres ne possédant aucun pouvoir de contrainte ne pouvaient que conseiller l'accord et, tout au plus, promettre leur appui à celui des plaideurs dont ils avaient reconnu le bon droit [254]. Très fréquemment, leur sentence n'était pas exécutée. D'autre part, même si la revendication de l'usurpateur était dépourvue de tout fondement, il ne consentait à l'abandonner que moyennant partage des droits ou tout au moins versement d'une certaine indemnité[255]. Derrière tout accord, on devine les transactions financières qui l'ont précédé et l'offre d'un cadeau est le moyen le plus sûr d'en finir avec son adversaire[256]. Pour certains seigneurs, chercher chicane et se faire payer ensuite une renonciation rapide constitue, semble-t-il, un réel moyen d'existence[257]. Aussi, pour éviter les dépenses souvent considérables qu'entraînait tout procès, on s'efforça de mettre sur pied tout un ensemble de garanties préalables qui, entrant en jeu automatiquement, n'obligeaient pas à recourir à l'institution désormais inefficace des plaids.

Tout d'abord, les anciennes précautions furent multipliées et aggravées. A l'occasion de tout accord, de toute transaction, on accumule, à la fin du XIe siècle, les obligations matérielles ou morales; on précise les sanctions qui frapperont le violateur éventuel : amendes[258], ajoutées aux dédommagements[259] qui passent bientôt au premier plan[260], malédictions traditionnelles, anathème ou excommunication; on exige des serments solennels de renonciation[261] et même d'aide contre toute atteinte portée par un tiers[262]; mieux encore, on s'efforce d'établir entre les deux parties une communauté spirituelle qui sera garante de leur bonne foi[263] et les gestes dont on use à cet effet conduisent parfois au cérémonial même de l'hommage[264], considéré comme le plus sûr moyen de prévenir les différends futurs. Enfin, on s'efforce d'imposer à l'individu la contrainte de tout un groupe rendu responsable de son comportement; l'ancienne pratique qui obligeait le contractant à fournir des garants avait pris une ampleur de plus en plus manifeste, à mesure que les cours régulières s'affaiblissaient[265]; désormais, l'usage en est régulier : choisis parmi les relations naturelles du partenaire, parents, amis, vassaux[266], mais en général d'un rang assez élevé pour que leur influence soit plus grande[267], ils doivent en cas de rupture payer eux aussi une amende[268] ou plus vaguement apporter à la partie lésée l'aide qu'ils lui ont promise sur leur foi[269].

Mais dans les dernières années du XIe siècle apparaît

dans le sud de la Bourgogne un procédé nouveau (la première mention est de 1093[270]) dont l'usage, aussitôt, est général. Il a pour avantage de mettre automatiquement, en cas de rupture de l'accord, le délinquant entre les mains de la partie lésée et de le contraindre à s'entendre rapidement avec elle. Le seigneur qui se soumet à cette obligation s'engage, en effet, dès qu'il a connaissance de la rupture de la paix ou après un délai toujours précisé[271], à réparer aussitôt le dommage ou à se remettre lui-même, en caution, à la disposition entière de la partie adverse et à y rester aussi longtemps que la restitution n'aura pas été faite[272]. Mais ce qui rend plus efficace encore cette garantie, c'est que l'obligation s'étend à tout un groupe : si le contractant viole l'accord, tous ses répondants se transforment aussi et dans le même délai en otages. Ces participants s'engagent, parfois chacun individuellement[273], à se rendre en un lieu donné, en général un bourg ou un château[274], et à ne plus sortir de limites précises sauf s'ils obtiennent une trêve ou si quelque incident met leur vie en danger[275]. Si l'un d'eux cesse de pouvoir remplir sa fonction, s'il meurt, s'il se fait moine ou s'il part en pèlerinage, les deux parties choisissent ensemble un remplaçant de valeur sociale égale[276]. Les parents, les amis sont les répondants ordinaires[277], mais le groupe d'otages qui participe à la responsabilité des grands châtelains est constitué en général par les chevaliers satellites habituels du château[278] ; en cas de manquement du seigneur, la maisnie vassalique se rassemble tout entière autour de lui, chargée de lui donner des conseils salutaires.

Comme les institutions de paix, ces garanties utilisées à la fin du XIe siècle pour suppléer à l'absence d'organisations judiciaires capables de régler selon le droit les conflits fonciers de seigneurs et pour hâter la conclusion d'arrangements équitables reposent sur des engagements sacramentels et sur la participation de la collectivité qui entoure chaque contractant. Le maintien de l'ordre est donc uniquement fonction d'obligations morales. Et sur un plan plus élevé, les seules puissances qui puissent représenter la garantie suprême de la paix publique n'ont guère qu'un rayonnement de caractère spirituel : le pape d'abord, dernier recours des Eglises[279]; et aussi le roi de France qui, réapparaissant dans l'exercice de sa magistrature pacifique, prend en 1119 dans sa garde supérieure l'abbaye de Cluny et ses possessions[280]. Ce geste royal est tout symbolique; il faudra encore presque un siècle avant que les rois interviennent efficacement et régulièrement pour contenir, en Mâconnais, la turbulence chevaleresque. A elles seules, ces considérations morales garantissaient-elles le respect des droits de chacun? On peut en douter, évidemment. Et cependant, les établissements ecclésiastiques, grâce aux moyens financiers dont ils disposaient et au prestige qui les entourait, ont toujours pu résister d'une façon efficace à la pression de leurs voisins laïcs; nous n'avons pas d'exemple d'églises qui ne soient pas parvenues finalement à se faire rendre raison, comme le cas se produit fréquemment à la même époque dans les provinces de l'Ouest[281]. Nous ne savons absolument pas ce qu'il advenait des conflits entre seigneurs laïcs, mais nous pensons malgré tout que les moyens de fortune mis spontanément en pratique et surtout les contraintes d'ordre moral pouvaient, dans une certaine mesure, imposer des bornes à l'exercice désordonné de la force.

*

On peut tirer de cette étude certaines conclusions qui sont valables pour le sud de la Bourgogne en attendant que d'autres recherches régionales permettent de leur attribuer peut-être une portée plus générale.

C'est entre les années mil et mil trente que se produit une transformation décisive des institutions judiciaires. Pendant le xe siècle tout entier, l'organisation qu'avait connue le haut Moyen Age avait subsisté en conservant ses traits essentiels : dans chaque comté, une cour supérieure que présidait le comte, entouré des plus grands personnages de la région, fonctionnait à l'usage des membres de l'aristocratie, tandis que les procès qui opposaient les hommes libres de condition inférieure étaient jugés dans des assemblées locales réunies par le *vicarius*. Il n'existait plus de différence quant à la nature des causes entre la compétence des cours comtales et celle des cours de voirie ; seule les distinguait la qualité des plaideurs : *causae majorum* réservées à l'assemblée centrale, *causae minorum* abandonnées aux cours de village, la distinction correspond mieux à la réalité que l'opposition entre *causae majores* et *causae minores* des capitulaires de l'époque carolingienne classique. En dehors de ces institutions publiques, les seigneurs immunistes remplissaient à l'intérieur de leur domaine la fonction du *vicarius*[282] et le maître disposait de pouvoirs de correction sur ses *servi*.

Mais, dans les trente premières années du XIe siècle, tout change. Les institutions judiciaires publiques s'effondrent brusquement. Et cela, parce qu'un élément nouveau apparaît, élément essentiel, dont l'importance dépasse largement le cadre de l'organisation judiciaire pour influencer, Déléage l'a défini avec précision[283], toutes les destinées de la société rurale. C'est l'importance considérable que prend le château à cette époque. Les possesseurs de château, rares encore, désertent d'abord le *mallus comtal* et lui font perdre le meilleur de son prestige, accaparent ensuite à leur profit les pouvoirs judiciaires des voyers et font des anciennes assemblées locales d'hommes libres les instruments privés de leur domination. Au XIe siècle, le château est désormais le point d'appui de tous les pouvoirs judiciaires qui s'étendent sur le territoire soumis à son influence et les cours chevaleresques qu'il abrite disputent à la cour comtale le règlement des différends seigneuriaux. L'administration de la justice est ainsi morcelée en petites unités locales étanches.

Ni les cours inférieures, ni le comte lui-même n'ont pu résister à cette poussée envahissante. Pourquoi ? Les justices de voirie étaient sans doute incapables d'assurer l'exécution régulière de leurs sentences[284]; au contraire le véritable pouvoir de contrainte dépendait du château seul et les plaideurs purent accepter sans peine une juridiction nouvelle, celle-ci très efficace. Mais le comte aurait pu s'opposer à l'accroissement excessif de la puissance judiciaire des châtelains qui étaient encore ses hommes, maintenir les assemblées vicariales en leur prêtant l'appui de sa force[285] ou tout au moins réserver à son tribunal, ce que firent par exemple les comtes de Flandre[286], la connaissance exclusive des crimes et des causes où étaient impliqués les chevaliers. Impuissance, manque d'intérêt ? Il n'en fit rien. On serait tenté de chercher la raison de cette inaction dans l'attitude personnelle de certains princes ; un Otte-Guillaume, par exemple, sollicité par des desseins d'une autre envergure, devait peu se soucier des affaires sans grandeur de son comté mâconnais. Mais le phénomène est trop général pour que des raisons aussi particulières suffisent à l'expliquer. Des recherches orientées vers d'autres directions, vers la signification réelle des obligations vassaliques à cette époque, ou vers la structure intime des échelons supérieurs de la société, permettront peut-être de définir les conditions véritables de cette éclipse des pouvoirs judiciaires comtaux dans la plupart des provinces françaises.

Mais les justices personnelles, les juridictions privées issues, celles-ci, des liens qui rattachaient étroitement le serf à son maître ou des relations économiques unissant seigneur et tenanciers, profitèrent de la disparition des justices publiques et se développèrent largement, tout en restant recouvertes par la justice territoriale du château. Les rapports de ces juridictions d'essence différente devaient être déterminés. Ainsi, la fin du XIe siècle qui voit apparaître les premiers règlements entre justices concurrentes marque une étape nouvelle dans l'évolution des institutions judiciaires. C'est à ce moment que s'établit cette hiérarchie qui, superposant à des droits limités de juridiction une justice supérieure, constituera l'un des traits les plus caractéristiques de l'administration judiciaire médiévale. La notion de haute justice est donc d'apparition tardive ; elle repose essentiellement sur la justice de sang, sur ce pouvoir de punir les crimes les plus graves qui, précisé par les mouvements de paix, ne s'est lui aussi défini que dans les premières années du XIe siècle. Par conséquent, il n'est pas possible de mettre cette notion en rapport avec les institutions judiciaires du haut Moyen Age qui, au moment où elle est apparue, n'existaient plus ou étaient sur le point de disparaître ; on ne peut se référer, pour en découvrir l'origine première, à la distinction effacée depuis longtemps entre *causae majores* et *causae minores*[287] ; ce que l'on sait de la décadence des juridictions comtales empêche de faire de la haute justice un privilège du comte ensuite concédé ou usurpé ; et on ne peut pas non plus en attribuer l'exercice aux simples voyers qui n'étaient plus alors que des agents seigneuriaux[288]. Mais inversement, il n'est pas permis d'en faire un droit détenu communément par tous les seigneurs et de supposer, comme on l'a fait[289], que toutes les justices étaient à l'origine des justices globales peu à peu dépouillées de leurs prérogatives supérieures par des juridictions envahissantes. Au moment où se développe la justice de sang, le château, source d'une *districtio* supérieure[290], était seul qualifié pour en être le siège. Or, le château était encore un élément exceptionnel dans le paysage rural. Ainsi la haute justice est, à l'origine, le privilège de quelques seigneurs, les châtelains, et, auprès d'eux, de certains grands établissements ecclésiastiques, gardiens spirituels de la paix sacrée.

Enfin, nous n'avons jamais cessé de considérer la transformation des institutions judiciaires comme un aspect de l'évolution générale de la société. Les institutions du Xe siècle reflétaient la structure sociale du temps : *nobiles* et hommes libres de condition inférieure relevaient de juridictions publiques distinctes ; seuls les dépendants très humbles étaient abandonnés aux pouvoirs disciplinaires privés. Au début du XIe siècle, la substitution de juridictions privées aux assemblées publiques inférieures correspond à un clivage nouveau de la société ; les petits paysans libres, en cessant de se réunir dans les cours de voirie, perdent l'un des attributs essentiels de leur liberté ; désormais confondus avec les anciens serfs, soumis comme eux à des charges de plus en plus lourdes, ils vont devenir, dans la seigneurie territoriale qui s'établit autour du château, les manants, les *homines expletabiles* de l'époque féodale classique. Seuls passent pour vraiment libres les *milites*, les seigneurs assez considérables pour avoir été, en l'an mil, les justiciables directs du comte ; ce sont déjà véritablement des nobles, et l'un de leurs privilèges de fait est l'absence pour eux de toute contrainte judiciaire : seules des obligations morales et l'influence persuasive de leurs pairs réussissent à imposer des limites à leur violence et à leur cupidité.

NOTES

NOTES DU CHAPITRE 1

1. J.-M. RICHARD, « Thierry d'Hireçon, agriculteur artésien (13..-1328) », *Bibliothèque de l'Ecole des chartes*, 1892 ; R. et L. FOSSIER, « Aspects de la crise frumentaire au XIVe siècle en Artois et en Flandre gallicane », *Mélanges Clovis Brunel*, t. I, Paris, 1955 ; G. DUBY, « Techniques et rendements agricoles dans les Alpes du Sud en 1338 », *Annales du Midi*, 1958.

2. G. FOURQUIN, « La population de la région parisienne aux environs de 1328 », *Le Moyen Age*, 1956, et *Les Campagnes de la région parisienne à la fin du Moyen Age (du milieu du XIIIe au début du XVIe siècle)*, Paris, 1964.

3. *Cf. infra*, chap. 2.

4. FOURQUIN, *Les Campagnes..., op. cit.*

5. G. FOURNIER, « La création de la grange de Gergovie par les prémontrés de Saint-André et sa transformation en seigneurie (XIIe-XVIe siècle). Contribution à l'étude de la seigneurie », *Le Moyen Age*, 1950 ; O. MARTIN-LORBER, « L'exploitation d'une grange cistercienne à la fin du XIVe et au début du XVe siècle », *Annales de Bourgogne*, 1957.

6. FOURQUIN, *Les Campagnes..., op. cit.* ; G. DUBY, *Seigneurs et villageois*.

7. A. D'HAENENS, « La crise des abbayes bénédictines au bas Moyen Age : Saint-Martin de Tournai, 1290-1350 », *Le Moyen Age*, 1959.

8. RICHARD, *op. cit.*

9. FOURQUIN, *Les Campagnes..., op. cit.*

10. FOURNIER, *op. cit.*

11. RICHARD, *op. cit.*

12. G. DUBY, « Note sur les corvées dans les Alpes du Sud en 1338 », *Mélanges Pierre Petot*, Paris, 1958.

13. Richard, *op. cit.*

14. Fourquin, *Les Campagnes...*, *op. cit.*

15. L. Merle, *La Métairie et l'évolution agraire de la Gâtine poitevine de la fin du Moyen Age à la Révolution*, Paris, 1958.

16. Fourquin, *Les Campagnes...*, *op. cit.*

17. Fournier, *op. cit.* ; Martin-Lorber, *op. cit.*

18. P. Wolff, « La fortune foncière d'un seigneur toulousain au milieu du XVe siècle », *Annales du Midi*, 1958.

19. Fourquin, *Les Campagnes...*

20. R. Boutruche, *La Crise d'une société : seigneurs et paysans du Bordelais pendant la guerre de Cent Ans*, Paris, 1947.

21. G. Sicard, *Le Métayage dans le Midi toulousain à la fin du Moyen Age*, Toulouse, 1957.

22. Fournier, *op. cit.*

23. Sicard, *op. cit.*

24. P.-A. Février, « La basse vallée de l'Argens : quelques aspects de la vie économique de la Provence orientale aux XVe et XVIe siècles », *Provence historique*, 1959.

25. Fourquin, *Les Campagnes...*, *op. cit.*

26. E. Perroy, « A l'origine d'une économie contractée : les crises du XIVe siècle », *Annales E.S.C.*, 1949.

27. Fossier, *op. cit.*

28. Martin-Lorber, *op. cit.*

29. A. d'Haenens, « Le budget de Saint-Martin de Tournai, 1331-1348 », *Revue belge de philologie et d'histoire*, 1959.

30. Martin-Lorber, *op. cit.*

31. Boutruche, *op. cit.*, p. 53.

32. P. Wolff, *Commerces et marchands de Toulouse (vers 1350-vers 1450)*, Paris, 1954.

33. Sicard, *op. cit.* ; Fourquin, *Les Campagnes...*, *op. cit.* ; Merle, *op. cit.*

34. Boutruche, *op. cit.*

35. Février, *op. cit.* ; R. Jeancard, *Les Seigneuries d'outre-Siagne*, Cannes, 1952, p. 529.

NOTES DU CHAPITRE 2

1. G. Duby, « Un inventaire des profits de la seigneurie clunisienne à la mort de Pierre le Vénérable », *Studia Anselmiana*, n° 40, 1957, *Petrus Venerabilis*, pp. 128-140. *Cf. supra*, chap. 9.

2. Arch. dép. des Bouches-du-Rhône, B. 1500.

3. La visite des prieurés à été instituée dans l'ordre de Cluny au début du XIIIe siècle, puis généralisée sur le conseil des papes, en particulier Grégoire IX et Innocent IV, dans tout le monde monastique. G. DE VALOUS, *Le Temporel et la situation financière des établissements de l'ordre de Cluny du XIIe au XIVe siècle,* Paris, 1935, p. 95*sq.*; J. BERTHOLD-MAHN, *L'Ordre cistercien et son gouvernement des origines au milieu du XIIIe siècle,* Paris, 1948. Mais les procès-verbaux des visites des maisons clunisiennes sont très laconiques, BRUEL, « Visite des monastères de l'ordre de Cluny de la province d'Auvergne, 1294 », *Bibliothèque de l'Ecole des chartes,* Paris, LII; U. CHEVALLIER, « Visites de la province de Lyon de l'ordre de Cluny », *Cartulaire de Paray-le-Monial.*

4. Ceux de Normandie ont été repérés et utilisés; L. DELISLE, « Enquêtes sur la fortune des établissements de l'ordre de Saint-Benoît en 1338 », *Notices et extraits des manuscrits de la Bibliothèque nationale,* Paris, XXXIX, 1916; Dom. J. LAPORTE, « L'état des biens de l'abbaye de Jumièges en 1338 », *Annales de Normandie,* 1959; *cf.* aussi P. J. JONES, « Le finanze della badia cistercence di Settimo nel XIV secolo », *Rivista Storia della Chiesa in Italia,* 1956. L'enquête concernant les hospitaliers d'Angleterre, beaucoup moins précise que la nôtre, a été publiée par la Camdem Society en 1857 (*The Knight Hospitallers in England : The Report of Prior Philip de Thame to the Grand Master Elyan de Villanova for A.D. 1338,* éd. L. B. LARKING, introd. par J. M. Kemble).

5. H (D M) 156. L'intérêt du document a été signalé au Congrès des Sociétés savantes de Toulouse en 1953, par M. J.-A. Durbec, qui a bien voulu mettre à ma disposition le texte de sa communication.

6. Fol. 5 v°. Le florin vaut 15 sous 6 deniers de cette monnaie de compte (fol. 7 r°). Seul l'inventaire de la commanderie d'Echirolles exprime les données en monnaie viennoise (fol. 64-72).

7. Au Poët-Laval, les cens sont exprimés dans une monnaie dont 20 deniers valent un tournois, mais les valeurs globales sont ramenées à l'étalon monétaire choisi pour tout l'inventaire (fol. 23 v°).

8. NICOLAS, *Tableau comparatif des poids et mesures anciennes du département des Bouches-du-Rhône,* Aix, 1802; L. BLANCHARD, *Essai sur les monnaies de Charles Ier, comte de Provence,* Paris, 1868, pp. 343-350.

9. *Cf.* J. BESSE, art. « Hospitaliers », *Dictionnaire de théologie catholique,* 1922.

10. Fol. 191 v°.

11. Fol. 76 r°; 187 r°; 175 r°.

12. Sur les donations pieuses dans les familles nobles à cette époque, *cf.* R. BOUTRUCHE, « Aux origines d'une crise nobiliaire. Donations pieuses et pratiques successorales en Bordelais du XIIIe au XVIe siècle », *Annales d'histoire sociale,* Paris, 1939.

13. Sauf à Lardiers, à Roussillon et dans les trois commanderies d'Arles où le froment des frères est mélangé au seigle et à l'orge.

14. Fol. 69 : 100 livres de viennois pour la viande fraîche et salée, 22 livres pour 22 quintaux de fromage, 10 livres 10 sous pour les œufs, 24 livres pour le poisson, 16 livres pour l'huile, 10 livres pour le sel, 9 livres pour les épices, une livre pour 20 livres d'amandes, 2 livres pour l'ail et les oignons, 8 livres pour des fèves et des pois, 20 livres pour les cierges et les chandelles.

15. Fol. 186.

16. Fol. 11 ; 19 ; etc.

17. Fol. 124.

18. Fol. 159.

19. Fol. 171 ; 156 ; 171.

20. Fol. 100.

21. Fol. 16 v°.

22. A Puimoisson, 330 livres contre 150 pour les cens, 44 pour les droits banaux ; au Poët-Laval, 320 contre 140 et 88.

23. *Cf.* DUBY, *Inventaire*... et « La structure d'une grande seigneurie flamande à la fin du XIIIe siècle », *Bibliothèque de l'Ecole des chartes*, 1956.

24. Fol. 20 r° ; 46 v°.

25. Fol. 9 v°.

26. Fol. 101.

27. Fol. 213.

28. Fol. 279 v°.

29. Fol. 149 ; 101 ; 184.

30. La superficie des terres arables est estimée en « séterées ». Selon la qualité du sol et la capacité de la mesure, la surface de champ qui peut recevoir un setier de semence est fort variable. On semait en moyenne, dans l'agriculture provençale traditionnelle, 200 litres de grains à l'hectare, et la plupart des setiers valaient autour de 40 litres. J'ai donc pris comme valeur d'estimation un hectare de cinq séterées.

31. F. REYNAUD, « L'organisation et le domaine de la commanderie de Manosque », *Provence historique*, 1956 (Mélange Busquet) ; T. SCLAFERT, *Cultures en haute Provence : déboisements et pâturage au Moyen Age*, Paris, 1959.

32. G. DUBY, « Techniques et rendements agricoles dans les Alpes du Sud en 1338 », *Annales du Midi*, 1958.

33. ID., « Notes sur les corvées dans les Alpes du Sud en 1338 », *Etudes d'histoire du droit privé offertes à Pierre Petot*, Paris, 1959.

34. Fol. 147 r° ; 332 r° ; 176 r°.

35. Les frais de renouvellement du bétail ne sont pas évalués dans cette commanderie. A La Motte-du-Caire où il n'y avait que

quatre bœufs, la *renovatio boum* coûtait 8 livres par an. On peut penser que cette dépense absorbait une quarantaine de livres à Bras.

36. L. CAILLET, « Le contrat dit de facherie », *Nouvelle Revue historique de droit français et étranger*, 1911.

37. Fol. 147 r°; 163 r°.

38. Fol. 147 r°.

39. Pour connaître la répartition des cultures céréalières d'après les inventaires seigneuriaux, il ne faut pas considérer l'ensemble des redevances, mais seulement les revenus qui proviennent d'un prélèvement direct sur les récoltes paysannes, ceux des moulins, les dîmes, les tasques. A Ginasservis (fol. 263 v°), les cens exigés par le seigneur rapportent 164 setiers de froment et 64 d'orge ; la dîme, 160 setiers de froment, 238 de seigle, 20 d'avoine. Dans le terroir, on cultive donc normalement deux fois plus de seigle que de froment, mais ce dernier grain est surtout livré au seigneur.

40. Fol. 93.

41. P.-A. FÉVRIER, « La basse vallée de l'Argens : quelques aspects de la vie économique de la Provence orientale aux XVe et XVIIe siècles », *Provence historique*, 1959 ; E. BARATIER, « Le notaire Jean Barral, marchand de Riez au début du XVe siècle », *Provence historique*, 1957.

42. A Lardiers, le setier de froment vaut 2 sous, le setier de seigle, 18 deniers ; aux Omergues, à quinze kilomètres, ces grains valent respectivement 20 et 16 deniers le setier (fol. 221-223).

43. Fol. 320 ; 181 ; 285.

44. Fol. 181 ; 223 ; 320 ; 285 ; 312 ; 170 ; 92 ; 104 ; 195 ; 262 ; 245 ; 73.

45. A Authon, 23 sous pour le *bovarius*, 18 pour le *nuncius* (fol. 106) ; à Luc-en-Diois, 50 sous à l'un, 30 à l'autre (fol. 83) ; à Arles, les échelons sont plus nombreux : 30 sous au souillard, 60 au boulanger, 152 au fustier, 84 au « garçon », 30 au domestique des granges... (fol. 353).

46. Fol. 296 ; 342.

47. Fol. 242 v° ; 243 r°.

48. Fol. 251 r° ; de même à Manosque, le herseur employé de la Saint-Julien jusqu'à Noël recevait 8 setiers de seigle « tant pour sa nourriture que pour sa tunique et ses souliers » (fol. 216).

49. Fol. 151.

50. Fol. 91 ; 124 ; 135 ; 137 ; 306 ; 329.

51. Fol. 143 ; 146 ; 148 ; 154.

52. Fol. 192 ; 216.

53. Fol. 212 ; à Roussillon, « l'homme qui fait le gerbier » est entretenu aussi pendant deux mois.

54. Fol. 59.

55. Fol. 271.

56. Chacun des quatre-vingts moissonneurs de La Roque-Esclapon recevait un salaire de 12 deniers; en outre, une dépense de 30 sous est enregistrée pour leur nourriture (fol. 150); de même à Puimoisson : 510 journées de moissonneurs à 12 deniers et 4 livres 10 sous pour leur pitance (fol. 188).

57. Fol. 230; 154.

58. Dans la commanderie d'Avignon, la dépense pour un sergent monte à 135 sous, pour un bouvier à 134 (fol. 249 r°).

59. En Toulousain, les moissonneurs viennent de la montagne; *cf.* G. SICARD, « Le métayage dans le Midi toulousain à la fin du Moyen Age », *Mémoires de l'Académie de législation,* II, Toulouse (s. d.).

60. A Roussillon, les cinquante-trois pauvres qui ont droit à l'aumône hebdomadaire consomment à eux tous chaque année 60 émines de seigle, c'est-à-dire deux fois et demie seulement la ration d'un frère (fol. 240).

61. Fol. 104 v°.

62. Fol. 107.

NOTES DU CHAPITRE 3

1. La mise au point la plus récente est de G. SAUTEL, « Les villes du Midi méditerranéen au Moyen Age; aspects économiques et sociaux (IX-XVIIIe siècle) », SOCIÉTÉ JEAN BODIN, *La Ville,* 2e partie, *Institutions économiques et sociales,* 1955, pp. 313-370. Cet exposé rapide est fondé essentiellement sur le travail ancien et presque sans références de E. DUPRAT, *Encyclopédie des Bouches-du-Rhône,* t. II, Marseille, 1924, pp. 129-302, et sur la thèse de A. DUPONT, *Les Cités de la Narbonnaise première depuis les invasions germaniques jusqu'à l'apparition du consulat.* Nîmes, 1942. Il comporte une bonne bibliographie. Ajouter aux ouvrages signalés : A. FLICHE, « L'Etat toulousain », in F. LOT et R. FAWTIER, *Histoire des institutions françaises au Moyen Age,* t. I, *Institutions seigneuriales,* Paris, 1957, pp. 71-100, et R. BUSQUET, « La Provence », in *ibid.,* pp. 249-266; J. H. MUNDY, *Liberty and Political Power in Toulouse, 1050-1230,* New York, 1954; J. POURRIÈRE, *Recherches sur la première cathédrale d'Aix-en-Provence,* Paris, 1939; E. GRIFFE, « L'ancien suburbium de Saint-Paul à Narbonne », *Annales du Midi,* n° 55, 1943, pp. 459-488. Le Ve Congrès international d'archéologie chrétienne tenu à Aix-en-Provence en 1954 a publié les excellentes études de J. HUBERT, BENOÎT, ROLLAND, FÉVRIER, FORMIGÉ sur les *Villes épiscopales d'Aix, Arles, Marseille, Fréjus et Riez,* Paris, 1954. Je signalerai aussi la dissertation de E. ENGELMANN, *Kommunefreiheit und Gesellschaft : Arles, 1200-1259.*

2. DUPONT, *op. cit.*, pp. 266-280.

3. *Ibid.*, p. 313.

4. G. DE MANTEYER, *La Provence du Ier au XIIe siècle : Etudes d'histoire et de géographie politique,* Paris, 1908 ; DUPONT, *op. cit.*, pp. 147-163 ; F. BENOÎT, « Documents historiques sur les incursions des Sarrasins et des Barbaresques en Camargue au Moyen Age », *Revue tunisienne,* 1932.

5. C. PFISTER, *Etude sur le règne de Robert le Pieux,* Paris, 1885, p. 294.

6. A propos d'Aix, critique des sources par POURRIÈRE, *op. cit.*, p. 187, qui doute que la ville ait été détruite en 869-870. Pourtant, un texte de 1092 atteste que l'on croyait à Aix à ce moment-là que la ville avait été rasée par les Sarrasins.

7. Gallia christiana novissima, I, 535, *civitas Forojuliensis acerbitate Sarracenorum destructa atque in solitudinem redacta.*

8. *Cartulaire de Saint-Victor de Marseille,* éd. GUÉRARD, I, 104.

9. De même aucune indication sur les évêques de Vence entre 879 et 1029, sur ceux de Toulon entre 899 et 1021, GAMS, *Series episcoporum,* pp. 554, 558, 651, 636.

10. FLODOARD, *Hist. remensis eccl.*, IV, 22 (*M. G. H., SS.*, XIII, 579).

11. *Cartulaire de Saint-Victor,* I, 3.

12. *Chronicon Moissiacense,* ad ann. 793 ; J. HUBERT, « La topographie religieuse d'Arles au VIe siècle », *Cahiers archéologiques* 2, 1947.

13. Sur ce point : F.-L. GANSHOF, « Notes sur les ports de Provence du VIIIe au Xe siècle », *Revue historique,* n° 183, 1938 ; A. LEWIS, *Naval Power and Trade in the Mediterranean, A.D. 500-1100.*

14. M. LOMBARD, « La route de la Meuse et les relations lointaines des pays mosans entre le VIIIe et le XIe siècle », *L'Art mosan,* Paris, 1953 ; E. SABBE, « L'importation des tissus orientaux en Europe occidentale aux IXe et Xe siècles », *Revue belge de philosophie et d'histoire,* 1935. Sur les Juifs de Narbonne, J. RÉGNÉ, *Etude sur la condition des Juifs de Narbonne du Ve au XIVe siècle,* Narbonne, 1912.

15. Riche butin ramené des faubourgs de Narbonne par Abd el Malek en 793, *Histoire de Languedoc,* I, pp. 897-898 ; THÉODULPHE, *Paroenesis ad judices,* vers 171-176, 210-215, 245-246 ; donation de l'évêque d'Elne à son église, *Histoire de Languedoc,* V, col. 135.

16. P. 345 : « La renaissance rurale a certainement entraîné un relèvement de la ville qui reste la source de ravitaillement en produits artisanaux et qui, par son marché, peut répondre d'une façon permanente à la demande du domaine en même temps qu'absorber sa production. »

17. P. 484 : « Brigandages seigneuriaux d'autant plus violents dans le Midi que le terroir est riche et le rendement productif (?) ».

18. P. 487.

19. DUPONT, *op. cit.*, pp. 338-343.

20. M. FONTANA, *La Réforme grégorienne en Provence orientale*, Aix-en-Provence, 1957.

21. Nîmes : M. GOURON, « Nîmes au haut Moyen Age », *Bulletin de l'Ecole antique de Nîmes*, 1931 ; KAHN, « Les Juifs de Posquières et de Saint-Gilles au Moyen Age », *Bulletin de l'académie de Nîmes*, 1912. A Narbonne, propriétés rurales juives dans le suburbium, *Histoire de Languedoc*, V, col. 134. La situation est analogue à celle que j'ai observée en Mâconnais, *cf.* G. DUBY, *La Société aux XIe et XIIe siècles dans la région mâconnaise*, Paris, 1953, p. 30.

22. H. ROLLAND, *Monnaie des comtes de Provence, XIIe-XVe siècle*, Paris, 1956, pp. 101-105.

23. *Histoire de Languedoc*, V, col. 536, col. 584 (là encore, on remarque le synchronisme avec la Bourgogne méridionale).

24. *Histoire de Languedoc*, II, col. 237-238 ; III, col. 69 ; V, col. 320, col. 350.

25. *Histoire de Languedoc*, V, col. 454, partage des salines entre le vicomte et l'archevêque *excepto illo sale quod exierit de alode judaico quod hodie habent*. V. pour Arles, ENGELMANN, *op. cit.*, la thèse (inédite) de l'Ecole des chartes de J. DE ROMEFORT, *La Gabelle du sel des comtes de Provence des origines à 1343* (1929) ; pour Marseille, les salines du territoire de Saint-Victor, *Cartulaire de Saint-Victor*, n°s 10, 32, 84.

26. Il faut regretter en particulier l'absence de tout plan dans la synthèse de A. DUPONT.

27. DUPONT, *op. cit.*, pp. 517-520 ; A. LEWIS, « The Development of Town Government in the XIIth Montpellier », *Spaeculum*, n° 22, 1947.

28. Ce transfert vers la plaine du siège épiscopal venaissin est un signe de cette détente dont profite alors la Provence rhodanienne.

29. *Cf.* note 12 ; en 904, le corps de saint Victor était à l'abri dans l'enceinte de Marseille.

30. Nîmes : *castrum arene*, en 876 et 898, MÉNARD, *Histoire civile et ecclésiastique de Nîmes*, Paris, 1750, I, Preuves, p. 10 et 16.

31. *Cartulaire de Saint-Victor*, n° 10 (904).

32. LESTOCQUOY, « De l'unité à la pluralité. Le paysage urbain en Gaule du Ve au IXe siècle », *Annales ESC*, 1953, pp. 159-172.

33. DUPRAT, « Marseille : Evolution urbaine », *Encyclopédie des Bouches-du-Rhône*, t. XIV, Marseille, 1935, pp. 73-75.

34. On ne peut suivre DUPONT, *op. cit.*, pp. 419-421, emporté par sa théorie d'une expansion à l'époque carolingienne suivie d'une

rétraction « féodale » ; les textes qu'il cite attestent une évolution inverse.

35. *Histoire de Languedoc*, V, col. 329-334.

36. GRIFFE, *op. cit.*

37. M. GOURON, *Les Etapes de l'histoire de Nîmes*, 1939, p. 31.

38. E. GRIFFE, *Histoire religieuse des anciens pays de l'Aude*, 1933, p. 156 *sq.*

39. De même à Arles — où des témoignages plus anciens n'ont pas été relevés — les deux bourgs sont au XIIe siècle organisés autour du marché, ENGELMANN, *op. cit.*

40. Arles en 1194 n'avait peut-être pas plus de 3 000 habitants, F. KIENER, *Verfassungsgeschichte der Provence seit der Ostrogothenherrschaft bis zur Errichtung der Konsulate (510-1200)*, Leipzig, 1900, p. 173.

41. Sur le changement de sens du mot *burgus*, E. ENNEN, *Frühgeschichte der europäischen Stadt*, Bonn, 1953, p. 124 *sq.*; DUPONT, *op. cit.*, p. 503, fonde sur la signification militaire du mot bourg son hypothèse d'un arrêt de l'expansion urbaine au XIe siècle.

42. A Narbonne, GRIFFE, *op. cit.*

43. POURRIÈRE, *op. cit.*, pp. 157-158.

44. Voir la carte suggestive « Klöster und Stift bis zum Tode Ottos III », *Werdendes Abendland am Rhein und Ruhr* (catalogue de l'exposition d'Essen 1956), p. 214.

45. Narbonne, *Histoire de Languedoc*, II, col. 47-50 (782); Maguelonne, *Cartulaire de Maguelonne*, éd. ROUQUETTE, I, p. 3 (819).

46. Nîmes, *Histoire de Languedoc*, II, col. 93-94 (814); Narbonne, *ibid.*, II, col. 94-96 (814).

47. Narbonne : concession au siège métropolitain de la moitié des droits comtaux sur les tonlieux, les navires, les salines, *ibid.*, II, col. 237-238 (844). Agde : le tiers des droits comtaux, *ibid.*, II, col. 277-279 (848).

48. Diplôme d'immunité pour Saint-Victor de Marseille, *Cartulaire de Saint-Victor*, I, 8 (790); concession des tonlieux à Saint-Victor, *ibid.*, 8, 12. Confirmation à l'église de Marseille des péages et des immunités concédés par Charlemagne et par Louis le Pieux, Gallia christ. nov. Marseille, n°s 49 et 50.

49. Première mention en Septimanie en 754, *Histoire de Languedoc*, II, col. 26; en Provence en 781, *Cartulaire de Saint-Victor*, I, 112. DUPONT, *op. cit.*, p. 394, suppose que le comte, à la différence de l'évêque, « est amené à être de plus en plus itinérant »; on a peine à trouver dans les textes l'appui de cette hypothèse : à Nîmes, par exemple, la justice comtale est toujours rendue aux arènes, MÉNARD, *op. cit.*, I, Preuves, p. 10, 16.

50. Un comte se maintient à Carcassonne et à Melgueil.

51. L'installation des vicomtes a été bien étudiée par KIENER, *op. cit.*, pp. 119-125 (rajeuni par BUSQUET, « Le rôle de la vicomté de Marseille dans la formation du comté de Provence et l'origine de ses vicomtes », *Provence historique*, 1954), et par DUPONT, *op. cit.*, pp. 452-455. Notons que c'est à ce moment que certaines églises provençales obtinrent des puissances régionales la concession de *regalia* : en 907, l'archevêque d'Arles reçoit de Louis l'Aveugle le tiers du port, BOUQUET, *Hist. fr.*, IX, 683, puis la monnaie et les droits sur les Juifs, *ibid.*, IX, 686.

52. Marseille : *Cartulaire de Saint-Victor*, I, 35-38, 105-106, 124; les comtes sont assistés par des *judices*, KIENER, *op. cit.*, pp. 131-133.

53. KIENER, *op. cit.*, pp. 125-126, qui remarque que les comtes de Provence ont installé des vicomtes aux points importants du système défensif.

54. Le dernier diplôme accordé par le roi à l'épiscopat méridional date de 922, *Histoire de Languedoc*, col. 143-144.

55. *Ibid.*, V, col. 256.

56. DUPONT, *op. cit.*, p. 473.

57. *Histoire de Languedoc*, V, col. 327-328; DUPONT, *op. cit.*, pp. 471-472.

58. *Cartulaire de l'ancienne cathédrale de Nice*, éd. CAÏS DE PIERLAS, n° 8. *Chartrier de l'abbaye de Saint-Pons hors les murs de Nice*, éd. CAÏS DE PIERLAS et SAIGE, n° 6.

59. G. DOUBLET, *Recueil des actes concernant les évêques d'Antibes*, 1915, p. LXXXVII.

60. « Structures monastiques et structures politiques dans la France de la fin du Xe et des débuts du XIe siècle », *Settimane di Studio*, IV, Spolète, 1957 ; du même, « La dislocation du *pagus* et le problème des *consuetudines* », *Mélanges Halphen*, Paris, 1951, et « L'exemption monastique et les origines de la réforme grégorienne », *A Cluny*, Dijon, 1950.

61. Par exemple à Nice, KIENER, *op. cit.*, pp. 221-222.

62. A Marseille, le chapitre de la Major, mentionné dès 923, ne reçut son autonomie que beaucoup plus tard, en 1044; son premier dévot est nommé pour la première fois en 1060. DUPRAT, *Encyclopédie des Bouches-du-Rhône*, II, pp. 229-232.

63. *Cartulaire de Saint-Victor*, I, pp. 28-30; DUPRAT, *op. cit.*, pp. 225-226.

64. FONTANA, *op. cit.*, p. 18.

65. *Ibid.*, pp. 19-22.

66. DUBY, *op. cit.*, pp. 214-224.

67. DUPRAT, *op. cit.*, t. XIV, pp. 99-100.

68. KIENER, *op. cit.*, *Instr.* II, p. 278, *quando partibus est cum comite.*

69. GRIFFE, *op. cit.*, *Histoire de Languedoc*, V, col. 540; RÉGNÉ, *op. cit.* Un second accord en 1112 partage entre l'archevêque et le vicomte le sel, les tours et les maisons de la ville, la justice (le vicomte a la justice de sang dans la cité et le bourg ; l'archevêque, la justice des clercs et des hommes manants sur le domaine de l'église cathédrale), *Histoire de Languedoc*, V, col. 831-833.

70. MUNDY, *op. cit.*, p. 24.

71. M. GOURON, « La cathédrale romane de Nîmes », *Bulletin de la Société archéologique de Nîmes et du Gard*, 1936-1937. De même à Aix au XIIe siècle, l'archevêque, les chanoines, le comte ont leurs propres forteresses, POURRIÈRE, *op. cit.*

72. En Provence : KIENER, *op. cit.*, p. 107, n. 137-138. En Septimanie l'étude n'est pas faite (il est difficile de suivre DUPONT dans ses hypothèses sur l'origine des *milites* des cités, p. 667).

73. L'évolution du tribunal public, où les successeurs des scabins carolingiens sont finalement remplacés par les vassaux du comte ou du vicomte, a été étudiée de près en Provence par KIENER, *op. cit.*, pp. 131-132 (évolution parallèle dans les cours comtales mâconnaises, *cf.* chap. 11).

74. Ce qui assure précisément cette étroite liaison économique entre ville et campagne que DUPONT a cru pouvoir nier (*cf. supra*). p. 000).

75. E. MICHEL, « Les chevaliers du château des Arènes de Nîmes », *Revue historique*, n° 102, 1909, p. 47.

76. J. POUX, *La Cité de Carcassonne; l'épanouissement, 1067-1466*, Toulouse, 1931, pp. 10-12; *Histoire de Languedoc*, V, col. 919-920 : *sic donamus tibi ad fevum et propter castellaniam in tali convenientia ut per quemque annum cum tuis hominibus et tua familia facies stationem in Carcassona per VII menses et predictam turrem custodire et gaitare facies omni tempore et ipsam urbem custodies.*

77. MUNDY, *op. cit.*, p. 10, n. 36.

78. A Arles en 967, *Cartulaire de Saint-Victor*, I, 308.

79. Les chevaliers sont exempts des *consuetudines*, KIENER, *op. cit.*, p. 206. Morcellement des *consuetudines* en 1064, *Cartulaire de Saint-Victor*, II, 107. Authentique du chapitre d'Arles cité par KIENER, *op. cit.*, p. 147, n. 309. Pour le XIIe siècle, KIENER, *Instr.*, I et II, pp. 276-279.

80. KIENER, *op. cit.*, pp. 203-205; MUNDY, *op. cit.*, p. 27.

NOTES DU CHAPITRE 4

1. E. BARATIER, *La Démographie provençale du XIIIe au XVIe siècle, avec chiffres de comparaison pour le XVIIIe siècle*, Paris, 1961.

2. G. FOURQUIN, *Les Campagnes de la région parisienne à la fin du Moyen Age (du milieu du XIIIe siècle au début du XVIe)*, Paris, 1964.

3. D. POPPE, *Saint-Christol à l'époque médiévale* ; L. STOUFF, « Peuplement, économie et société dans quelques villages de la montagne de Lure, 1250-1450 », *Cahiers du Centre d'étude des sociétés méditerranéennes*, n° 1, 1966, pp. 35-109.

4. BARATIER, *op. cit.*, pp. 156-160.

5. M. W. BERESFORD et J. K. S. SAINT-JOSEPH, *Medieval England : An Aerial Survey*, Cambridge, 1958, pp. 112-113.

6. Voir la présentation des fouilles par G. DÉMIANS D'ARCHIMBAUD, *Villages désertés..., op. cit.*, p. 287.

7. K. J. ALLISON, « The Lost Villages of Norfolk », *Norfolk Archeological Review*, n° 31, 1955.

8. A. DÉLÉAGE, *La Vie rurale en Bourgogne jusqu'au début du XIe siècle*, Mâcon, 1941.

9. A. TIMM, *Die Waldnützung in Nordwestdeutschland im Spiegel der Weistümer. Einleitende Untersuchungen über die Umgestaltung des Stadt-Land-Verhältnisses im Spätmittelalter*, Cologne/Graz, 1960.

10. S. EPPERLEIN, *Bauernbedrückung und Bauernwiderstand im hochen Mittelalter*, Berlin, 1960.

11. *Recueil des chartes de l'abbaye de Cluny*, éd. A. BERNARD et A. BRUEL, n°s 3026, 3034, 3077, 3642, 3066, 3332, 3475, 3640, 3759.

12. *Cartulaire de Saint-Vincent de Mâcon*, éd. RAGUT, n° 632.

13. Arch. nat., J. 398, n° 38 ; M. CANAT, *Documents inédits pour servir à l'histoire de Bourgogne*, Dijon, 1863, n° 32 ; Arch. dép. de Saône-et-Loire, G. 96, n° 2.

NOTES DU CHAPITRE 6

1. Sur les attitudes de Pierre le Vénérable à l'égard de l'économie, *cf.* chap. 8, et G. DUBY, « Un inventaire des profits de la seigneurie clunisienne à la mort de Pierre le Vénérable », *Petrus Venerabilis*, Rome, 1956, pp. 128-140, *cf.* chap. 9.

2. Institution à Bobbio de deux *ministeria*, la chambre et le cellier, dès 834-836. *Cf.* E. LESNE, *Histoire de la propriété ecclésiastique en France*, t. VI, *Les Eglises et les monastères, centres d'accueil, d'exploitation et de peuplement*, Lille, 1943, pp. 251, 327 et 59 ; A.-E. VERHULST et J. SEMMLER, « Les statuts d'Adalhard de Corbie de l'an 882 », *Le Moyen Age*, n° 68, 1962, pp. 91-123, 233-269.

3. *Recueil des chartes de Cluny*, éd. A. BERNARD et A. BRUEL, t. V, n. 4143 (1155 env.).

4. Ainsi, les statuts d'Adalhard de Corbie établissent-ils, aux chapitres IV et V, la ration des pauvres ; vers 1080, selon le coutumier d'Ulrich (III, 11), l'abbaye de Cluny partageait, à Carêmentrant, 250 porcs salés entre 16 000 *pauperes*.

5. L. LEVILLAIN, « Les statuts d'Adalhard », *Le Moyen Age*, n° 14, 1900, pp. 378-382.

6. *Ibid.*, p. 368.

7. *Ibid.*, pp. 360-361.

8. L'absence de tout élément de production rurale proche, à l'exception du jardin, est attestée pour Corbie en 822 (*cf.* VERHULST et SEMMLER, *op. cit.*, p. 120) et pour Cluny au milieu du XIIe siècle (*cf.* DUBY, « Un inventaire... », *op. cit.*, p. 130).

9. Témoignage d'Ulrich dans ses coutumes, III, 5.

10. Pour plus de détails, *cf.* G. DUBY, *L'Economie rurale et la vie des campagnes dans l'Occident médiéval*, Paris, 1962, pp. 390-394.

11. Ventes et achats à l'époque carolingienne, F.-L. GANSHOF, *La Belgique carolingienne*, Bruxelles, 1958, pp. 115-116 ; L. LEVILLAIN, « Les statuts... », *op. cit.*, pp. 373, 375, 384. A Cluny, fin XIe et début du XIIe siècle : Ulrich, III, 11 : « *De his autem villis que tam longe sunt posite ut nec vinum nec annona que ibi nascitur possit ad nos pervenire ibidem venditur et precium camerario defertur* » ; *Recueil des chartes... op. cit.*, n.s. 3790 et 4143.

12. *Coutumes d'Ulrich*, I, 49 ; II, 35 ; III, 18. *Cf.* G. DE VALOUS, *Le Monachisme clunisien des origines au XVe siècle*, Ligugé, 1935.

13. *Recueil des chartes...*, *op. cit.*, n.s. 3034, 3036, 3642, 3759.

14. *Ibid.*, *n.s.* 3666, 3685, 3951, 4147.

15. *Coutumier*, III, 11.

16. *Recueil des chartes...*, *op. cit.*, n. 3509.

17. *Ibid.*, n. 4143.

18. Sur le régime alimentaire des chartreux, *cf.* PIERRE LE VÉNÉRABLE, *De Miraculis*, II, 28.

19. *Statuta Guidonis*, cqC. 32.

20. P.L., 66, 624 et 630. *Cf.* H. D'ARBOIS DE JUBAINVILLE, *De la nourriture des cisterciens et principalement à Clairvaux, au XIIe et au XIIIe siècle*, « Bibliothèque de l'Ecole des chartes », 29, 1868.

21. G. DUBY, *Recueil des pancartes de l'abbaye de la Ferté-sur-Grosne*.

22. *Cf.* chap. 8.

23. Notons que Suger, à Saint-Denis, adopta les mêmes recettes et qu'en revanche, dans bien des abbayes anglaises, les aménagements portèrent sur le système de la ferme (*cf.* DUBY, *L'Economie rurale...*, *op. cit.*, p. 394).

24. PIERRE LE VÉNÉRABLE, *Statuta*, XXIV.

25. *Ibid.*, LXXXIX.

26. DUBY, « Un inventaire... », *op. cit.*

NOTES DU CHAPITRE 7

1. A. GALLI, « Les origines du prieuré d'Hérival », *Revue Mabillon,* 1959, p. 30.

2. E. ENGELMANN, *Zur städtischen Volksbewegung in Südfrankreich : Kommunefreiheit und Gesellschaft, Arles, 1200-1250,* Berlin 1959.

NOTES DU CHAPITRE 8

1. P.p. Doms MARRIER et DUCHESNE, *Bibliotheca Cluniacensis,* Paris, 1614.

2. *Udalrici Antiquiores Consuetudines* (P.L., 149). Pour la date, G. DE VALOUS, *Le Monachisme clunisien,* t. I, Paris, 1935, p. 20.

3. P.L., 189. — VALOUS, *op. cit.,* les dates de 1132 et Dom J. LECLERCQ, *Pierre le Vénérable,* Saint-Wandrille, 1946, de 1146.

4. A. BERNARD et A. BRUEL, *Recueil des chartes de l'abbaye de Cluny* (désigné désormais pas la lettre *C.*), 3790, bilan des recettes en numéraire présenté par le doyen de Chevignes (com. Prissé, ca. Mâcon-Sud, Saône-et-Loire) au grand prieur de Cluny ; — *C.* 3789, compte des achats et ventes conclus par le grand prieur lors de sa tournée annuelle dans le doyenné de Montberthoud (com. Savigneux, ca. Saint-Trivier-sur-Moignans, Ain). Lambert de Barive, qui a recopié au XVIIIe siècle ces textes aujourd'hui perdus, les datait des environs de 1100.

5. *C.* 4395. Ce détail du cens de Provence dut être établi en 1148 lors de la réorganisation de l'office du vestiaire (v. *C.* 4132).

6. *C.* 4132.

7. *C.* 4143. Seuls douze inventaires ont été transcrits au cartulaire. Le texte original n'a pas été amputé : il s'arrête au milieu du fol. 295, v°, B.N., N. acq. lat., 1498.

8. Elles ont été en partie utilisées par G. DE VALOUS, *Le Temporel et la situation financière des établissements de l'ordre de Cluny du XIIe au XIVe siècle,* Paris, 1935, mais ce travail mérite d'être repris dans un autre esprit. Le problème dans son ensemble a été abordé par Mgr LESNE, *Histoire de la propriété ecclésiastique en France,* t. VI (1943). Nous remercions particulièrement M. Ch.-Ed. PERRIN, professeur à la Sorbonne, qui a bien voulu examiner notre travail et nous guider dans son achèvement.

9. La vie matérielle des moines à la fin du XIe siècle est décrite en détail par G. DE VALOUS, *Le Monachisme clunisien,* t. I, p. *227sq.*

10. Les domestiques, *Antiq. consuet.,* III, 11 (P.L., 149, 752), 18 (762), 24 (767). — Dix-huit pauvres sont entretenus en permanence, *Antiq. consuet.,* III, 24 (766). — Les larcins des *famuli,* PIERRE LE VÉNÉRABLE, *Statuts,* XXIV (P.L., 189, 1032). Le

monastère entretient aussi quelques *clericelli nobiles* qui fréquentent l'école, *C.* 4132.

11. *Antiq. consuet.*, III, 11 (P.L., 149, 753).

12. Les moines consomment tous les jours trois setiers de froment, les hôtes et les domestiques, trois setiers de froment et de seigle *nisi majores supervenerit hospitum conventum*, *C.* 4143. En Mâconnais, l'ânée équivaut sensiblement au setier.

13. *Antiq. consuet*, III, 18, 19, 22 (P.L., 149, 761-764).

14. Répertoire commode des possessions foncières clunisiennes vers 1050 dans G. DE VALOUS, *Le Domaine de l'abbaye de Cluny aux* X*e et* XI*e siècles*, Paris, 1923.

15. *Antiq. consuet.*, III, 5 (P.L., 149, 740).

16. *Ibid.* Le prieur *quantum videtur dimittit ad commeatum decani, et hospitum supervenentium et ad opus agricolandi; quod superest, jubet ad monasterium deferri.*

17. *Frequenter accidit ut de omnibus rebus annuatim nascentibus nihil omnino habeamus ad subsidium vitae temporalis preter quod de denariis est comparatum. Antiq. consuet.*, III, 11 (*ibid.*, 149, 751).

18. *Antiq. consuet.*, III, 24 (*ibid.*, 149, 766).

19. *Coutumes de Bernard*, I, 29, cité par VALOUS (*Mon. clun.*), t. I, p. 184.

20. *Antiq. consuet*, III, 19 (P.L., 149, 762), 24 (767).

21. *Antiq. consuet.*, III, 11 (*ibid.*, 149, 752) : *Quicquid ad vestitum pertinet hoc non per vices, sed semper et ex toto comparandum.* — On élève des moutons sur la terre de Cluny, mais peu : en 1148, les enquêteurs en recensent 400 à Chaveyriat, 110 à Montberthoud, quelques dizaines à Arpayé et à Berzé. *C.* 4143.

22. Le chambrier achète les porcs de l'aumône du Carême, *quia numquam ita refertum est nisi tantum soli denarii et de manus solius camerarii prodituri, Antiq. consuet.*, III, 11 (P.L., 149, 753). L'aumônier achète de la viande : *Antiq. consuet.*, III, 24 (*ibid.*, 149, 766). Le blé et le vin, *cf.* n. 2, p. 158.

23. *Antiq. consuet.*, III, 18 (*ibid.*, 149, 762).

24. *C.* 3789; *Antiq. consuet.*, III, 11 (P.L., 149, 751) : *De his autem villis quae tam longe sunt positae ut nec vinum nec annona quae ibi nascitur possit ad nos pervenire ibidem venditur et precium camerario defertur.* — En 1155, dans le doyenné de Saint-Hippolyte (com. Bonnay, ca. Saint-Gengoux, Saône-et-Loire), sur 150 setiers d'avoine récoltés, 40 sont réservés pour les semailles et 30 vendus sur place. *C.* 4143.

25. *C.* 3790.

26. On n'a pas conservé de censier clunisien, mais dans les autres seigneuries du Mâconnais, les tenures devaient généralement quelques deniers, outre les redevances en nature.

27. *C.* 4143. Depuis 1080, l'organisation du domaine avait été quelque peu modifiée par la constitution du temporel de la maison de Marcigny (*C.* 3742) ; l'installation de nouvelles tailles et la conversion de certaines corvées avaient accru d'autre part la recette en numéraire.

28. *Antiq. consuet.*, III, 11 (P.L., 149, 751).

29. Pour payer la rançon de l'abbé Maieul, Raoul GLABER, *Hist.*, éd. PROU, I, 9, p. 11. Pour soulager la misère lors des famines : *ibid.*, IV, 13, p. 102 ; — Pierre DAMIEN, *Vita sancti Odilonis*, in *Bibliotheca cluniacensis*, col. 317.

30. *Antiq. consuet.*, III, 11 (P.L., 149, 752).

31. Voir la carte de S. BERTHELLIER, *L'Expansion de l'ordre de Cluny et ses rapports avec l'histoire politique et économique du Xe au XIIe siècle* (*Revue archéologique*, 1938). Sur les rapports avec l'Espagne, P. DAVID, « Grégoire VII, Cluny et Alphonse VI », *Etudes historiques sur la Galice et l'Espagne du VIe au XIIe siècle*, Coimbre, 1947.

32. *C.* 4395 et 4132.

33. *C.* 3441, 3509 (1077), 3688 (1090). Sur le *mancus*, M. BLOCH, « Le problème de l'or au Moyen Age », *Annales*, 1933, p. 13. Vers 1090, Girard de Vienne offrit plus de 1 100 sous, *C.* 3755.

34. *Bibliotheca cluniacensis*, col. 419 et 444. Entre le roi Alphonse et Cluny, c'est un moine qui sert d'intermédiaire et transporte *decem milia talentorum*, *C.* 3562 (1080 environ).

35. A Chalon (B.N., coll. Bourgogne, t. *C* 111, fol. 3) ; à Cluny, *C.* 4012. Remarquons que les deniers de Cluny et de Chalon ayant sensiblement la même valeur (*C.* 3575), l'afflux de métal jaune a déterminé en trente ans une sensible dévaluation de l'or par rapport à l'argent.

36. *C.* 3666, 3714, 3716, 3735, 3744, 3760, 3768, 3781 ; l'or : *C.* 3042, 3071, 3478, 3488, 3654, 3940.

37. VALOUS, *op. cit.*, t. I, p. 162.

38. Sur la chronologie des constructions, outre le grand ouvrage de J.-K. CONNANT, voir les articles du même (*Bulletin monumental*, 1929, p. 122), et de C. OURSEL (*Annales de Bourgogne*, 1940).

39. *C.* 4183 (1158) : *majorem ecclesiam a rege Hispanorum Aldefonso inchoatam*, et 3562. Ferdinand constitue le cens *causa vestimentorum* (*C.* 5309) ; — affectation à l'achat du blé (*C.* 3509) ; en 1122, *preter alias et multo cum fenore mutuo acceptas expensas in emendo solummodo annonam et vinum plus quam viginti milia solidos cluniacensis kamerarius expendebat* (*C.* 4132).

40. *C.* 4143.

41. *C.* 3034, 3036, 3642, 3759 (La Grange-Sercy, com. Ameugny, ca. Cluny).

42. *C*. 3665 (1095), 3685 (1095 environ), 3591 (1120 environ), 41417 (1117-1147).

43. *C*. 3440. — Privilège de Pascal II sanctionnant les exemptions de péage, *Bullarium cluniacense,* p. 34 (1106).

44. *Miracula sancti Hugonis, Bibliotheca cluniacensis,* col. 460.

45. PIERRE LE VÉNÉRABLE, *Miracula,* II, 12, P.L., 189, 923.

46. Cluny ne perçoit plus ses revenus d'Angleterre en 1148 *propter novas emergentes guerras*. *C*. 4132.

47. PIERRE LE VÉNÉRABLE, *Epistolae,* IV, 37 (P.L., 189, 370).

48. *C*. 4072.

49. *C*. 3958 (1122), deux marcs ; *C*. 3993 (1126), un demi-marc ; *C*. 3995 (1127), un marc ; *C*. 4033 (1132), quatre marcs ; *C*. 4194 (1158), huit marabotins.

50. Donations nouvelles : le comte de Vermandois lègue 500 marcs d'argent, *C*. 4070 ; Eustache de Boulogne, une rente annuelle de 20 livres, *C*. 3984 ; Henri Ier d'Angleterre, une rente de 100 marcs, *C*. 4015 (1130), confirmée en 1136 par le roi Etienne, *C*. 4055, et en 1144-1148 par Geoffroy Plantagenêt, *C*. 4095 ; Henri Ier *basilice nove precipuo constructore post regem hispanie, C*. 4183, et PIERRE LE VÉNÉRABLE, *Epistolae,* II, 8 (P.L., 189, 197).

51. *C*. 4056 (1136).

52. *Panis parvus, niger, furfureus ; vinum maxime aquatum insipidum et vere vilum, C*. 4132.

53. Voir la biographie de LECLERCQ, *op. cit.* (p. 155, n. 3). On ne peut dire, comme W. WILLIAMS, *Monastics Studies,* Manchester, 1938, p. 37, que Pierre le Vénérable fut « *a great economist* », « *a veritable master in the necessary economics* » ; il appliqua des solutions de bon sens. Son amertume : *Epistolae,* I, 3 (P.L., 189, 81) et VI, 15 (320).

54. PIERRE LE VÉNÉRABLE, *Statuts,* XVI, XVII, XVIII (P.L., 189, 1030-1031) ; LII (*ibid.,* 1039) ; XXIV (*ibid.,* 1032), XXXII (*ibid.,* 1032).

55. *ID., Statuts* (*ibid.,* 189, 1025).

56. *C*. 4132, pour le vêtement, le cens de provence, d'Italie, d'Espagne et d'un manoir anglais ; pour la chaussure, les 100 marcs d'Henri Ier d'Angleterre. Pour les mets supplémentaires, 125 livres levées dans le bourg de Cluny et le cens du Poitou.

57. *C*. 4132.

58. J.-K. CONNANT, et plus récemment C. OURSEL, *Les Eglises romanes de l'ancien grand archidiaconé d'Autun,* thèse Ec. chartes, 1948, p. 116.

59. Ce service périodique est appelé *mesaticum, C*. 4132. Le procédé était appliqué déjà dans le domaine de l'abbaye de Savigny en Lyonnais ; on le voit en usage à une époque postérieure dans les seigneuries ecclésiastiques bavaroises.

60. Le doyenné de Mazilles (ca. Cluny) où l'avoine venait mieux que le blé se consacra entièrement à l'approvisionnement de l'écurie. A Jully (ca. Buxy, Saône-et-Loire) et Saint-Hippolyte, les condemines furent plantées en vignes, *C*. 4132 et 4143.

61. *Ad noviter plantadas et colendas vineas consilio fratrum studium converti et, ut jam plantate suis temporibus congrue coli possent, quosdam notos Anglie redditus fratri earum cultori et custodi annuatim reddi decrevi*. *C*. 4132.

62. A. Chaveyriat, par exemple, il n'y a que 3 charrues, il pourrait y en avoir 20 ; — à Lourdon, les vignes ne produisent que 20 chars de vin, elles pourraient en produire 60 si l'on consacrait 30 sous par an à leur culture, etc. *C*. 4143. Remarquons toutefois que l'enquête a lieu en hiver, ce qui peut expliquer la réduction du cheptel.

63. A Chaveyriat, la réserve produit 300 setiers de blé, et les redevances 160. Dans les 12 doyennés inventoriés, les tenures fournissent 1 500 setiers de froment, 60 de seigle, 300 d'avoine. Pour 3 doyennés seulement, 700 setiers de céréales sont récoltés sur la réserve.

64. PIERRE LE VÉNÉRABLE, *Epist.*, II, 20 (P.L., 189, 232).

65. *C*. 4012.

66. *C*. 4142 : *Impedita esset debitis et usuris pondere et numero duo milia marcarum argenti*.

67. Sur ce personnage, *cf*. R. FOREVILLE, *L'Eglise et la royauté en Angleterre sous Henri II Plantagenêt*, Paris, 1943, p. 5*sq*.

68. *C*. 4142.

69. *Bibliotheca cluniacensis*, col. 1624 et FOREVILLE, *op. cit.*, p. 81.

NOTES DU CHAPITRE 9

1. Sur l'évolution de l'économie domestique de l'abbaye de Cluny, *cf. supra*, chap. 8.

2. *Cf*. dom Jean LECLERCQ, *Pierre le Vénérable*, Saint-Wandrille, 1946, pp. 145-148.

3. Original : Bibliothèque nationale, nouvelles acquisitions latines 1498, fol. 292-295. Publié dans A. BERNARD et A. BRUEL, *Recueil des Chartes de Cluny*, t. V, n° 4143, pp. 490-505.

4. *Cf. supra*, chap. 8.

5. Le prieur passe dans le doyenné de Montberthoud la veille de Noël (*cf*. BERNARD et BRUEL, t. V, n° 3789, p. 135.

6. Le texte du cartulaire n'a pas été amputé ; il s'arrête au milieu du folio 295 du manuscrit.

7. On trouvera la liste et la localisation de ces doyennés dans A. DÉLÉAGE. *La Vie rurale en Bourgogne avant l'an mil*, Mâcon,

1941, pp. 428-430 (les seigneuries d'Iguerande et de Gevrey-Chambertin ne sont plus au XIIe siècle directement rattachées au monastère, mais il faut ajouter Malay et Berzé).

8. Il en est question dans l'acte intitulé *Dispositio rei familiaris* de 1148, BERNARD et BRUEL, t. V, n° 4132, pp. 475-482.

9. *Ibid.*, n° 3789. Dans ce texte, qui date du début du XIIe siècle, le prieur vend l'ânée (mesure qui équivaut à peu près au setier de Cluny) de seigle 3 sous et 4 sous celle de froment.

10. Je l'ai déjà remarqué à propos des cisterciens de l'abbaye de la Ferté-sur-Grosne, G. DUBY, *Recueil des pancartes de l'abbaye de la Ferté-sur-Grosne, 1113-1178*, Aix-en-Provence, 1953, p. 19.

11. A Montberthoud, au début du siècle, le prieur a vendu, une certaine année, toute la récolte de froment et le tiers de celle de seigle, BERNARD et BRUEL, n° 3789.

12. G. DUBY, *La Société aux XIe et XIIe siècles dans la région mâconnaise*, Paris, 1953, p. 316.

13. *Cf.* la *Dispositio rei familiaris*, BERNARD et BRUEL, t. V, p. 480.

14. *Ibid., pp. 490-491.*

15. *Ibid.*, p. 481.

16. *Ibid.*, n° 3789.

NOTES DU CHAPITRE 10

1. *La Société féodale : la formation des liens de dépendance*, Paris, 1939, pp. 406-407.

2. *Chartes du Forez antérieures au XIVe siècle*, publié par G. GUICHARD, le comte de NEUFBOURG, E. PERROY, J.-F. DUFOUR, Mâcon, 1933-1944, 9 vol.

3. *Ibid.*, t. IX, n° 919.

4. *Ibid.*, t. I, n° 13.

5. *Recueil des chartes de l'abbaye de Cluny*, formé par A. BERNARD, publié par A. BRUEL, Paris, 1876-1903, 6 vol.

6. G. DUBY, *La Société aux XIe et XIIe siècles dans la région mâconnaise*, Paris, 1954, 1er partie, chap. 4.

7. *Recueil des chartes..., op. cit.*, t. V, n° 3825.

8. *Ibid.*, t. V, n° 3737 (1100), 3882 (1107), 3929 (1117) et 4054 (1136).

9. *Cartulaire de l'abbaye de Savigny*, publié par A. BERNARD, t. I, Lyon, 1853, n° 766 (1080).

10. *Ibid.*, n° 45 (945) : Grézieux-le-Marché (ca. Saint-Symphorien-le-Château, Rhône) ; n° 131 (959) : Champigny (ca. Saint-Haon-le-Vieux, Loire) et Ressy (ca. co. Sainte-Colombe-de-

Néronde, Loire) : n° 145 (970) : *Azola Villa* (située in *agro Forensi*, n°s 46 et 246) ; n° 437 (avant 994) : Mote (co. Feurs, Loire) et Mizérieux (ca. Boën, Loire). Les deux autres notices concernent la région de Lausanne, n° 441 (939).

11. Dans ma thèse, chap. 8.

NOTES DU CHAPITRE 11

1. M. BLOCH, *La Société féodale*, t. II : *Les Classes et le gouvernement des hommes*, Paris, 1940, p. 117.

2. A. DÉLÉAGE n'a pas étudié la justice dans sa thèse sur *La Vie rurale en Bourgogne jusqu'au début du XIe siècle* (1941). Ch. SEIGNOBOS (*Le Régime féodal en Bourgogne jusqu'en 1360*, Paris, 1882) a décrit les droits de justice qui pesaient sur les humbles, et F.-L. GANSHOF les institutions judiciaires à l'usage des classes supérieures dans « L'administration de la justice dans la région bourguignonne de la fin du Xe au début du XIIIe siècle (*Revue historique*, n° 135, 1920, pp. 193-218), mais ceci dans un cadre plus large et, l'un et l'autre, sans grand souci de précision chronologique. Mais l'article du même F.-L. GANSHOF, « Contribution à l'étude des origines des cours féodales en France » (*Revue historique de droit français et étranger*, 1928, pp. 644-665), est remarquable.

3. La région géographique qui sert de cadre à cette étude comprend avant tout le Mâconnais et le Clunisois et, accessoirement le Beaujolais, le Charolais, le sud du Chalonnais et la rive bressane de la Saône. Dans ces limites, nous avons pu acquérir au cours de recherches antérieures une connaissance particulière des familles seigneuriales de ce pays et cela nous a bien souvent servi à débrouiller les problèmes que posent les institutions judiciaires.

4. C'est ce qui ressort de l'étude de GANSHOF (« Contribution... », *op. cit.*). Nous ne ferons que prolonger ses conclusions. B. ALTHOFFER (*Les Scabins*, thèse de droit, Nancy, 1938, pp. 141-144) pense, au contraire, qu'une cour féodale a existé dès le Xe siècle à côté du *mallus* moribond et a fini par le supplanter ; sa démonstration ne nous a pas convaincu.

5. GANSHOF, « Contribution... », *op. cit.*, p. 650.

6. Entre 943 et 964, les documents sont particulièrement abondants : sur quatorze notices explicites, cinq parlent encore du *mallus publicus* (BERNARD et BRUEL, *Recueil des chartes de l'abbaye de Cluny*, désigné dorénavant par la lettre *C.*, n. 632, 764, 1100. 1179 ; *Cartulaire de Saint-Vincent de Mâcon*, éd. RAGUT, désigné dorénavant par la lettre *M.*, (n. 186) ; deux nomment les *scabini* (*C.* 799, 1179), une les *boni homines* (*C.* 1179), huit, au contraire, signalent les fidèles du comte (*C.* 644, 719, 799, 856, 1034, 1087 ; *M.* 156, 186). Il est très net que lorsqu'il y a mention de *mallus*, il n'est pas question de fidèles et, dans *C.* 799, les *scabini* sont opposés aux fidèles.

7. Nous nous proposons d'étudier ailleurs ce changement dans le langage des chartes. Pour la signification du terme, *Cf.* F. LOT, « Fidèles ou vassaux ? », p. 249, et A. DUMAS, « Encore la question : Fidèles ou vassaux ? » (*Revue historique de droit,* 1920, pp. 186-189).

8. Dès le début du Xe siècle, certains *boni homines* du *mallus* classique sont les vassaux du comte. Gondoury, Letard et Gilard, assistant au plaid comtal (*M.* 501 [928]), sont présentés ailleurs comme des fidèles (*C.* 276 [926]).

9. « Contribution... », *op. cit.*, p. 661 : « Ceux... qu'il a établis dans la cité de Mâcon ou dans ses environs immédiats, voire même des " bacheliers " qui vivent dans son voisinage. »

10. Nous ne pouvons songer à indiquer toutes les références aux nombreux documents qui nous ont permis d'identifier les personnages qui apparaîtront au cours de cette étude et de les situer dans l'échelle sociale : nous demandons que l'on nous fasse provisoirement confiance. Nardouin, vicomte, est la souche de plusieurs lignées de châtelains; Rathier et son fils Thibert sont les ancêtres des sires de Bâgé, en Bresse; Roclen et Garoux, des châtelains de Brancion; à propos d'Evrard, membre d'une importante lignée, *cf.* abbé M. CHAUME, « Féodaux mâconnais : les premiers possesseurs de la roche de Solutré » (*Annales de Bourgogne,* 1937, pp. 280-293).

11. Dès les premières années du Xe siècle se produit un nouveau changement de vocabulaire : le terme *fidelis* passe de mode (encore utilisé dans *C.* 2406 [997-1007]) ; l'accent est maintenant mis sur la distinction sociale des assesseurs : *nobiles viri* (*C.* 2719 [1019]), (*C.* 3342 [1050-1065]), *nobiles seniores* (*C.* 2992 [1049-1065]), *nobiles homines* (*C.* 2552 [1002]), *milites* (*C.* 2406, 2552). Ceci ne doit pas nous surprendre : au moment précis, nous le verrons, où le seul fait de relever de la cour comtale et de participer aux jugements qu'elle rend suffit à distinguer les membres de la classe supérieure. Nous nous proposons d'étudier ailleurs, en détail, la véritable signification sociale de ces différents termes : nous ne pensons pas qu'ils aient, dans les documents bourguignons, le sens que leur attribue GUILHIERMOZ dans son *Essai sur les origines de la noblesse en France.*

12. Oury, fils de Thibert et sire de Bâgé, est présent lorsqu'il s'agit d'affaires bressanes (*M.* 96 [1018-1030], 464 [1018-1030]).

13. *C.* 3726 (1096).

14. *M.* 590 (1126-1143).

15. Les documents, beaucoup plus rares, qui concernent la cour chalonnaise confirment nos conclusions.

16. *C.* 2552, *M.* 464.

17. *Venerunt... ipse Hugo cum propinquis et amicis et senioribus suis* (*M.* 10 [1074-1078]).

18. *Cf. C.* 2552 (1002) (procès entre Cluny et le clerc Maieul). Milon fait peut-être partie de la clientèle du comte; mais ce n'est

certainement pas le cas de Guibert, Rainaud, Arlier et Engeaume, moyens seigneurs de la vallée de la Grosne, qui, par contre, tiennent des fiefs de Cluny et sont les voisins et peut-être les parents de Maieul. La cour comtale est composée normalement de vassaux lorsque le comte est lui-même partie. *Cf. C.* 3841 (1106). Robert de Bresse-sur-Grosne (*M.* 589) et Robert l'Enchaîné (v. *M.* 589 et 590) sont, nous en sommes certains, des fieffés du comte.

19. La restitution imposée à Bernard de l'Ile par le comte Thibaud n'est pas exécutée (*C.* 3651 [1040 env.]). Après la sentence rendue en faveur de Cluny par le comte de Mâcon (*C.* 3726 [1096]), il faut des démarches auprès du pape et la menace de sanctions ecclésiastiques pour contraindre l'abbé de Tournus à s'y conformer ; il ne l'exécute d'ailleurs qu'à demi.

20. Début du XIe siècle : *tam potestate quam blanda suasione fecerunt ei vuerpitionem facere* (*C.* 2406 [1002]) ; fin du XIe siècle : le comte rend son jugement : *causa equitatis et concordie* (*M.* 10 [1074-1078]). La part la plus active cependant revient dans les débats aux assistants ; le comte se borne à présider *presidente comite... dum eadem res communi omnium consilio juste examinis finem expeteret : ... judicio definitum est*, par la bouche d'Humbert de Beaujeu *et cunctorum presentium.*

21. *C.* 2848 (s.d. vers 1040), *C.* 3726 : *datis insuper pro confirmatione in manu comitis ab utraque partis obsidibus.*

22. *C.* 2719 (1019), *M.* 96 (1018-1030).

23. *C.* 1087 (960), 1106 (961), 2406 (1002), 2719 (1019).

24. *C.* 1249 (968-978), 2406.

25. *C.* 2406 — 2719, 2906 (1030 env.).

26. *C.* 2406, notice, et *C.* 2552, restitution. *C.* 2992, notice, et *C.* 3322 (1050-1065), relation rédigée par le condamné avec mention des témoins et surtout de la compensation (100 sous), reçue *ut hec vuerpitio et stabilis permaneat.*

27. *C.* 2848 et 2905 (1040 env.) ; *M.* 424.

28. *C.* 3726, 3841 (1106) ; *Cartulaire du prieuré de Saint-Marcel-lès-Chalon*, éd. CANAT DE CHIZY (désigné dorénavant par *SM.*), 105 (1090 env.).

29. *SM.* 107 (1093) : après un jugement rendu par la cour des comtes de Chalon, le chevalier Boniface s'engage envers les moines de Saint-Marcel : *non capiam in eo quicquam per violentiam per tres annos. Inde mitto fidejussores F. de R. et S. militem, et de tribus annis inantea scienter rapinam non faciam, neque ego neque aliquis de meis meo consensu ; et si factum est, reddam caput et legem.* Les comtes promettent seulement leur appui en cas de violation de l'accord : *et si noluerit tenere, ego Gaufredus et Guido, comites, adjutores sumus per fidem sine enganno.*

30. *M.* 10.

31. *M.* 10.

32. *M.* 10.

33. *SM*. 105-107.

34. *C*. 3276.

35. Première mention : *C*. 2406, 2552 (1002) ; ensuite : *C*. 2905, 2906, 3841, *M*. 464.

36. Sur ces limites, *cf*. abbé M. CHAUME, *Les Origines du duché de Bourgogne*, t. II, *Géographie historique*, fasc. 3, pp. 821, 985-989, 1023-1027 ; cartes pp. 832, 1000, 1088.

37. Sur vingt-neuf sessions connues, une seule a lieu hors de Mâcon, à Lons-le-Saunier (*M*. 589, fin du XIe siècle), à un moment où la dynastie comtale est écartelée entre ses possessions du Revermont et son comté ; on éprouve d'ailleurs le besoin de répéter le plaid lorsque le comte est de retour dans la cité.

38. La dernière intervention connue dans ces régions date de 960 environ (*M*. 420, *Liciaco, in pago Dunensi*, S. Martin de Lixy, ca. de Chauffailles). Plus tard, l'influence de la cour mâconnaise ne s'étend pas, vers l'ouest, au-delà de Cluny ; il est vrai que nous sommes très mal renseignés sur les contrées plus occidentales.

39. Sermoyer (ca. Pont-de-Vaux) : *M*. 96. Crottet, Chavagny-sur-Veyle (ca. Pont-de-Veyle) : *M*. 464. Mais le sire de Bâgé qui est en train de devenir le *dominus Brixiae* est toujours présent.

40. Sur six sessions connues, une seule se tient à Chalon, une autre à Charolles, une à Besornay (ce. Saint-Vincent-des-Prés, ca. Cluny). Les châteaux du comte de Chalon : Charolles (*C*. 1249) ; Sigy-le-Châtel, ca. Saint-Gengoux (*C*. 1794) ; Mont-Saint-Vincent (*Cartulaire de Paray-le-Monial*, éd. U. CHEVALLIER [désigné désormais par la lettre *P*.], 194). Le contraste entre l'attachement que manifeste la cour de Mâcon pour le cadre de la cité et les habitudes itinérantes de celle de Chalon témoigne peut-être d'une différence plus profonde dans le comportement des hommes. Plusieurs frontières entre les traditions du Nord et du Midi passent, on le sait, entre Mâcon et Chalon. Sur les cours septentrionales itinérantes, *cf*. GANSHOF, *Etude*, p. 202 (Bourgogne) et, du même « Die Rechtssprechungen des gräflichen Hofgerichtes in Flandern », *Zeitsschrift der Savigny Stiftung, G. A*. 1938, p. 167 (Flandre) ; sur les cours sédentaires du Midi, *cf*. F. KIENER, *Verfassungsgeschichte der Provence*, 1900.

41. A Besornay, pour des biens sis à Courzy, ce. Sainte-Cécile, ca. Cluny, et à Curtil-sous-Buffières, ca. Cluny (*C*. 2848) ; pour des biens sis à Ameugny, ca. Cluny (*C*. 2906).

42. Les héritiers du lévite Alard (*C*. 632, 634, 719, 764) font partie d'un important lignage (*cf*. CHAUME, « Féodaux mâconnais ») ; de même, les membres de la famille des Garoux, châtelains de Brancion (*C*. 856, 1087) ; pour Rathier (*C*. 1037, *cf. supra*, n. 13, etc.).

43. C'est le cas de Rainaud, Gilard, Rathier.

44. Rathier (*cf*. *C*. 644, 764, etc.) et Gilard (*C*. 276) sont, nous le savons, des fidèles du comte.

45. Sauf dans *M*. 420, plainte des chanoines de Saint-Vincent contre les fidèles du comte.

46. Guichard de Minciaco est peut-être l'homme du comte de Mâcon, son justicier dans *C*. 2992 et 3342, mais il n'a certainement aucun rapport avec le comte de Chalon qui, cependant, tranche le différend qui l'oppose à l'abbaye de Cluny (*C*. 2848).

47. Neuf sur dix des plaideurs laïcs du XIe siècle sont connus. On trouve encore, pendant les trente premières années du siècle, quelques personnages marquants : Tessa de Brancion et son fils, futur évêque (*C*. 2719 [1019]), Bernard de la Chapelle, neveu d'Airoard (*C*. 2905 [1030 env.]). Tous les autres sont des chevaliers de moindre importance : les fils d'Audin, souche de la famille chevaleresque de Cluny (*C*. 1989), Maieul Pouverel (*C*. 2406, 2552), les fils de Josserand de Merzé (*C*. 2848, 2992, 3342), Hugues de Saint-Nizier (*M*. 10) ; de même, Bernard de l'Ile (*C*. 3651), Letaud d'Ameugny (*C*. 2906), Boniface de Saint-Marcel (*SM*. 105, 107), jugés par le comte de Chalon.

48. Sur les limites qu'il faut apporter aux pouvoirs judiciaires exercés sur son vassal par le seigneur carolingien, *cf*. A. BEAUDOIN, « Etude sur les origines du régime féodal, la recommandation et la justice seigneuriale », *Annales de l'enseignement supérieur de Grenoble*, 1889 ; N. FERRAND, « Origines des justices féodales », *Le Moyen Age*, 1921 ; F.-L. GANSHOF, « La juridiction du seigneur sur son vassal à l'époque carolingienne », *Revue de l'université de Bruxelles*, n° 28, 1921-1922, et, aussi, MITTEIS, *Lehnrecht und Staatsgewalt*, p. 36.

49. Mâcon : diplôme de Pépin (*M*. 66 [743]), remplaçant des concessions plus anciennes perdues, et renouvelé par Louis le Pieux (*M*. 65 [815]). — Tournus : diplôme de Charles le Chauve délivré lors de l'installation des moines de Saint-Philibert (dans JUÉNIN, *Histoire de l'abbaye de Tournus*, Preuves, p. 91 [875]). Saint-Marcel : diplôme de Charlemagne (*SM*. 3 [779]), et deux faux, dirigés expressément contre le duc de Bourgogne et le comte de Chalon, et qui ont sans doute été confectionnés dans la seconde moitié du XIe siècle.

50. *SM*. 1 et 2.

51. Sur la juridiction de l'immuniste, *cf*. M. KROELL, *L'Immunité franque*, 1910, p. 208*sq*. et 322*sq*.

52. *M*. 589 : *episcopum autem et canonicos habere nomines suos, domos, terras, possessiones, clausuras, integre et pure (sine omni) comitale consuetudine preter clamorem sicut dictum est.*

53. *M*. 567 (1096-1124), accord avec Landry de Montceau, forestier.

54. *M*. 555 (1096-1124), accord avec le prévôt de Montgouin, devant l'évêque et le chapitre, et des prêtres et des chevaliers de l'endroit.

55. Accord avec Ogier de Saint-Cyr (ca. Bâgé, dpt Ain), *M*. 598 (1096-1120) *et si circa decimam male aliquid egerit, in curia decani*

arrationatus respondeat. Au XIIe siècle, les pouvoirs de l'obéancier apparaissent très nettement (*cf. M.* 632 [1162-1184]).

56. *M.* 589 (fin du XIe s.) : *ad episcopum pertinere justicias integre de christianitate et treva et pace et cimiteriis ; et clericis ; et justicia clericorum plenarie quibuscumque rebus accusentur ; et rebus ecclesiasticis*. Sur la compétence normale de l'évêque pour les délits de *fractio pacis*, *cf.* G. MOLINIÉ, *L'Organisation judiciaire militaire et financière des associations de la paix : étude sur la paix et la trêve de Dieu dans le midi et le centre de la France*, 1912, p. 42*sq.* (qui reprend L. HUBERTI, *Die Friedensordnungen in Frankreich*).

57. *Cf.* la lettre de saint Odilon aux évêques d'Italie (1041), *Rec. Hist. de la Fr.*, t. XI, p. 516) et son interprétation par MOLINIÉ, *op. cit.*, p. 48.

58. A la fin du XIe siècle, cependant, l'évêque exerce, conjointement avec le comte, certains droits qui semblent bien procéder des *regalia*, *cf. M.* 589.

59. *C.* 632 (943), 764 (950), 856 (953), 2719 (1019) ; *M.* 409 (971 986).

60. *C.* 632, 764.

61. La présence de l'évêque s'explique parfois lorsque sont débattus les droits épiscopaux (*M.* 409 : plainte dirigée contre le précédent évêque) et par ses relations avec le défenseur (*C.* 2719 : Tessa de Brancion, sœur de l'évêque précédent et mère de l'évêque futur).

62. *C.* 856 ; *M.* 420 (971-986) : *testificavit comes et domnus episcopus et ceteri fidelium illorum*.

63. *M.* 243 (960 env.).

64. *M.* 376 (968-971), l'enquête et la décision sont le fait de l'évêque et des chanoines : *diu inter se requirentes non invenerunt juste aut recte tenere posse*.

65. *M.* 31 (1062-1072), 434 (s. d., milieu du XIe s.), 548 (1074-1108), 504 (1096-1124) ; *C.* 3707 (1100 env.), 3868 (1107).

66. *M.* 374, 434, 31, 548 ; *C.* 3797.

67. *M.* 376, 548 (chevalier du lieu, prévôts et humbles gens).

68. *M.* 156, 186, 204, 282, 284, 292, 409, 420, 426. Dernier jugement par le comte d'un conflit opposant Saint-Vincent à des laïcs : *M.* 16 (1018-1030).

69. Maieul de Vinzelles, précariste (*M.* 30) ; Hugues Burdin, précariste (*M.* 31) ; pour *M.* 548, c'est le bien en litige qui est un ancien bénéfice. Par contre, Robert de Chaintré (*M.* 504) ne semble pas faire partie de la clientèle de l'église.

70. Elle est choisie par les moines de Cluny (*C.* 3797, 3868, 3951 [1120 env.], par l'église de Beaujeu (*Cartulaire de l'église collégiale de Beaujeu* (B.), éd. GUIGUE, n. 29 (1095, 1120) ; la cour de l'évêque ne semble pas toujours capable ni désireuse de remplir ce rôle

(*C*. 3868). — Pour l'évêque d'Autun, *cf*. *P*. 218 (fin XIe s.); pour l'archevêque de Lyon, *C*. 3333. Ce pouvoir d'arbitrage s'étend au-delà du diocèse : *C*. 3920 (1115), conflit entre Cluny et le sire de Brancion pour des biens du diocèse de Chalon : *de quibus controversis, in examinationem Eduensis episcopi d. abbas Poncius et predictus Bernardus se posuerunt*. Là encore, nous sommes condamnés à ignorer si les laïcs s'adressaient spontanément à elle.

71. *M*. 548 : *cum de hec injuria canonicis... justiciam recusabat, aliquamdiu anathematis vinculo strictus.. in judicium... venit.*

72. *M*. 10 (1074-1078).

73. *M*. 30 (1060-1108), conflit entre Saint-Vincent et Maieul de Vinzelles ; arbitres : des seigneurs voisins. Aimon de Laisé et Oury de Montpont.

74. *C*. 980 (955) : *decernimus quoque, et nostra regia institutione sanccimus, ut in primis castrum monasterii omnimodo sit immune et sub ditione eorum libere constitutum, nullusque, intra girum ejus vel extra, quamlibet judiciariam exerceat potestatem contra voluntatem ipsorum...*

75. *C*. 3821 (1103-1104).

76. *C*. 3324 (1060 env.) : accord entre Gauthier de Berzé et Cluny : *ut si aliquis ex hominibus illorum sibi vel suis aliquam intulerit calumpniam vel molestiam, nullam vindictam accipiat quousque se per spatium XL dierum proclamet. Si infra hoc terminum non sibi justiciam fecerint, tunc ipse per se talem vindictam sumat, ut non plus accipiat, se sciente, quantum sua causa valuit.*

77. *C*. 3821.

78. Chevignes, ce. Prissé, ca. Mâcon-Sud. *C*. 3790. Les particularités onomastiques, l'état qu'il présente des possessions clunisiennes de la région de Solutré situent ce texte aux environs de l'an 1100.

79. *De quo etiam molendinum nostrum frangerunt et multa mala faciunt...*

80. *C*. 3666 (1093), 3685 (1095).

81. *C*. 3666.

82. *C*. 3685 : Lambert Deschaux, Geoffroy de Cluny, Ansoud du Bled et Hugues Burdin, importants chevaliers.

83. *C*. 3666, 3685 : *judicatum est ut tam feodum quam alodium suum et omnem censum et se et filios suos redderet in misericordiam fratrum, et se deinceps mullatenus intromitteret nisi quantum ei misericordia fratrum concederet.*

84. *C*. 3666 : *Ipse D. cum filiis suis sacramentum fecit...*, *C*. 3685, remise de garants.

85. *Cf*. la pratique judiciaire des abbés anglais de Ramsey, dans W.O. AULT, *Private Juridiction in England*, 1923, p. 56.

86. *C*. 2255 (994).

87. *Violatores anathemata maranatha dampnantur, nisi resipuerint et poenitenteniam egerint, aut ab abbatibus sanctissimi loci Cluniensis vel a fratribus ipsius loci absoluti quandoque fuerint.*

88. *Cf.* KROELL, *op. cit.*, p. 234 ; J.-FLACH, *Les Origines de l'ancienne France*, t. II, p. 162 ; voir aussi les clauses du diplôme d'immunité accordé à Tournus, JUÉNIN, *op. cit.*, Preuves, p. 91. Sur la juridiction exercée à propos du droit d'asile, *cf.* P. TIMBAL DUCLAUX DE MARTIN, *Le Droit d'asile*, thèse de droit, Paris, 1939, p. 169.

89. *C.* 2848 (1023).

90. *C.* 2296 (995).

91. *C.* 1989 (Gilbert et Orné sont les fils d'Audin dont il est question dans cette notice).

92. *Cf.* n. 57.

93. *C.* 2848, à compléter par *C.* 2784 qui donne la date.

94. *C.* 1951 (incendie d'église), 2290 (vol de bétail), 2464 (mutilation).

95. *C.* 1951, préambule de *C.* 2464.

96. *C.* 2889 (1032-1048). Gilbert et son fils abandonnent la vengeance de la mort d'un frère et donnent des garants : *ut nec nos nec ullus homo sit in damnum contra alium hominem pro morte fratris nostri ; sin alias unusquisque solvat solidos C. C.* 594 (s.d.) : *omnia ista perdonaverunt pro amore Dei et S.-Petri, et per cujus culpam jam amplius fuerit remotum, sexaginta solidos emendet.*

97. *C.* 1723 (986).

98. *C.* 594.

99. *C.* 3821.

100. *C.* 594, 1723, 1759, 1821, 1851, 1887, 1965, 2090, 2508, 2848, 2975, 3178, 3262.

101. *C.* 1855, 1978, 2086, 3666, 3821 ; *P.* 130, 207.

102. *C.* 2852.

103. *Seculares* (*C.* 2090), *judices* (3865), *milites* (1821, 3262), *nobiles viri* (1723, 2508).

104. *C.* 2090 ; *P.* 207.

105. *C.* 3666 ; *P.* 207.

106. *Cf.*, pour Audin (*C.* 2549), Guibert (*C.* 2380), Grimon (*C.* 1837), Constantin (*C.* 2422), Gilbert et Orné (*C.* 2296).

107. Geoffroy et Oury de Cluny, les frères de Sologny, H. Burdin, Lambert Deschaux, *cf. C.* 3262, 3666, 3685, 3821, 3828.

108. Entre autres, *C.* 1821 : Engeaume, Seguin et Constantin sont du lignage des frères de Merzé, qui sont jugés ; *C.* 3821, les seigneurs des Dombes qui accompagnent Humbert de Châtillon.

109. *C.* 1723, 1759, 1821, 1852, 1855, 1887, 1965, 1978, 2086, 2794, 2975, 3868.

110. *C*. 2090, 2508, 3178, 3821.

111. *C*. 2852, 3862.

112. *Cf. supra*, n. 76.

113. *C*. 1723 (986), 1759 (987-996), 1852 (990), 1885 (990). Ce terme *vassus* est employé par les scribes mâconnais pendant une période assez courte, précisément entre 980 et 990 (*cf. M*. 410 [981-986]).

114. Airoard (*C*. 1759), précariste (*C*. 1528) ; Josseran et Lambert de Merzé (1821), bénéficiés (2848) ; Orné et Gilbert (2296) bénéficiés (2296) ; le clerc Maieul (2508), bénéficié (941) ; Achard de Merzé (2975), fieffé (3221) ; Hugues de Bussières (3262), fieffé (3400).

115. *C*. 2852, 3821.

116. *C*. 3400.

117. *C*. 3503.

118. Ces trois sortes de justice se retrouvent dans l'Angleterre du XIIIe siècle entre les mains des moines de Ramsey (*cf*. AULT, *op. cit*).

119. *C*. 1989 (993-1020), 2407 et 2552 (1002), 2906 (1030 env.) ; Guichard, fils du vassal Josseran de Merzé, est condamné par la cour de Mâcon (2992, 3342 , [1050 env.]) et par celle de Chalon (2848).

120. *C*. 2719 (1019), 2870 (1031-1059).

121. Les décisions comtales de 1002 (*C*. 2407, 2552) viennent après le premier jugement du clerc Maieul (*C*. 2508).

122. *C*. 3841 (1106).

123. L'évolution de la forme des notices, qui est parallèle à celle suivie par les actes comtaux, confirme cette impression : aux notices impersonnelles de la fin du Xe siècle (*C*. 1978, 2086, 2508, 3171, 3262), déjà remplacées par des chartes de donation qui parfois s'ajoutent à l'acte de jugement (*C*. 2090, 1852, 1965), s'attachent bientôt les mentions de garantie : malédictions (*C*. 1978, 2090, 3821, 3975), serment solennel (*C*. 3666, *P*. 207), etc. La mention de compensations accordées de plus en plus fréquemment par Cluny (*C*. 1978, 2090, etc.) donne à ces actes l'allure de contrats ; les jugements sont remplacés par des accords.

124. *C*. 3822 (1103-1104) : contestation avec certains chevaliers des châteaux de Brancion et de Sennecey, dont les pères s'étaient encore soumis aux décisions du plaid clunisien, *Jussu itaque ejusdem venerandi patris, d. L., Cluniacensis ville decanus et d. A., Lordoni decanus... ad placitum in Brancedunensi et Seneciacensi castro convenerunt*.

125. *C*. 3797, 3868, 3920.

126. *C*. 3333, 3577, 3951.

127. *C*. 3333, les Enchaînés, descendants d'une des plus puissantes familles de la région et, à ce moment, châtelains de Montmerle. *C*. 3420, B. Gros, châtelain d'Uxelles et de Brancion.

128. *C*. 3868.

129. *C*. 3951.

130. *Bullarium Cluniac*, p. 6 et 7; *illustribus viris d. Wigoni vicecomiti et patri ejus d. Willemo, d. quoque Odulrico et d. Ansedeo et ceteris principibus et optimatibus totius Burgundie.*

131. *C*. 3744 (1100) : accord entre Cluny et Rolland Bressan, châtelain de Berzé : *si alius quilibet homo quem ipse Rollannus justiciare aut per suum corpus aut per suum habere possit, aut constringere...*, *C*. 3896 (1106) : accord avec Bernard Gros, châtelain d'Uxelles et Brancion : *si quisquam de meis hominibus effregerit aut aliquis homo quem ego in jus ducere possim...*

132. *Cf.* M. BLOCH, *La Société féodale*, t. II, p. 139; H. JANEAU, « Les institutions du Dauphiné au Moyen Âge : les agents locaux de la primitive justice comtale (XIe-XIIe siècle) », *Annales de l'université de Grenoble, section Lettres-Droit*, 1943, pp. 74-75.

133. Provisoirement, la liste brève des châteaux des environs de Cluny, connus avant le XIIe siècle : Lourdon (*C*. 34 [888]); Brancion (*C*. 405 [932]); Suin (*C*. 675 [945]); Mont-Saint-Vincent (*C*. 761 [950]); Charolles (*C*. 1249 [968-977]); Berzé (*C*. 1810 [989]); Uxelles (*C*. 3475 [1074]); Sennecey (*C*. 3822 [1103-1104]); Bâgé : JUÉNIN, *op. cit.* Preuves, p. 130 (1075); Chaumon, ce. Saint-Bonnet-de-Joux (*P*. 87 [fin du XIe s.]).

134. Nous sommes d'accord avec R. AUBENAS, « Les châteaux forts des Xe et XIe siècles », *Revue historique de droit*, 1938, pp. 548-586; *cf.* aussi A. DÉLÉAGE. « Les forteresses de la Bourgogne franque », *Annales de Bourgogne*, 1931, pp. 162-168 et « Les origines des châtellenies en Charolais », *La Physiophile*, Montceau-les-Mines, 1937. *Cf.* les précautions prises au concile d'Anse, pour protéger la paix publique, contre l'édification de châteaux privés (*C*. 2255); prescriptions analogues dans un diplôme du roi Robert (*C*. 2800 [1027]).

135. Les réunions d'arbitrage ont toujours lieu en plein air (*C*. 3577, 3726 [*in saltu sive foresta*], *M*. 548); mais les plaids, lorsqu'ils n'ont pas lieu dans la cité, siègent le plus souvent dans un château, comtal (v. *supra*, n. 39) ou privé : Lourdon (*C*. 594); Sanvignes (*P*. 76); Huchon (*P*. 166); Brancion et Sennecey (*C*. 3822).

136. *Cf*. *P*. 166.

137. En particulier, certaines terres possédées au Xe siècle par les Garoux, châtelains de Brancion, ont la même origine que le patrimoine primitif de l'abbaye de Cluny, Guillaume le Pieux ayant partagé entre son vassal et l'abbé Bernon ses domaines personnels du Clunisois occidental.

138. Les vieux historiens de la Bresse (*cf.* GUICHENON, *Histoire de Bresse*, p. 40), suivis par les compilateurs du XVIIIe siècle, paraient les sires de Bâgé du titre comtal; leur opinion repose sur des confusions généalogiques. Quant à *Ildinus comes*, du *Bullarium*,

p. 6, c'est le résultat d'une faute de lecture (*cf. Cartulaire C de Cluny*).

139. Gauthier (940-960 env.) succède à son père Maieul (930-940), *cf.* CHAUME, « Féodaux mâconnais », *op. cit.* Guigue succède à son beau-père, Naudouin (*C.* 1179 [964]).

140. Dernière mention du vicomte dans son rôle d'assesseur : *M.* 96 (1018-1030).

141. *C.* 2992 (1037).

142. L'identification proposée par GANSHOF (*Etude*, p. 210, n. 15), *Archimbaldi cognomento Nigelli* : Archambaud le Blanc, est fautive ; il s'agit d'une famille chevaleresque bressane.

143. Artaud le Blanc est le seigneur des voyers de Montmelard (Arch. Saône-et-Loire, H. 142/2 [1067]) ; Hugues le Blanc donne à Saint-Pierre-de-Mâcon la chapelle Saint-André-de-Villars près de Charlieu, avec la *vicaria* ; ce droit fait partie du *vicecomitatus* (*Nécrologue de Saint-Pierre-de-Mâcon,* éd. GUIGUE, p. 51 [1096]).

144. *C.* 1524 (980), 2391 (997), 2591 (1004). La cour de *M.* 426 (968-971), malgré le titre de *vicarius* donné au président (un important seigneur, l'un des plus assidus assistants du *mallus*), est une session de la cour comtale, présidée, en l'absence du comte et du vicomte, par l'un des principaux assesseurs qui prend le titre de vicaire.

145. *C.* 1524, *scabinei* ; 2391, *boni homines*.

146. Après des recherches assez poussées, nous avons l'impression de connaître, au moins par leurs noms, tous les seigneurs marquants, ancêtres des chevaliers de l'époque féodale, résidant, aux alentours de l'an mil, dans la région de Château, ca. Cluny, où se tient l'assemblée vicariale de *C.* 2591. Aucun d'eux ne figure dans l'assistance.

147. Pour *C.* 2391, il n'y a pas de président.

148. *Cf.*, en particulier, CHENON, p. 222, et les textes cités en note, p. 243.

149. Les trois notices dont nous disposons relatent des jugements rendus à Prissé (*C.* 1521), Château (2591), Nogent-sous-Brancion (2391). La notion géographique de *vicaria* est encore employée dans les actes de la fin du XIe siècle (*M.* 50 [1060-1108]). Si ces indications correspondent vraiment au ressort des assemblées judiciaires, celles-ci étaient, en Mâconnais, très petites. *Cf.* CHAUME, *Les Origines…, op. cit.*, p. 1027, liste des *vicariae*.

150. *C.* 2591.

151. *C.* 2943 (997-1027), Uxelles, ce. Bissy-sur-Uxelles, ca. Saint-Gengoux, Saint-Hippolyte, ce. Malay, même ca.

152. Arch. Saône-et-Loire, H. 142/2.

153. Landry Gros, petit-fils de Josseran, en pleine puissance, est encore nommé *vicarius de Branceduno* (*C.* 3914 [s.d. fin XIe s.]).

154. Sur le *vicarius*, *cf*. F. LOT, « La vicaria et le vicarius », *Nouvelle Revue historique de droit*, 1893 ; en Anjou : L. HALPHEN, « Prévots et voyers au XIe siècle ; région angevine », *Le Moyen Age*, 1902, p. 319 ; en Poitou : M. GARAUD, *Essai sur les institutions judiciaires du Poitou sous le gouvernement des comtes indépendants : 902-1137*, 1910, pp. 149-151 ; en Lyonnais : M. DAVID, *Le Patrimoine foncier de l'Eglise de Lyon de 984 à 1267*, 1942, p. 203*sq*. ; en Limousin, on le devine à travers les documents employés par G. TENANT DE LA TOUR, *L'Homme et la terre de Charlemagne à Saint Louis*, 1942, pp. 521-528.

155. Sur le sens du mot *vicaria*, LOT, *Vicaria*, p. 283, GARAUD, *op. cit.*, p. 32 ; en Lorraine, le terme *centena* subit une évolution sémantique analogue, Ch.-E. PERRIN, « Sur le sens du mot " centena " dans les chartes lorraines du Moyen Age », *Bulletin Ducange*, 1929-1930. DÉLÉAGE, *Vie rurale*, p. 534, a noté cette évolution, mais elle n'est pas encore achevée en 1050.

156. *Cf*. n. 143.

157. *Ibid*.

158. *Cf*. l'enquête générale de LOT, *Vicaria*.

159. *P*. 194. Les prévôts remplacent aussi les voyers dans les autres régions du royaume : TENANT DE LA TOUR, *op. cit.*, p. 519 ; GARAUD, *op. cit.*, p. 155 ; HALPHEN, *op. cit.*, p. 319 : les prévôts angevins apparaissent au même moment.

160. Mâcon : *C*. 2992 (1049-1065) ; *M*. 589 (1096-1124) ; Mont-Saint-Vincent : *P*. 194 (1030 env.) ; Charolles : *P*. 44, 45, 46 (seconde moitié du XIe siècle).

161. Pour les prévôts de Charolles en particulier : *P*. 44, 45, 46.

162. *P*. 194.

163. *P*. 44, 45, 46.

164. Evrars, prévôt laïc de Mâcon, est peut-être le père du chevalier Humbert (*C*. 2861, 2969) ; les prévôts de Charolles sont des *milites* (*cf*. HALPHEN, *op. cit.*, p. 307, la figure du prévôt d'Angers).

165. H. HIRSCH, *Die hohe Gerichtsbarkeit im deutschen Mittelalter*, 1922, I, chap. 1 ; II, chap. 6.

166. HIRSCH, *op. cit.*, p. 198 ; BLOCH, *op. cit.*, p. 128*sq*.

167. *Cf*. la justice de sang, monopole des comtes de Flandre, GANSHOF, « Die Rechtssprechung... », *op. cit.*, p. 170.

168. GLABER, *Hist.*, IV, 2 : *ad quam (civitatem) veniens, quod compererat Ottoni comiti ceterisque civibus indicavit qui protinus mittentes viros quamplurimos qui rei veritatem inquirerent, pergentesque velocius, repererunt illum crudelissimum... quem deducentes ad civitatem, in quodam borreo religatum ad stipitem, ut ipsi postmodem conspeximus, igne combusserunt*.

169. *M*. 589 : *ad comitem pertinere adulteros latrones publicos...*

170. On doit distinguer cette garde particulière et territoriale de la garde générale sur tous les biens d'une église, qui est étudiée par N. DIDIER, *La Garde des églises au XIII*[e] *siècle*, 1927. Sur cette distinction, *cf*. DAVID, *op. cit.*, p. 174*sq*. Il n'y a rien à tirer du chapitre consacré à cette institution par G. DE VALOUS : « Le monachisme clunisien », II, p. 142*sq*.

171. Ce n'est pas comme gardien de l'abbaye de Cluny que le comte de Mâcon juge le différend entre ce monastère et l'abbaye de Tournus, mais comme gardien particulier des biens en litige, fonction qu'il devait à ses possessions personnelles dans la basse vallée de la Seille (*C*. 3726) : *cujus custodie possessio jam dicta noscitur delegata*. Contre cette opinion : *cf*. DIDIER, *op. cit.*, p. 233.

172. *C*. 3821 : *vuardam et malefactorum justiciam*. *Cf*. DIDIER, *op. cit.*, p. 228.

173. Les *advocati* du Xe siècle représentent devant la cour du comte les intérêts des établissements ecclésiastiques (*M*. 284 [888-898] ; *C*. 764 [950] ; 799 [951]), tenant parfois le rôle de champion dans le duel judiciaire (*M*. 282 [936-954]). Exceptionnellement, le comte, lorsqu'il remplit ses fonctions, à l'occasion, porte le titre (*M*. 156 [936-954]). Nommés pendant un certain temps *actores* (*C*. 856 [953], 1037 [957], 1100 [961]), ils disparurent ensuite définitivement. Sur ce point, on doit rectifier les limites géographiques données par F. SENN, *L'Institution des avoueries ecclésiastiques en France*, 1903, p. 104.

174. *C*. 3821.

175. Saint Maieul remet à Humbert de Beaujeu la garde sur certaines obéances clunisiennes (*C*. 889 [954-965]) : *commendo... ad custodiendum et defendendum a malis et perversis hominibus... ita tamen ut pauperibus nostris reddas quae eis tulisti...*

176. Le comte de Chalon a le *salvamentum* autour de son château de Mont-Saint-Vincent (*P*. 194 [1030 env.]).

177. Le sire de Beaujeu : *C*. 884, *M*. 476 (1031-1060) ; le sire de Digoine (*P*. 179) ; Oury de Bâgé (le service qu'il perçoit sur l'obéance de Perronne semble bien le salaire de ses fonctions de gardien).

178. Le sire de Brancion (*C*. 3920 [1115]) ; L. et B. Gros possèdent le *salvamentum* dans les mêmes villages où leur grand-père Josseran tenait la *vicaria* (*C*. 3073 [1070]).

179. E. de Neublans, héritier des Garoux, anciens châtelains de Brancion, réclame *vuardam* et *salvamentum* sur une vallée proche du château (*C*. 3737 [1100]).

180. *Cf*. DIDIER, *op. cit.*, p. 16.

181. *C*. 2944 (1050 env.), garde sur un bois ; *C*. 3640 (s.d.), *salvamentum* sur deux manses ; *M*. 27 : *per consuetudinem salvamenti ; C*. 3085 [1050 env.]) : G. de Chaselles fait abandon *de omnibus malis consuetudinibus quas ipse et antecessores ejus inmitterant in omnibus terris que in eorum videbantur esse custodia*.

182. Extension des droits de justice supérieurs sur les seigneuries foncières des églises : *C.* 2846 (978-1039), 2943 (999-1027).

183. *Cf.* DÉLÉAGE, *Vie rurale.*

184. C'est en ce sens que la justice a pu être considérée comme une dépendance de la propriété. *Cf.* SEIGNOBOS, *op. cit.*, p. 242, qui le remarque sans l'expliquer et qui note que l'on ne fait jamais mention des droits judiciaires des seigneurs fonciers avant le XIIe siècle.

185. Le comte de Chalon est entouré par les *seniores viros Carelle castri* (*C.* 1249 [968-978]).

186. *P.* 166 (1080 env.), *curia* du sire de Semur, au château de Huchon, formée par tous les chevaliers des environs.

187. Importance de la possession par les moines de Cluny du château voisin de Lourdon.

188. *Cf.* HALPHEN, « Les institutions judiciaires en France au XIe siècle, région angevine », *Revue historique,* n° 78, 1901, p. 304 ; GARAUD, *op. cit.*, p. 144.

189. HALPHEN, *op. cit.*, p. 282 ; GARAUD, *op. cit.*, p. 41 ; GANSHOF, *Etude,* p. 197.

190. Le mouvement paraît en Bourgogne relativement tardif ; en Lorraine, les règlements d'avouerie commencent aux alentours de 1050, *cf.* Ch.-E. PERRIN, *Recherches sur la seigneurie rurale en Lorraine d'après les plus anciens censiers,* 1935, p. 118, n. 1.

191. Châtillon-sur-Chalaronne, dpt Ain ; Chaveyriat, m. ca.

192. *C.* 3821.

193. *Cf.* PERRIN, *op. cit.*, p. 676 ; FLACH, *op. cit.*, t. I, pp. 182-183.

194. Tous ces droits sont normalement détenus par le seigneur gardien : *cf.* DIDIER, *op. cit.*, p. 237 ; R. LAPRAT, « Avoué », *Dictionnaire d'histoire et de géographie ecclésiastique,* t. V, 1931, Coll. 1232.

195. *M.* 89 (1096-1124). Le règlement a lieu à l'avènement du comte Renaud, de la branche cadette et comtoise. L'évêque est le frère du même Humbert de Châtillon qui conclut à ce moment un accord du même genre avec les moines de Cluny sur la garde de Chaveyriat.

196. *C.* 4205 (1161-1172).

197. La maturité de la bourgeoisie clunisienne se manifeste d'ailleurs dès les premières années du XIIe siècle (*cf. C.* 3874, etc.).

198. *C.* 4205, § V.

199. *C.* 4205, § XVIII.

200. BLOCH, *op. cit.*, p. 198*sq.*

201. *Cf.* HALPHEN, *op. cit.*, p. 296 ; JANEAU, *op. cit.*, p. 76.

202. *C.* 2946 (début du XIe) ; *P.* 173 (1033 env.).

203. *C.* 3125 (s.d. début du XIe). Bernard, tout petit seigneur, donne une terre qui lui vient d'Audin, châtelain de Berzé, personnage considérable : « *quod dedit mibi Ildinus, pro nece fratris mei Malguini, ut eum Domini absolvit* ».

204. *C.* 310 (s.d. début XIe), 1931 (993), 2464 (997).

205. Sur l'introduction des institutions de paix en Bourgogne, *cf.* R. POUPARDIN, *Le Royaume de Bourgogne (888-1038)*, 1907, p. 302*sq.*

206. *C.* 2555. Sur le caractère véritable de ce concile, *cf.* POUPARDIN, *op. cit.*, p. 302.

207. Texte publié par G. VALAT, *Poursuite privée et composition pécuniaire dans l'ancienne Bourgogne*, 1897, p. 82.

208. *Cf.* G. DE MANTEYER, « Les origines de la maison de Savoie, la paix en Viennois (Anse, 17 juin 1025) », *Bulletin de la Société statistique de l'Isère*, 1904.

209. *C.* 2255 ; pacte de Verdun « *ecclesiam nullo modo infringam ; atria ecclesiae non infringam* ».

210. *C.* 2889 (1032-1048), *cf. supra*, n. 94.

211. *P.* 22, 17, 167 (mais en général, ces sauvetés comme les églises qu'elles entourent sont en possession des laïcs : *P.* 18, 19, 21, 22, 25, 132, 150, 162, 167). *Cf.* TIMBAL, *op. cit.*, p. 170. *C.* 3674 (1094).

212. *Bull. Clun.*, p. 25.

213. « *Huis loco... quosdam certos limites immunitatis de securitatis circum circa undique assignare... infra quos terminos nullus homo, cujuscumque conditionis ac potestatis umquam invasionem aliquam grandam vel parvam, aut incendium aut praedam aut rapinam facere, aut hominem rapere, vel per iram ferire, aut, quod multo gravius est, homicidium perpetrare vel truncationem membrorum hominis ullatenus audeat.* » Ceci dans un rayon de 4 km environ.

214. L'excommunication est de rigueur contre celui qui enfreindra sciemment ces prescriptions et qui « *congrua satisfactione non emendaverit* ». « *Excommunicatus pro banno fracto ubi emendationem congruam faceret absolvatur.* »

215. *M.* 514 (1096) ; Tournus : JUENIN, *op. cit.*, Preuves, p. 148 (1120) et p. 149 ; le faux diplôme de S. Marcel-les-Châlon, rédigé sans doute à ce moment, accorde le droit d'asile dans un rayon de 2 000 pas (*S. M.* 1).

216. *Cf.* FLACH, *op. cit.*, t. I, p. 180 ; TIMBAL, *op. cit.*, p. 154 (après Seeliger).

217. *Cf.* les documents publiés par FLACH, *op. cit.*, t. I, p. 173 *sq.*

218. Fondation de l'abbaye de la Ferté : « *Sicut opportunum fuit designaverunt fixis crucibus. In qua postea designatione sicut duo episcopi diffinierunt in dedicatione ipsius loci... bannum statuerunt quos*

si quis fratrum... possessionem... ullo modo infringeret, excommunicationi in perpetuum subjaceret » (Arch. de Saône-et-Loire, H. 24, 1).

219. *C*. 3435 (1080 env.) : « *Pro remedio anime filii mei carissimi B..., qui in ultimo vite exitu, heu pro dolor! morte subitanea preventus est.* »

220. *P*. 17 (s.d.), Beaujeu 13 (1090), 24 (1090). *C*. 3412 (1067), *C*. 2937 (1040), *C*. 588 (s.d.).

221. *Hist*. I, 2 (éd. PROU, p. 3) : « *Subsistens atque immobilis collocatio recte distributionis.* »

222. *Cf*. préambule de *C*. 3149 ; par exemple, Eudes, chevalier d'une branche cadette du lignage des sires de Berzé, donne, vers 1070, un moulin à Cluny, qui pourtant un peu plus tard entre dans la dot de sa sœur ; le fils de celle-ci se fait racheter ses droits (*C*. 3301) ; puis c'est le tour du frère d'Eudes (*C*. 3504 : « *Licet jam laudasset ipsum donum tamen illico calumpniam fratribus cluniacensibus intulit et usque finem vite sue calumniam inferre non destitit. In fine vero vite sue recordatus quod injuste calumniam faciebat de ipso molendino pro remedio anime sue donum quod frater suus fecerat bono animo laudavit et filio suo Garulfo laudare fecit* ») ; enfin Cluny doit lutter encore contre les prétentions du chef du lignage et de son fils et les éteindre par de lourdes indemnités.

223. *C*. 3806, *P*. 64, 87, 152 ; les réclamations contre la détention de biens concédés au-delà du terme légal deviennent beaucoup plus rares, car le nombre des précaires et des fiefs concédés pour un temps limité diminue rapidement : encore pourtant dans *M*. 26 (1074-1096) ; 547 (1106).

224. *C*. 2997, 3065, 3150, 3262, 3367, 3503, 3841, *M*. 4.

225. *Cf*. les Enchaînés, châtelains de Montmerle (*C*. 3314, 3333, 3654) ; les Gros de Brancion (3340, 3926, 3929) ; les Bâgé (*M*. 587) ; le châtelain de Sennecey (*SM*. 79) ; les sires de Boubon-Lancy (*P*. 115-154) ou de Digoine (pp. 159, 178) ; les Deschaux qui, à ce moment, s'installent dans le château de la Bussière (*C*. 3829).

226. *SM*. 101 (fin XIe), *P*. 154 (fin XIe).

227. *C*. 3726, *cf*. n. 169.

228. *C*. 3868, *SM*. 105 ; *cf*. GANSHOF, *Etude*, p. 198.

229. *C*. 3868 ; *cf*. GANSHOF, *Etude*, p. 197 ; JANEAU, *op. cit.*, p. 76 : « Le seul fait de se présenter en justice est alors le témoignage d'un réel désir de s'entendre. »

230. GANSHOF, *Etude*, pp. 210-211.

231. *C*. 3868.

232. *Cf*. L'attitude d'Audin dans *Bull Clun.*, *P*. 6.

233. « *Consilio amicorum* » (*C*. 3868, *M*. 554) ; « *a suis magnatibus commonitus* » (*P*. 154).

234. *C*. 3034, 3758, 3874 ; *P*. 154.

235. *C*. 3760, 3868 (sur Archimbaud Neiel, v. n. 140), *M*. 598.

236. *C*. 3951, *M*. 30.

237. Les Enchaînés : *C*. 3577; le sire de Beaujeu : *C*. 3577; B. Gros : *C*. 3920.

238. Précieux témoignage sur l'émancipation des prévôts; voir les jugements infligés, avec des formes et des précautions sans doute, mais durement, par Cluny à ses prévôts vingt ans avant.

239. *C*. 3920 (1115), 3951 (début XIIe).

240. *M*. 434.

241. *M*. 30; devant les réclamations d'un chevalier, les chanoines de Saint-Vincent « *venerunt ad placitum parati per sacramentum ei campionem sic probare et sic facere de illis terris sicut judicatum fuit* »; on admet généralement la répugnance de l'Eglise pour ces procédés; *cf*. ESMEIN, *Manuel*, p. 279.

242. V. GANSHOF, *Etude*, p. 205, n. 6; dans les autres régions, au contraire, faveur du duel judiciaire et même des ordalies unilatérales (HALPHEN, pp. 291-293; ESMEIN, p. 261; CHÉNON, p. 673; BLOCH, p. 119).

243. *C*. 3841.

244. *M*. 567 (1096-1124); *C*. 3920, 3726 : « *Testificatus est publice quidam de hominibus S. Petri... XXX$_a$ et uno annis se vidisse easdem res absque legali calumnia cluniacenses monachos tenuisse.* »

245. *C*. 3577 : « *Coastantibus multis et maxime P. de V. qui hujus doni testis fidelis et idoneis extitit quamdiu vixit, quique moriens hujusmodi testimonium filio suo B. sepius inculcavit, precipiens ei adtencius ut si ita res poposcisset, etiam jurejrando hoc affirmaret* »; un litige ultérieur est ensuite réglé par le témoignage du fils.

246. *C*. 3744 (1100).

247. *C*. 3920 : « *De muliere H. dicit A. quod L. dedit eam et homines Bernardi nominat qui hec sciant, illi negant.* »

248. Si les archives de Cluny cessent d'être en ordre depuis saint Hugues, les magnifiques pancartes de la Ferté témoignent du soin déployé par les cisterciens au XIIe siècle.

249. Le témoignage de la chronique de Tournus, relatant l'incendie de 1080, « *librorum non minima perditio, cum chartis testamentalibus magno pondere argenti acquisitis* » (JUÉNIN, *op. cit.*, Preuves, p. 23), fait écho à quatre siècles de distance aux plaintes de *M*. 66.

250. L. Gros réclamait les descendants d'une serve autrefois donnée par son père « *et ideo eos requirebam, qui patris datum nesciebam, et ipsi monachi de hoc dono se cartam habere nesciebant* ». Il finit par abandonner sa revendication « *accepi... quinquagenta solidos... cum... cartam se habere nescirent; nam si scirent, nihil utique mihi dedissent* ».

251. *C*. 430 (935), 856, 1296, 1312 (972), 2552 (1102).

252. Certains actes passés entre laïcs *C*. 3755 (1096 env.); ce sont, notons-le, des gens de la ville.

253. *C.* 2844 (1080 env.) : « *A quibus... ablata fuit ista terra... et, quod pejus est, carta legalis descripta ab ipsis igne exusta.* »

254. *SM.* 107 ; les arbitres se bornent souvent à remettre entre les mains de la victime les garants déposés avant le jugement par le condamné (*C.* 3868), mais sont parfois eux-mêmes garants de la paix. (*C.* 3760 : « *Promiserunt ut per fidem adjuvarent ipsi Odoni, si hoc placitum H. non teneret.* »

255. *Cf.* HALPHEN, *op. cit.*, p. 294 ; GARAUD, *op. cit.*, p. 129 ; GANSHOF, *Etude*, p. 215.

256. *C.* 2736 ; en 1020 environ, les moines de Cluny voulant rentrer en possession de leurs seigneuries d'Amberieu-en-Dombes et de Jully-lès-Buxy « *aurique et argenti ac palliorum diversas species offerentes illis qui eas a suis antecessoribus... injuste usurpatas susceperunt* ».

257. Lebaud de Digoine, par exemple, et ses revendications incessantes sur les possessions du prieuré de Paray (*P.* 64, 66, 152, 159, 178).

258. *C.* 3653 : « *Ut si hoc donum calumpniatum fuerit ab ullo homine, ut ipsi emendent sexagenta solidos* » ; *C.* 3868 : amende qui semble symbolique « *auri libram monachis exsolvat* ».

259. *SM.* 107 : « *Reddam caput et legem.* »

260. *C.* 3726, 3744, 3896, *P.* 207.

261. *C.* 3666, 3703, 3744, 3868, 3891, 3951, *M.* 560, 586, 587, *P.* 207.

262. *C.* 3744 : « *Fidelis adjutor* » *C.* 3017 (fin XIe).

263. *P.* 130 : « *Ut deinceps sint fideles et amici.* »

264. Le baiser : *M.* 4, 26, 456. *SM.* 105 ; le geste de *C.* 3874 est déjà très proche du cérémonial de l'hommage. G. de Berzé abandonne des revendications et devant Saint Hugues « *jam dicto patri junctis manibus se commendavit ac insuper sancto Petro sibi fidelitatem super sanctas juravit reliquias, adstantibus et conlaudantibus suis parvulis duobus filiis... quos etiam supradicto patri commendavit* » (*C.* 3324). Sur l'hommage, moyen de contracter des obligations, *cf.* G. PLATON, « L'hommage comme moyen de contracter des obligations privées », *Revue générale du droit et de la législation*, 1902 ; *cf.* MITTEIS, *op. cit.*, p. 483.

265. *C.* 2018.

266. *C.* 2593 : « *Parentibus nostris, vicinis nostris et amicis nostris* » ; *C.* 2848 : 6 garants : le frère, le neveu, le seigneur féodal et trois alliés.

267. *C.* 3685.

268. *C.* 2848, 2889, 3653.

269. *C.* 3760.

270. *C.* 3666.

271. *C*. 3666, 3744, 3896 : 14 jours ; *P*. 207 : un mois ; *C*. 3703 : 40 jours.

272. *C*. 3744 (1100) : « *Juravit... ut si umquam faceret forfactum S. Petro... in illa terra... ingenio ejus aut assensu ejus infra quatuordecim dies post submonitionem... aut summam tolti per capitale reddat, aut in prehensione semet ipsum intra Cluniacum conducat et inde nulla ratione exeat, nisi licentia... induciatus et ad terminum induciarum iterum se in prehensione Clunacum conducat et hoc tamdiu faciat donec summam tolti ad integrum reddat.* »

273. Nous avons conservé l'une de ces obligations individuelles : *C*. 3784.

274. Cluny (*C*. 3744, 3896, *P*. 207) ; Mâcon (*M*. 560) ; Uxelles (*C*. 3784) ; Beaujeu (*M*. 586) ; Charolles (*P*. 207).

275. *C*. 3784 : « *Exeam si ignis incendio villa cremari ceperit...* »

276. *M*. 586, *C*. 3744 : « *Ejusdem valentie.* »

277. *M*. 560, les otages sont les membres du lignage de H. Geoffroi.

278. *C*. 3784 : toute la petite chevalerie, cliente de la famille des Gros, autour de Bernard ; *M*. 586 : les vassaux des Beaujeu ; *C*. 3744 : accord entre Cluny et Rolland Bressan, sire de Berzé, 15 otages sont donnés : 10 pour Rolland, qui sont des seigneurs des Dombes et de la Bresse méridionale, son pays d'origine ; 5, pour son fils, sont les chevaliers du voisinage.

279. *C*. 3726.

280. *C*. 3943 : « *Manutenere, deffendere et custodire sicut res proprias ; vim et violentiam removere ; damna et injuria facere emendari promittimus et tenemur.* »

281. HALPHEN, *op. cit.*, p. 299.

282. BRUNNER, *Deustche Rechtsgeschichte*, II, p. 302.

283. *Vie rurale*, p. 622*sq*.

284. *Cf*. H. CAM, « Suitors and scabini », *Liberties and Communities in Medieval England*, Cambridge, 1944.

285. GANSHOF, *Châtellenies*, p. 84.

286. *Ibid.*, p. 60.

287. E. CHENON, *Histoire générale du droit français public et privé*, I, p. 244*sq*. ; OLIVIER-MARTIN, *Précis d'histoire du droit français*, 4e éd., 1945, p. 104.

288. HIRSCH, *op. cit.* ; GASSER, *Entstehung und Ausbildung der Landeshoheit im Gebiete der schweizer. Eidgenossenschaft*, 1930 ; cf. E. CHAMPEAUX, « Nouvelles théories sur les justices du Moyen Age », *Revue historique de droit*, 1935.

289. GENESTAL, cité par CHAMPEAUX, *op. cit.*, p. 109.

290. BLOCH, *op. cit.*, t. II, p. 184.

TABLE DES MATIÈRES

DÉJÀ PARUS

Collection Champs

ABELLIO **Assomption de l'Europe.**
ADOUT **Les raisons de la folie.**
ALAIN **Idées.**
ALQUIÉ **Philosophie du surréalisme.**
ARAGON **Je n'ai jamais appris à écrire** ou les ***Incipit.***
ARNAUD, NICOLE **La logique ou l'art de penser.**
AXLINE Dr **Dibs.**
BADINTER **L'amour en plus.**
Les Remontrances de Malesherbes.
BARRACLOUGH **Tendances actuelles de l'histoire.**
BARTHES **L'empire des signes.**
BASTIDE **Sociologie des maladies mentales.**
BECCARIA **Des délits et des peines.**
BERNARD **Introduction à l'étude de la médecine expérimentale.**
BIARDEAU **L'hindouisme. Anthropologie d'une civilisation.**
BINET **Les idées modernes sur les enfants.**
BOIS **Paysans de l'Ouest.**
BONNEFOY **L'arrière-pays.**
BRAUDEL **Écrits sur l'histoire.**
La Méditerranée. L'espace et l'histoire.
BRILLAT-SAVARIN **Physiologie du goût.**
BROUÉ **La révolution espagnole (1931-1939).**
BURGUIÈRE **Bretons de Plozévet.**
BUTOR **Les mots dans la peinture.**
CAILLOIS **L'écriture des pierres.**
CARRÈRE D'ENCAUSSE **Lénine, la révolution et le pouvoir.**
Staline, l'ordre par la terreur.
CASTEL **Le psychanalysme.**
CHAR **La nuit talismanique.**
CHASTEL **Éditoriaux de la Revue de l'art.**
CHAUNU **La civilisation de l'Europe des Lumières.**
CHEVÈNEMENT **Le vieux, la crise, le neuf.**
CHOMSKY **Réflexions sur le langage.**
CLAVEL **Qui est aliéné ?**
COHEN **Structure du langage poétique.**
CONDOMINAS **Nous avons mangé la forêt.**
CORBIN **Les filles de noce.**
Le miasme et la jonquille.
DAVY **Initiation à la symbolique romane.**
DERRIDA **Éperons. Les styles de Nietzsche.**
La vérité en peinture.
DETIENNE, VERNANT **Les ruses de l'intelligence. La métis des Grecs.**
DEVEREUX **Ethnopsychanalyse complémentariste.**
DIEHL **La République de Venise.**
DODDS **Les Grecs et l'irrationnel.**
DUBY **L'économie rurale et la vie des campagnes dans l'Occident médiéval** (2 tomes).
Saint-Bernard. L'art cistercien.
L'Europe au Moyen Âge.
EINSTEIN, INFELD **L'évolution des idées en physique.**
ÉLIADE **Forgerons et alchimistes.**
ELIAS **La société de cour.**
ERIKSON **Adolescente et crise.**
ESCARPIT **Le littéraire et le social.**
*****Les états généraux de la philosophie.**
FABRA **L'anticapitalisme.**
FEBVRE **Philippe II et la Franche-Comté.**
FÉRRO **La révolution russe de 1917.**
FINLEY **Les premiers temps de la Grèce.**
FOISIL **Le Sire de Gouberville.**
FONTANIER **Les figures du discours.**
FUSTEL DE COULANGES **La cité antique.**
GARDEN **Lyon et les Lyonnais au XVIIIe siècle.**
GENTIS **Leçons du corps.**
GERNET **Anthropologie de la Grèce antique.**
Droit et institutions en Grèce antique.
GINZBURG **Les batailles nocturnes.**
GONCOURT **La femme au XVIIIe siècle.**
GOUBERT **100 000 provinciaux au XVIIe siècle.**
GREPH (Groupe de recherches sur l'enseignement philosophique) **Qui a peur de la philosophie ?**
GRIMAL **La civilisation romaine.**
GUILLAUME **La psychologie de la forme.**
GUSDORF **Mythe et métaphysique.**
GURVITCH **Dialectique et sociologie.**
HEGEL **Esthétique.** Tome I. **Introduction à l'esthétique.** Tome II. **L'art symbolique. L'art classique. L'art romantique.** Tome III. **L'architecture. La sculpture. La peinture. La musique.** Tome IV. **La poésie.**
JAKOBSON **Langage enfantin et aphasie.**
JANKÉLÉVITCH **La mort.**
le pur et l'impur.
L'ironie.
L'irréversible et la nostalgie.
Le sérieux de l'intention.
JANOV **L'amour et l'enfant.**
Le cri primal.
KRIEGEL **Aux origines du communisme français.**
KROPOTKINE **Paroles d'un révolté.**
KUHN **La structure des révolutions scientifiques.**
LABORIT **L'homme et la ville.**
LAPLANCHE **Vie et mort en psychanalyse.**
LAPOUGE **Utopie et civilisations.**
LEAKEY **Les origines de l'homme.**
LEPRINCE-RINGUET **Sciences et bonheur des hommes.**

LE ROY LADURIE **Les paysans de Languedoc.**
Histoire du climat depuis l'an mil (2 tomes).
LOMBARD **L'Islam dans sa première grandeur.**
LORENZ **L'agression.**
L'homme dans le fleuve du vivant.
MACHIAVEL **Discours sur la première décade de Tite-Live.**
MANDEL **La crise.**
MARIE **Le trotskysme.**
MARX **Le Capital.** Livre I (2 tomes).
MEDVEDEV **Andropov au pouvoir.**
MICHELET **Le peuple.**
La femme.
Louis XIV et la Révocation de l'Édit de Nantes.
MICHELS **Les partis politiques.**
MOSCOVICI **Essais sur l'histoire humaine de la nature.**
MOULÉMAN MARLOPRÉ **Que reste-t-il du désert ?**
NOËL **Dictionnaire de la Commune** (2 tomes).
ORIEUX **Voltaire** (2 tomes).
PAPAIOANNOU **Marx et les marxistes.**
PAZ **Le singe grammairien.**
POINCARÉ **La science et l'hypothèse.**
PÉRONCEL-HUGOZ **Le radeau de Mahomet.**
PORCHNEV **Les soulèvements populaires en France au XVIIe siècle.**
POULET **Les métamorphoses du cercle.**
RAMNOUX **La Nuit et les enfants de la Nuit.**
RENOU **La civilisation de l'Inde ancienne d'après les textes sanskrits.**
RICARDO **Des principes de l'économie politique et de l'impôt.**
RICHET **La France moderne. L'esprit des institutions.**
RUFFIÉ **De la biologie à la culture** (2 tomes).
SCHUMPETER **Impérialisme et classes sociales.**
SCHWALLER DE LUBICZ R.A. **Le miracle égyptien. Le roi de la théocratie pharaonique.**
SCHWALLER DE LUBICZ Isha **Her-Back, disciplíne.**
Her-Back « Pois Chiche ».
SEGALEN **Mari et femme dans la société paysanne.**
SIMONIS **Claude Lévi-Strauss ou la « Passion de l'inceste ».** Introduction au structuralisme.
STAROBINSKI **1789. Les emblèmes de la raison.**
Portrait de l'artiste en saltimbanque.
STOETZEL **La psychologie sociale.**
STOLERU **Vaincre la pauvreté dans les pays riches.**
STRAUSS **Droit et Histoire.**
SUN TZU **L'art de la guerre.**
TAPIÉ **La France de Louis XIII et de Richelieu.**
TRIBUNAL PERMANENT DES PEUPLES **Le crime de silence. Le génocide des Arméniens.**
THIS **Naître... et sourire.**
ULLMO **La pensée scientifique moderne.**
VILAR **Or et monnaie dans l'histoire 1450-1920.**
WALLON **De l'acte à la pensée.**

Achevé d'imprimer en janvier 1988
sur les presses de l'Imprimerie Bussière
à Saint-Amand (Cher)

N° d'édition : 11489.
Dépôt légal : janvier 1988.
N° d'impression : 2500.

Imprimé en France